HOROSCOPE 2005

Anne-Marie Chalifoux D.n.

NOUVEAUTÉ COMMENT FAIRE DE L'ARGENT

• amour • santé • travail • finances
• prédictions mondiales

LES ÉDITIONS
PUBLISTAR
Ⓜ QUEBECOR MEDIA

LES ÉDITIONS PUBLISTAR
Une division des Éditions TVA inc.

7, chemin Bates
Outremont (Québec) H2V 4V7

Directrice des éditions:	Annie Tonneau
Révision:	Paul Lafrance, Luce Langlois
Couverture:	Michel Denommée
Infographie:	Roger Des Roches, SÉRIFSANSERIF
Photo de l'auteure:	Charles Richer
Maquillage,	
coiffure et coordination:	Macha Colas

© Les Éditions TVA inc., 2004
Dépôt légal: troisième trimestre 2004
Bibliothèque nationale du Québec
Bibliothèque nationale du Canada
ISBN: 2-89562-111-X

Cet ouvrage a été imprimé
sur du papier recyclé

Sommaire

Préface

Cette année, j'ai commencé très tôt la rédaction de mon *Horoscope*. J'avais hâte de vous retrouver, de vous raconter ce que pourrait être votre destinée. Je dis bien «pourrait être», car c'est toujours vous qui avez le dernier mot.

Le but de l'astrologie n'est pas de vous dicter votre conduite, mais plutôt de mettre en relief ce qui est susceptible de se produire. Après, c'est à vous de jouer! Je crois fermement que si nous savons d'avance où se trouvent les obstacles, il est plus facile de les éviter. Même chose pour les courants de chance: en prenant conscience d'un cycle fortuné, nous pouvons en bénéficier au maximum et tirer profit de ce que la vie nous envoie de bon.

Je souhaite de tout cœur que ce livre vous guide, vous aide au besoin à éviter les écueils et surtout vous permette de savourer chaque instant de bonheur qui vous attend.

Je vous remercie de la belle confiance que vous m'avez témoignée au fil des ans et que vous continuez de m'offrir si généreusement. Sachez que je prends toujours mon travail très au sérieux et que j'ai pour vous le plus grand respect.

Puissent tous vos rêves prendre forme en 2005!

Amicalement,

Comment gagner de l'argent

Notre carte du ciel nous fournit de précieux indices sur notre rapport à l'argent. Nous pouvons y déceler les champs d'action avec lesquels nous avons le plus d'affinités, notre facilité à nous enrichir et aussi notre aptitude à gérer les gains.

Jupiter, planète de l'abondance, nous renseigne entre autres sur la vie matérielle. Elle fait la lumière sur nos dispositions en ce sens, mettant en relief nos talents pour gagner des sous mais aussi notre comportement par rapport à nos avoirs. Lorsqu'on étudie sa position par rapport à notre signe de naissance, on obtient des résultats surprenants.

J'ai fait tous les calculs pour vous, il ne vous reste donc qu'à déterminer le groupe auquel vous appartenez dans le tableau qui suit.

C'est tout simple, vous n'avez qu'à repérer votre date de naissance et vous verrez exactement quel est votre groupe jupitérien.

Si vous êtes né		
ENTRE LE	ET LE	VOTRE GROUPE EST LE
1er jan. 1910	11 nov. 1910	7
12 nov. 1910	9 déc. 1911	8
10 déc. 1911	2 jan. 1913	9
3 jan. 1913	21 jan. 1914	10
22 jan. 1914	3 fév. 1915	11
4 fév. 1915	11 fév. 1916	12
12 fév. 1916	25 juin 1916	1
26 juin 1916	26 oct. 1916	2
27 oct. 1916	12 fév. 1917	1
13 fév. 1917	29 juin 1917	2
30 juin 1917	12 juillet 1918	3
13 juillet 1918	1er août 1919	4
2 août 1919	26 août 1920	5
27 août 1920	25 sept. 1921	6
26 sept. 1921	26 oct. 1922	7
27 oct. 1922	24 nov. 1923	8
25 nov. 1923	17 déc. 1924	9
18 déc. 1924	5 janv. 1926	10
6 janv. 1926	17 janv. 1927	11
18 janv. 1927	5 juin 1927	12
6 juin 1927	10 sept. 1927	1
11 sept. 1927	22 janv. 1928	12
23 janv. 1928	4 juin 1928	1
5 juin 1928	12 juin 1929	2
13 juin 1929	26 juin 1930	3
27 juin 1930	16 juillet 1931	4
17 juilllet 1931	10 août 1932	5
11 août 1932	9 sept. 1933	6
10 sept. 1933	10 oct. 1934	7
11 oct. 1934	8 nov. 1935	8
9 nov. 1935	1er déc. 1936	9
2 déc. 1936	19 déc. 1937	10
20 déc. 1937	13 mai 1938	11
14 mai 1938	29 juillet 1938	12
30 juillet 1938	29 déc. 1938	11
30 déc. 1938	11 mai 1939	12
12 mai 1939	29 oct. 1939	1
30 oct. 1939	20 déc. 1939	12
21 déc. 1939	15 mai 1940	1
16 mai 1940	26 mai 1941	2

ENTRE LE	ET LE	VOTRE GROUPE EST LE
27 mai 1941	9 juin 1942	3
10 juin 1942	30 juin 1943	4
1er juillet 1943	25 juillet 1944	5
26 juillet 1944	24 août 1945	6
25 août 1945	24 sept. 1946	7
25 sept. 1946	23 oct. 1947	8
24 oct. 1947	14 nov. 1948	9
15 nov. 1948	12 avril 1949	10
13 avril 1949	27 juin 1949	11
28 juin 1949	30 nov. 1949	10
1er déc. 1949	14 avril 1950	10
15 avril 1950	14 sept. 1950	11
15 sept. 1950	1er déc. 1950	11
2 déc. 1950	21 avril 1951	12
22 avril 1951	28 avril 1952	1
29 avril 1952	9 mai 1953	2
10 mai 1953	23 mai 1954	3
24 mai 1954	12 juin 1955	4
13 juin 1955	16 nov. 1955	5
17 nov. 1955	17 janv. 1956	6
18 janv. 1956	7 juillet 1956	5
8 juillet 1956	12 déc. 1956	6
13 déc. 1956	19 fév. 1957	7
20 fév. 1957	6 août 1957	6
7 août 1957	13 janv. 1958	7
14 janv. 1958	20 mars 1958	8
21 mars 1958	6 sept. 1958	7
7 sept. 1958	10 fév. 1959	8
11 fév. 1959	24 avril 1959	9
25 avril 1959	5 oct. 1959	8
6 oct. 1959	1er mars 1960	9
2 mars 1960	9 juin 1960	10
10 juin 1960	25 oct. 1960	9
26 oct. 1960	14 mars 1961	10
15 mars 1961	11 août 1961	11
12 août 1961	3 nov. 1961	10
4 nov. 1961	25 mars 1962	11
26 mars 1962	3 avril 1963	12
4 avril 1963	11 avril 1964	1
12 avril 1964	22 avril 1965	2
23 avril 1965	20 sept. 1965	3

Si vous êtes né

ENTRE LE	ET LE	VOTRE GROUPE EST LE
21 sept. 1965	16 nov. 1965	4
17 nov. 1965	5 mai 1966	3
6 mai 1966	27 sept. 1966	4
28 sept. 1966	15 janv. 1967	5
16 janv. 1967	22 mai 1967	4
23 mai 1967	18 oct. 1967	5
19 oct. 1967	26 fév. 1968	6
27 fév. 1968	15 juin 1968	5
16 juin 1968	15 nov. 1968	6
16 nov. 1968	30 mars 1969	7
31 mars 1969	15 juillet 1969	6
16 juillet 1969	16 déc. 1969	7
17 déc. 1969	28 avril 1970	8
29 avril 1970	15 août 1970	7
16 août 1970	13 janvier 1971	8
14 janvier 1971	4 juin 1971	9
5 juin 1971	11 sept. 1971	8
12 sept. 1971	6 fév. 1972	9
7 fév. 1972	24 juillet 1972	10
25 juillet 1972	25 sept. 1972	9
26 sept. 1972	22 fév. 1973	10
23 fév. 1973	7 mars 1974	11
8 mars 1974	18 mars 1975	12
19 mars 1975	25 mars 1976	1
26 mars 1976	22 août 1976	2
23 août 1976	16 oct. 1976	3
17 oct. 1976	3 avril 1977	2
4 avril 1977	20 août 1977	3
21 août 1977	30 déc. 1977	4
31 déc. 1977	11 avril 1978	3
12 avril 1978	4 sept. 1978	4
5 sept. 1978	28 fév. 1979	5
1er mars 1979	19 avril 1979	4
20 avril 1979	28 sept. 1979	5
29 sept. 1979	26 oct. 1980	6
27 oct. 1980	26 nov. 1981	7
27 nov. 1981	25 déc. 1982	8
26 déc. 1982	19 janv. 1984	9
20 janv. 1984	6 fév. 1985	10
7 fév. 1985	20 fév. 1986	11
21 fév. 1986	2 mars 1987	12

ENTRE LE	ET LE	VOTRE GROUPE EST LE
3 mars 1987	8 mars 1988	1
9 mars 1988	21 juillet 1988	2
22 juillet 1988	30 nov. 1988	3
1er déc. 1988	10 mars 1989	2
11 mars 1989	30 juillet 1989	3
31 juillet 1989	17 août 1990	4
18 août 1990	11 sept 1991	5
12 sept. 1991	10 oct. 1992	6
11 oct. 1992	9 nov. 1993	7
10 nov. 1993	8 déc. 1994	8
9 déc. 1994	2 janv. 1996	9
3 janv. 1996	21 janv. 1997	10
22 janv. 1997	3 fév. 1998	11
4 fév. 1998	11 fév. 1999	12
12 fév. 1999	27 juin 1999	1
28 juin 1999	24 oct. 1999	2
25 oct. 1999	31 déc. 1999	1
1er janv. 2000	13 fév. 2000	1
14 fév. 2000	29 juin 2000	2
30 juin 2000	31 déc. 2000	3
1er janv. 2001	11 juillet 2001	3
12 juillet 2001	31 déc. 2001	4
1er janvier 2002	31 juillet 2002	4
1er août 2002	31 déc. 2002	5
1er janv. 2003	26 août 2003	5
27 août 2003	31 déc. 2003	6
1er janvier 2004	24 septembre 2004	6
25 septembre 2004	31 décembre 2004	7

Une autre petite recherche, et nous y sommes.

Maintenant que vous connaissez votre groupe, il suffit de le combiner à votre signe; la combinaison des deux vous fournira votre «clé» pour gagner de l'argent.

BÉLIER	
Groupe:	*Votre clé apparaît dans la section:*
1	A
2	B
3	C
4	D
5	E
6	F
7	G
8	H
9	I
10	J
11	K
12	L

TAUREAU	
Groupe:	*Votre clé apparaît dans la section:*
2	A
3	B
4	C
5	D
6	E
7	F
8	G
9	H
10	I
11	J
12	K
1	L

GÉMEAUX	
Groupe:	*Votre clé apparaît dans la section:*
3	A
4	B
5	C

6	D
7	E
8	F
9	G
10	H
11	I
12	J
1	K
2	L

CANCER

Groupe:	Votre clé apparaît dans la section:
4	A
5	B
6	C
7	D
8	E
9	F
10	G
11	H
12	I
1	J
2	K
3	L

LION

Groupe:	Votre clé apparaît dans la section:
5	A
6	B
7	C
8	D
9	E
10	F
11	G
12	H
1	I
2	J
3	K
4	L

VIERGE

Groupe:	Votre clé apparaît dans la section:
6	A
7	B
8	C
9	D
10	E
11	F
12	G
1	H
2	I
3	J
4	K
5	L

BALANCE

Groupe:	Votre clé apparaît dans la section:
7	A
8	B
9	C
10	D
11	E
12	F
1	G
2	H
3	I
4	J
5	K
6	L

SCORPION

Groupe:	Votre clé apparaît dans la section:
8	A
9	B
10	C
11	D
12	E
1	F
2	G
3	H

4	I
5	J
6	K
7	L

SAGITTAIRE

Groupe:	Votre clé apparaît dans la section:
9	A
10	B
11	C
12	D
1	E
2	F
3	G
4	H
5	I
6	J
7	K
8	L

CAPRICORNE

Groupe:	Votre clé apparaît dans la section:
10	A
11	B
12	C
1	D
2	E
3	F
4	G
5	H
6	I
7	J
8	K
9	L

VERSEAU

Groupe:	Votre clé apparaît dans la section:
11	A
12	B

1	C
2	D
3	E
4	F
5	G
6	H
7	I
8	J
9	K
10	L

POISSONS

Groupe:	Votre clé apparaît dans la section:
12	A
1	B
2	C
3	D
4	E
5	F
6	G
7	H
8	I
9	J
10	K
11	L

Si votre clé est A

Jupiter se trouvait dans votre signe à la naissance. Par conséquent, cette planète façonne votre personnalité. Généralement optimiste et enthousiaste, vous avez le goût de l'aventure. L'argent est très important pour vous, vous n'hésitez pas à prendre les moyens nécessaires pour en gagner le plus possible. Vous croyez à l'expansion, au succès, bref, vous avez énormément d'ambition. Votre confiance en vous et en l'avenir est inébranlable, parfois même un peu trop, ce qui risque de vous faire commettre des erreurs de jugement. Vous aimez les bonnes choses de la vie, souvent à l'excès; c'est sans doute ce qui explique votre propension aux excès et même au gaspillage.

Certains champs d'action qui vous caractérisent. Vous détestez la routine. Vous avez besoin que ça bouge, et ce, dans tous les sens du mot;

pas étonnant que plusieurs d'entre vous occupent des postes où les déplacements sont fréquents. Chose certaine, vous détestez être enfermé! Les affaires, le tourisme, le contact avec l'étranger, les finances, le transport, l'agriculture, les emplois liés au métal ou aux objets tranchants sont d'autres domaines où vous pourriez vous illustrer. Ajoutons que vous êtes né pour diriger et que vous détestez qu'on vous donne des ordres.

Vos forces. Elles résident dans votre optimisme, votre grand besoin de bouger et votre confiance en vous, de même que votre sens du timing. Vous êtes souvent à la bonne place au bon moment.

Ce qui risque de jouer contre vous. Vous risquez gros si vous vous croyez invincible, si vous vous montrez arrogant ou agissez sans réfléchir. Planifiez un peu plus, ne laissez rien au hasard. Attention à votre goût effréné pour les dépenses de toutes sortes.

Si votre clé est B

Vous prenez un malin plaisir à acquérir et à accumuler les biens; d'ailleurs votre maison n'est-elle pas sur le point d'éclater tant elle contient d'objets? Souffrant d'insécurité, vous agissez avec prévoyance et préférez avoir un petit coussin financier au cas où. Vous ne croyez pas aux fortunes instantanées, mais plutôt au labeur répété qui finit par rapporter. Petit train va loin, dit-on, et en ce qui vous concerne, c'est tout à fait justifié. Vous avez une grande facilité à vous trouver du travail, souvent les offres viennent à vous sans que vous ayez à vous déplacer. L'un de vos rêves est d'acquérir le plus tôt possible votre propre maison; vous n'appréciez pas vraiment d'être locataire.

Certains champs d'action qui vous caractérisent. Plus que tout, vous avez besoin de stabilité; vous seriez trop malheureux à voltiger d'un emploi à un autre. Les finances, la comptabilité, le commerce de produits essentiels et tout travail exigeant un bon sens de l'organisation vous conviennent à merveille.

Vos forces. Vous êtes un travailleur acharné, ce qui joue en votre faveur. Comme vous êtes honnête et intègre, on sait que l'on peut vous faire confiance. Votre sens des responsabilités est également surprenant.

Ce qui risque de jouer contre vous. Vous manquez souvent de confiance en vous et acceptez trop souvent d'être sous-payé; vous avez tellement peur de manquer de boulot que vous acceptez n'importe quoi. Si vous n'y prenez garde, vous pourriez montrer un petit côté avaricieux.

Si votre clé est C

Vous cherchez constamment à élargir vos horizons; tout ou à peu près vous intéresse. Avouez que vous adorez commencer de nouveaux projets, mais qu'il vous est bien plus difficile de les mener à terme. Bien que vous vous y connaissiez en de nombreux sujets, vos connaissances sont souvent plus superficielles qu'approfondies. Vous possédez le don de la communication et avez besoin d'échanger avec les gens; sans contact humain, vous ne pouvez pas vraiment vous épanouir. Il vous arrive de mal gérer votre temps, d'attendre trop à la dernière minute pour entreprendre votre besogne, et vous devez alors courir à toute vitesse.

Certains champs d'action qui vous caractérisent. Comme la communication est un point fort chez vous, vous excellez dans la vente, la négociation, ainsi que dans toute activité où il faut se montrer convaincant. L'écriture et l'enseignement sont des milieux propices à votre développement. Nombre d'entre vous sont également doués pour les activités manuelles: massage, mécanique, couture, dessin, etc.

Vos forces. Votre créativité, votre amour des gens et votre enthousiasme pour les nouveaux projets vous avantagent. Vous avez des idées à la tonne et, surtout, vous savez les transmettre de façon remarquable. Vous êtes très stimulant pour votre entourage.

Ce qui risque de jouer contre vous. Hélas! vous avez souvent tendance à vous éparpiller. Vous commencez mille choses mais n'allez au bout d'aucune. Cette propension à l'instabilité risque de vous faire saboter de beaux projets.

Si votre clé est D

Les valeurs que l'on vous a inculquées dans votre enfance conditionnent votre rapport à l'argent: vous avez tendance à répéter les attitudes et comportements de vos parents en ce sens. Si vos parents étaient gratte-sous ou si, au contraire, ils avaient tendance à jeter l'argent par les fenêtres, vous répétez probablement ce *pattern*. En étudiant leur situation et leur évolution, vous serez en mesure de déterminer ce que vous souhaitez conserver de votre éducation et ce que vous désirez changer. La sécurité financière est une condition essentielle à votre épanouissement; sans elle, vous vous sentez très angoissé. Voilà sans doute ce qui explique votre grand sens de l'économie.

Certains champs d'action qui vous caractérisent. Comme le bien-être des autres vous tient grandement à cœur, vous êtes très à l'aise dans tout ce qui touche de près et de loin aux relations d'aide. La psychologie, le travail avec les enfants et les emplois dans le domaine de la santé ne sont que quelques exemples. Les secteurs de l'alimentation, des liquides et des produits ménagers vous conviennent également.

Vos forces. La courtoisie, la loyauté et le respect des autres comptent parmi vos plus belles qualités; bien entendu, elles constituent un atout précieux sur le plan professionnel, chaque fois que vous transigez avec quelqu'un.

Ce qui risque de jouer contre vous. Trop souvent, vous vous cantonnez dans le passé; en regardant en arrière, vous risquez de rater les occasions qui se présentent. Ne dépensez pas trop pour les autres; pensez davantage à vous.

Si votre clé est E

Vous disposez d'une excellente signature planétaire pour réussir sur le plan financier; on peut même dire que vous avez la bosse des affaires. Pour vous, il n'y a jamais de projet assez gros: il suffit que l'on vous dise qu'une chose est inaccessible pour que vous vous lanciez à sa conquête. Chef-né, vous savez vous faire obéir; avouez pourtant que vous réagissez assez mal quand on essaie de vous dominer... Vous êtes très actif, et ce n'est pas la créativité qui fait défaut chez vous. Ajoutons que vous avez un véritable don pour motiver votre entourage, pour lui communiquer votre goût de l'aventure et du travail bien fait.

Certains champs d'action qui vous caractérisent. Indéniablement, vous êtes fait pour les affaires et le commerce. Les postes de direction vous attirent et vous fournissent l'occasion de démontrer vos talents d'organisateur, d'administrateur et de planificateur. Les arts vous attirent tout autant.

Vos forces. Votre brillante personnalité et votre nature de leader vous permettent d'accéder à de hauts niveaux. L'enthousiasme qui vous anime étant très communicatif, vous jouissez d'une grande popularité.

Ce qui risque de jouer contre vous. N'allez pas croire que tout le monde est aussi loyal que vous. Ne vous fiez pas seulement à une simple poignée de main ou à une entente verbale; exigez des garanties sérieuses. Comme vous avez du mal à déléguer, vous risquez de vous faire avoir si vous vous associez.

Si votre clé est F

Vous cherchez sans cesse le sens de votre vie et peut-être perdez-vous un temps précieux avec toutes ces questions existentielles. Même chose avec les détails qui drainent un peu trop votre énergie et qui vous font perdre la vue d'ensemble. Si vous arrivez à conserver une vue globale de la situation, vous pourrez devenir fort productif et ainsi mieux gagner votre vie. Vous êtes un employé modèle qui accomplit sa tâche comme si l'entreprise lui appartenait. Toutes vos craintes vous empêchent souvent de profiter pleinement de ce qui s'offre à vous; faites-vous davantage confiance et vous en sortirez gagnant.

Certains champs d'action qui vous caractérisent. Tous les emplois qui requièrent de la minutie et de la méthode vous vont à ravir. Les aventures risquées ne sont pas pour vous, car vous préférez de loin la sécurité d'emploi. Les activités à caractère humanitaire, le secteur de la santé et les postes d'assistant sont également pour vous.

Vos forces. Votre souci du détail et votre loyauté envers votre employeur sont des qualités que l'on apprécie au plus haut point. Votre intelligence pratique fait des merveilles lorsqu'il s'agit de trouver des solutions concrètes.

Ce qui risque de jouer contre vous. Attention à votre manie de la perfection, qui freine vos progrès au lieu de les favoriser. Cessez de vous demander l'impossible. En travaillant votre estime de vous-même, vous pourrez aller encore plus loin.

Si votre clé est G

Le moins que l'on puisse dire, c'est que vous avez des sentiments fort partagés au sujet de l'argent. Vous adorez le dépenser, mais vous avez du mal à vous astreindre à le gagner. En effet, vous craignez les engagements professionnels à long terme, qui risqueraient de brimer votre liberté. La clé du bonheur, pour vous, réside sans doute dans une carrière comportant différentes facettes et des activités variées afin de couper la monotonie. Vous ne fonctionnez pas très bien seul, car le fait de prendre des initiatives vous étouffe; vous êtes beaucoup plus à l'aise au sein d'une équipe où vous vous sentez encadré. Votre sens inné de la justice vous pousse à toujours traiter les autres avec rectitude; il est tout à fait normal que vous attendiez la même chose en retour.

Certains champs d'action qui vous caractérisent. Le secteur juridique ou parajuridique, les arts et tout ce qui a trait à l'esthétisme (architecture, décoration, jardinage) vous conviennent à merveille. Peu importe le domaine, le plus important est que vous soyez entouré; la solitude vous enlève toute envie de travailler.

Vos forces. Vous savez trouver les personnes idéales pour créer un environnement stimulant. Excellent médiateur, vous arrivez à composer avec des personnalités très différentes et devenez même celui qui facilite les échanges. On apprécie votre charme et votre délicatesse.

Ce qui risque de jouer contre vous. Vous remettez sans cesse les choses à plus tard, ce qui risque de vous faire perdre la maîtrise de la situation. La ponctualité et le sens de l'économie ne sont pas nécessairement vos points forts; ce serait à développer.

Si votre clé est H

Cette signature planétaire révèle que vous faites tout avec une intensité peu commune, et vos activités professionnelles n'y échappent pas: avec vous, c'est tout ou rien. Vous gérez vos affaires avec sérieux et de façon presque secrète; en effet, vous vous confiez très peu sur les questions d'argent. Au fait, personne ne sait vraiment combien vous avez en banque. Votre sens critique, votre jugement sûr et votre flair constituent des outils précieux pour assurer votre avenir. Ajoutons qu'en affaires, vous ne faites confiance à personne. Au cours de votre existence, il se peut que vous fassiez un changement majeur sur le plan professionnel.

Après avoir œuvré pendant des années dans un certain domaine, plusieurs d'entre vous décideront de recommencer à zéro et d'embrasser une toute nouvelle carrière, surtout si la première ne comporte plus cet élément de passion dont vous avez tant besoin.

Certains champs d'action qui vous caractérisent. Tous les emplois requérant une aptitude pour la recherche, l'investigation ou les fouilles vous fournissent une belle occasion de vous réaliser. Les secteurs où l'on procède à la transformation de matières premières, au recyclage et à la récupération constituent d'autres bons choix, tout comme l'industrie de la chimie pétrolière, entre autres. Vous n'avez pas votre pareil pour la discipline et pour faire régner l'ordre.

Vos forces. Vous excellez dans votre métier, car vous allez au fond des choses. Vous vous investissez à 100 %; avec vous, pas de demi-mesure! La puissance de votre volonté est un autre atout majeur.

Ce qui risque de jouer contre vous. Vous manquez parfois de recul et vous vous montrez trop intransigeant. En jouant un peu plus souvent la carte de la souplesse, vous arriverez à de meilleurs résultats.

Si votre clé est I

Vous en avez de la chance! Cette configuration planétaire est l'une des meilleures qui soient pour l'argent. Les offres d'emploi viennent à vous, tout comme les propositions alléchantes. Votre plus grande priorité est d'acquérir votre indépendance financière le plus tôt possible. Vous êtes un gagnant, et les défis ne vous font pas peur. En règle générale, vous abordez la vie avec optimisme et conduisez vos affaires avec brio. Vous ne pouvez pas rester longtemps au même endroit; la routine vous étouffe, et vous avez constamment besoin d'élargir vos horizons. On dirait que vous êtes né avec un parachute: chaque fois qu'une situation menace de devenir désespérée, quelque chose vient vous sortir du pétrin.

Certains champs d'action qui vous caractérisent. Les emplois qui demandent du mouvement, des déplacements et de constants défis vous siéent à ravir. Le transport, l'exportation, le tourisme, les loisirs et le sport, le contact avec les animaux ainsi que le monde des affaires en général vous conviennent.

Vos forces. Votre optimisme inébranlable et votre grande confiance en vous jouent en votre faveur. Ajoutons qu'une nature ambitieuse combinée à un sens du *timing* hors du commun sont fréquemment responsables de vos succès impressionnants.

Ce qui risque de jouer contre vous. En étant trop indépendant, vous laissez filer de belles occasions. Évitez de trop vouloir imposer votre point de vue, soyez davantage à l'écoute des autres.

Si votre clé est J

Vous cherchez toujours à faire bonne impression, et il en va de même sur le plan professionnel. Vous mettez la barre bien haute, cherchant constamment à vous dépasser, ce qui devient bien épuisant à la longue. Comme l'insécurité vous tenaille, vous faites de nombreux compromis pour ne pas mettre votre situation en péril. Trop souvent, hélas, ça se retourne contre vous. Dans votre jeunesse, vous aviez du mal à supporter l'autorité; vous ne le montriez que rarement, vous contentant la plupart du temps de ronger votre frein. En vieillissant, vous apprenez à vous faire davantage confiance et, par le fait même, vous ne vous laissez plus manipuler par autrui. Vos débuts dans la vie sont souvent modestes, mais vous finissez toujours par vous élever. Pas de coups d'éclat en vue, mais plutôt un travail opiniâtre, qui se révèle très payant à long terme.

Certains champs d'action qui vous caractérisent. La comptabilité, la gestion, la politique ou les emplois à caractère humanitaire sont faits pour vous. Une fonction au sein du gouvernement ou dans l'immobilier présente d'autres possibilités intéressantes.

Vos forces. Votre vision à long terme et le fait que vous ne craignez pas de consacrer de longues heures à vos activités professionnelles augmentent vos chances de réussite.

Ce qui risque de jouer contre vous. N'allez pas croire qu'il n'y a que la carrière qui détermine ce que vous êtes; il faut apprendre à dissocier qui l'on est vraiment de nos accomplissements. N'acceptez pas de travailler pour une bouchée de pain; vous valez trop pour cela.

Si votre clé est K

Vous ne faites rien comme tout le monde. Plusieurs d'entre vous tendent véritablement à se détacher du peloton, cherchant des domaines inhabituels où ils peuvent donner libre cours à leur grande originalité. Vous abordez souvent la vie professionnelle comme un jeu et, même si vous ne vous prenez pas au sérieux, vous atteignez de hauts sommets. Vous avez le tour de vous faire aimer; ce n'est donc pas étonnant que l'on vous retrouve fréquemment à la tête de vos collègues. Vous voulez innover, vous cherchez à parfaire vos méthodes de travail. Ce n'est pas parce qu'une tâche s'effectue de la même façon depuis toujours que vous ferez de même. Original et inventif de nature, vous cherchez à découvrir une nouvelle manière de procéder et, plus souvent qu'à votre tour, vous la trouvez.

Certains champs d'action qui vous caractérisent. Tous les emplois qui sortent de l'ordinaire vous attirent. Votre fascination pour le modernisme peut vous faire embrasser une carrière en informatique, en aéronautique ou en liaison avec les nouvelles technologies. Grand communicateur, vous êtes également attiré par les médias et les arts.

Vos forces. Vous êtes doué pour la communication et savez vous faire des amis partout où vous passez. Clients, collègues et patrons apprécient votre jovialité. Votre approche progressiste vous pousse à tout réinventer.

Ce qui risque de jouer contre vous. En faisant fi des conventions, vous risquez de vous attirer les foudres de certains. Vous êtes parfois trop détaché par rapport à l'argent; l'idéalisme l'emporte alors sur le sens pratique.

Si votre clé est L

Vous avez une imagination du tonnerre; malheureusement vous ne vous vous en servez pas toujours à des fins très utiles. Vous rêvassez plutôt que de vous consacrer à votre travail. Pourtant, en canalisant cette créativité vers des objectifs précis, vous pourriez accomplir mer et monde. Docile et généreux, vous êtes un employé modèle; dommage que l'on abuse aussi souvent de vous... Votre intuition est un guide précieux; n'hésitez pas à l'écouter. Cela vous permettra de saisir au vol de bonnes occasions et aussi de ne pas tomber dans les pièges que certaines personnes mal intentionnées risqueraient de vous tendre. Vous vous comportez en véritable psychologue avec votre entourage professionnel; tous se confient à vous.

Certains champs d'action qui vous caractérisent. Vous excellez dans les relations d'aide ainsi que dans toute activité philanthropique. Le domaine de la santé morale ou physique, les médecines douces et la parapsychologie sont d'autres secteurs où vous vous épanouirez.

Vos forces. À coup sûr, la générosité et la créativité constituent vos meilleurs atouts. Vous ressentez énormément de sympathie pour les autres et vous avez leur mieux-être à cœur.

Ce qui risque de jouer contre vous. Vous vous découragez trop facilement; soyez plus tenace, et vous finirez par atteindre vos buts. Évitez d'être trop passif et de dilapider votre argent. Ne faites pas confiance au premier venu: tout le monde n'a pas votre grandeur d'âme.

Spécial loterie et jeux de hasard pour 2005

Jupiter fournit également de précieux renseignements sur notre potentiel de chance dans les jeux de hasard. Pour découvrir quel est le vôtre cette année, il suffit de déterminer si votre groupe (consulter le tableau des pages 11 à 14) et votre signe de naissance ou ascendant apparaissent dans le tableau qui suit.

PÉRIODE	Signes ou ascendants TRÈS favorisés	Signes ou ascendants MOYENNEMENT favorisés	Signes ou ascendants LÉGÈREMENT favorisés
Du 1er janvier au 6 février		Balance, Verseau, surtout des groupes 5 et 9	Bélier, Gémeaux, Lion, Sagittaire, surtout des groupes 1, 5 et 9
Du 7 février au 20 mars		Gémeaux, Balance, Verseau, surtout des groupes 2, 6 et 10	Taureau, Vierge, surtout des groupes 2, 6 et 10
Du 21 mars au 30 avril	Gémeaux, Balance, Verseau, appartenant aux groupes 3, 7 et 11	Gémeaux, Balance, Verseau, des groupes 1, 2, 4, 5, 6, 8, 9, 10 et 12	
Du 1er mai au 11 juin		Gémeaux, Balance, Verseau, surtout des groupes 4, 8 et 12	Cancer, surtout des groupes 4, 8 et 12
Du 12 juin au 27 juillet		Gémeaux, Verseau, Capricorne, surtout des groupes 1, 5 et 9	Balance, surtout des groupes 1, 5 et 9
Du 28 juillet au 24 octobre		Gémeaux, Balance, Verseau, surtout des groupes 2, 6 et 10	Vierge, surtout des groupes 2, 6 et 10
Du 25 octobre au 31 décembre	Gémeaux, Balance, Verseau, appartenant aux groupes 3, 7 et 11	Cancer, Scorpion, Poissons, surtout des groupes 2, 6 et 10	Vierge, Capricorne, surtout des groupes 2, 6 et 10

Si votre signe **et** votre groupe se retrouvent dans ce tableau, vos chances sont meilleures que si votre signe seul est mentionné.

Si vous êtes né le 2 juin 1953, vous êtes un Gémeaux du groupe 3.
Vos chances au jeu sont donc **très élevées** du 21 mars au 30 avril et du 25 octobre au 31 décembre.
Votre signe apparaît également à d'autres périodes, mais votre potentiel est un peu réduit, car votre groupe n'y est pas mentionné. Tentez quand même votre chance!

Les mystères de la Lune

L a Lune et le Soleil exercent une influence déterminante sur notre planète et sur les êtres qui y vivent que l'on parle des plantes, des animaux ou des êtres humains. En effet, l'attraction gravitationnelle de ces astres se fait sentir sur tous les éléments liquides, et toute vie est composée essentiellement d'eau, notamment le corps humain, qui en contient environ 70 %.

Le cycle lunaire

L a Lune possède un cycle de 28 jours divisé en quatre phases d'une semaine:

La lunaison constitue la première phase; c'est ce qu'on appelle communément la nouvelle lune. Invisible dans le ciel, elle est représentée par un cercle noir dans les calendriers. ●

Puis, le premier quartier de lune survient dans la deuxième phase, c'est-à-dire sept jours après la nouvelle lune. Cette fois, elle est illustrée par un croissant de lune en forme de D. Cette phase dure également sept jours. ☽

La troisième phase est sans contredit le moment le plus spectaculaire et celui dont on parle le plus: il s'agit de la pleine lune, représentée par un cercle blanc. ○

Puis, arrive la quatrième et dernière phase, le dernier quartier de lune, illustré par un croissant en forme de C. D'une durée d'une semaine également, cette phase précède la nouvelle lunaison. ☾

Les éclipses en quelques mots

A u cours des millénaires et selon les civilisations, les astres ont souvent fait figure de divinités. Par ailleurs, les éclipses étaient souvent sources de crainte. Ainsi, chez les Mayas, une éclipse était vécue comme un conflit entre les astres, et ce conflit impliquait un conflit social chez les hommes, annonçant une période de malheur.

Sur un plan étymologique, le mot éclipse vient du grec et signifie «abandon». Dans les civilisations antiques, l'éclipse était perçue comme l'expression du Soleil abandonnant la Terre.

Sachant que le Soleil est source de toute vie et qu'il réapparaît chaque jour, il est normal qu'on ait craint de le perdre au moment où se produisait une éclipse solaire. Ce phénomène ne pouvait être qu'une chose terrible.

De nos jours, c'est surtout l'émerveillement, et non la crainte, qui prévaut pendant une éclipse, même s'il s'agit essentiellement d'un phénomène optique. Si, pendant un moment, on ne voit plus le Soleil ou la Lune, cela est causé par l'interposition de la Terre qui leur fait de l'ombre. Une éclipse de Soleil se produit toujours durant la nouvelle lune; tandis qu'une éclipse de la Lune survient en phase de pleine lune.

Comment utiliser le pouvoir de la Lune

De tout temps, les êtres humains ont cherché à tirer parti des pouvoirs de la Lune. Nos grands-mères, femmes éclairées, et les cultivateurs, en relation étroite avec la nature et les phénomènes célestes, nous ont transmis croyances et astuces.

La semaine qui suit le jour de la nouvelle lune est propice pour trouver du travail et se lancer dans de nouveaux projets. On dit qu'un enfant né le premier jour de la nouvelle lune connaîtra une vie heureuse. Par contre, si quelqu'un tombe malade ce jour-là, il le restera durant toute la première phase de la lune. La lunaison est également la période idéale pour labourer, pour tailler ses plantes ou ses arbustes et pour enlever les mauvaises herbes. Si on souhaite que ses cheveux ou ses ongles repoussent avec davantage de vigueur, c'est le moment de les couper. Cette phase lunaire ne convient pas beaucoup aux questions amoureuses; par contre, elle est formidable pour amorcer une cure de nettoyage.

Le premier quartier annonce une semaine où le sommeil de beaucoup d'entre nous est plus léger. La chance sourira à ceux qui vendront un bien ou effectueront une transaction quelconque. D'autres connaîtront une motivation accrue dans leurs activités professionnelles et pourraient avoir une promotion. En règle générale, les relations interpersonnelles sont plus faciles. Les amoureux se rapprochent, font table rase des divergences d'opinion et prennent des engagements sérieux. La plupart des semis, à quelques exceptions près, doivent être effectués pendant la période de la lune croissante. Par ailleurs, les vieux jardiniers avaient coutume de dire que les légumes poussant au-dessus de la terre comme les choux et salades devaient être plantés au cours d'une phase de premier quartier de lune. Puisque les plantes sont en pleine période de croissance et demandent par conséquent un surcroît d'attention, c'est le moment de semer, de fertiliser, de diviser les plants et d'arroser davantage. Les ongles ou les cheveux profiteront également d'une bonne coupe. Une mise en garde cependant à ceux qui ont des problèmes émotionnels ou psychiques, ils risquent de faire durant cette période des gestes qu'ils regretteront.

O La semaine qui suit le jour de la pleine lune est une période où règne un sentiment de confusion généralisé. Heureusement, cela ne dure pas. Les questions d'argent et de travail nous préoccupent davantage. En amour, les querelles se font plus nombreuses; toutefois, scènes romantiques et prises de bec alternent souvent. Sur le plan social, la vie se fait souvent plus intéressante. Pour les plantes, il s'agit d'une période très active, bourgeons et racines croissent plus rapidement. Les mycologues ont aussi remarqué qu'ils trouvaient plus de champignons quelques jours après la pleine lune. Toutefois, semer ou rempoter n'est pas conseillé, car cela pourrait interrompre la période de croissance des végétaux. Ceux qui détestent aller chez le coiffeur devraient choisir cette semaine pour se faire couper les cheveux, car ils repousseront moins rapidement. Cette période se révèle faste pour ceux qui désirent entreprendre un régime amaigrissant.

☾ Quant à la semaine du dernier quartier, il s'agit d'une période d'introspection; on se cherche sans toujours bien savoir où l'on va. C'est également une semaine où l'on découvre que la persévérance est récompensée. Les efforts entrepris portent fruit. En fait, les actions et les gestes faits dans le passé nous rattrapent. On récolte ce que l'on a semé. Si l'Amour avec un grand A devient plus important que l'amour de son partenaire, il est temps de revenir sur terre pour améliorer sa vie de couple. Cette phase lunaire en est une également marquée du sceau de la spiritualité, de l'intuition et de la vie sociale. Dans le jardin, il faut en profiter pour enlever les fleurs fanées, les feuilles jaunies et les mauvaises herbes. Un bon nettoyage s'impose. Il est recommandé de semer ou de planter pendant cette période de lune décroissante tout ce qui se développe dans la terre: oignons, carottes, pommes de terre, etc. On dit aussi que c'est la meilleure période pour faire des confitures, car le sucre ne remontera pas à la surface, ce qui préviendra tout risque d'acidité et de fermentation.

Les phases de la Lune en 2005

3 janvier	Dernier quartier	☾
10 janvier	Nouvelle Lune	●
17 janvier	Premier quartier	☽
25 janvier	Pleine Lune	○
2 février	Dernier quartier	☾
8 février	Nouvelle Lune	●
15 février	Premier quartier	☽
23 février	Pleine Lune	○
3 mars	Dernier quartier	☾
10 mars	Nouvelle Lune	●
17 mars	Premier quartier	☽
25 mars	Pleine Lune	○
1er avril	Dernier quartier	☾
8 avril	Nouvelle Lune et éclipse solaire totale	●
16 avril	Premier quartier	☽
24 avril	Pleine Lune et éclipse lunaire annulaire	○
1er mai	Dernier quartier	☾
8 mai	Nouvelle Lune	●
16 mai	Premier quartier	☽
23 mai	Pleine Lune	○
30 mai	Dernier quartier	☾
6 juin	Nouvelle Lune	●
14 juin	Premier quartier	☽
21 juin	Pleine Lune	○
28 juin	Dernier quartier	☾
6 juillet	Nouvelle Lune	●
14 juillet	Premier quartier	☽
21 juillet	Pleine Lune	○
27 juillet	Dernier quartier	☾
4 août	Nouvelle Lune	●
12 août	Premier quartier	☽

19 août	Pleine Lune	○
26 août	Dernier quartier	☾
3 septembre	Nouvelle Lune	●
11 septembre	Premier quartier	☽
17 septembre	Pleine Lune	○
25 septembre	Dernier quartier	☾
3 octobre	Nouvelle Lune et éclipse solaire annulaire	●
10 octobre	Premier quartier	☽
17 octobre	Pleine Lune et éclipse lunaire partielle	○
24 octobre	Dernier quartier	☾
1er novembre	Nouvelle Lune	●
8 novembre	Premier quartier	☽
15 novembre	Pleine Lune	○
23 novembre	Dernier quartier	☾
1er décembre	Nouvelle Lune	●
8 décembre	Premier quartier	☽
15 décembre	Pleine Lune	○
23 décembre	Dernier quartier	☾
30 décembre	Nouvelle Lune	●

La carte du ciel en 2005

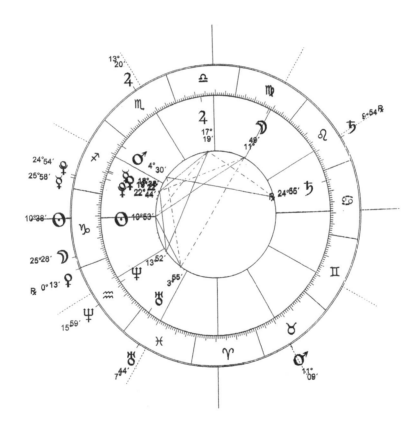

La position des planètes en 2005

C hacune de ces planètes exerce une influence sur vous et sur votre destinée, même si elle n'évolue pas directement dans votre signe. Le chapitre concernant vos prévisions annuelles et mensuelles vous donne une explication détaillée de chaque transit. Il vous renseigne également sur l'influence du Soleil, de la Lune et des éclipses.

Jupiter commence l'année en Balance. Le 25 octobre à 22 h 52, elle entre en Scorpion où elle reste jusqu'au 31 décembre.

Saturne demeure en Cancer jusqu'au 16 juillet; à 8 h 31 ce jour-là, elle amorce son périple en Lion pour y séjourner jusqu'au 31 décembre.

Uranus transite par les Poissons.

Neptune passe toute l'année en Verseau.

Pluton poursuit sa visite du Sagittaire.

Mars visite successivement le Sagittaire, le Capricorne, le Verseau, les Poissons, le Bélier et le Taureau.

Vénus et **Mercure** transitent par tous les signes.

L'influence des planètes

C haque planète possède ses attributs, ses caractéristiques et son symbolisme propre; elle exerce des effets particuliers sur l'existence humaine. Ces effets ont été étudiés et voici, en résumé, ce qu'on peut dire pour chacune d'entre elles, sans se lancer dans un long cours d'astrologie.

Le Soleil Il représente la personnalité, la force vitale; le désir de briller, la réussite sociale, l'élément masculin. Pour une femme, il s'agira de son conjoint ou de son père. C'est la position du Soleil dans le zodiaque qui détermine à quel signe on appartient.

La Lune Symbole de l'émotivité par excellence, elle exerce son influence sur les sentiments et les émotions, elle évoque les changements, l'intuition, les petits déplacements, la famille, la mère. Pour un homme, elle représentera son épouse ou sa conjointe.

Mercure   Il s'agit de la planète des enfants, de la jeunesse, mais aussi de l'intelligence, de la logique, du désir d'apprendre, des études, des communications et du commerce. Pour une personne en particulier, elle représentera ses propres enfants.

Vénus   Évidemment, il s'agit de la planète qui régit les amours, les sentiments, le bonheur, la vie de couple, le goût des belles choses, les arts et l'apparence.

Mars   Nommée en l'honneur du dieu romain de la guerre, elle est l'énergie, la force, l'extériorisation, le travail. Mais elle régit aussi les conflits, les blessures, les accidents et les opérations chirurgicales.

Jupiter   Planète de la vie matérielle, elle influence nos biens matériels, notre richesse, notre optimisme, nos honneurs. On l'associe souvent aux appuis gouvernementaux, aux relations avec la loi et aux contacts avec l'étranger.

Saturne   De tout temps, elle a représenté la sagesse et l'évolution mais aussi les restrictions, les épreuves et les pertes. Elle régit également la détermination, la patience, l'économie, le désir de sécurité et la fin de vie.

Uranus   Planète des changements brusques, elle joue un rôle sur l'imprévisible, l'originalité, l'esprit d'invention, les nouvelles technologies, la parapsychologie et les grands idéaux qui caractérisent un individu.

Neptune   Génie créatif, inspiration, vie émotive, croyances mystiques, secrets, mystères, dépendances et illusions sont les domaines placés sous l'influence de cette planète.

Pluton   Lorsque des changements profonds et radicaux, des transformations, des catastrophes, des nouveaux départs surviennent, c'est que cette planète agit avec force. Elle régit aussi la sexualité.

Au moment de notre naissance, les planètes se situent à un endroit particulier du zodiaque. Leurs influences se font donc sentir simultanément, mais différemment, pour chacun d'entre nous. Ainsi, deux personnes peuvent avoir le même signe et le même ascendant, mais subir les influences planétaires de manière différente.

Par exemple, si le Soleil se trouvait en Bélier lors de votre naissance, vous serez un Bélier énergique et vif... Toutefois, vous pouvez en même temps avoir Vénus en Poissons, ce qui vous rend sensible et sentimental en amour. Si Jupiter se trouve en Capricorne, vous serez, en plus, prudent et avisé en affaires, etc. Votre thème de naissance, qu'on appelle également carte du ciel, permet donc de définir ce qui vous différencie des autres natifs du même signe.

Prévisions mondiales pour 2005

Les six premiers mois de l'année sont marqués par la quadrature Jupiter-Saturne, un aspect planétaire déstabilisant, et le destin terrestre s'en trouvera souvent chamboulé.

C'est comme si tout était mal synchronisé: la nature oublie de respecter ses saisons, elle déverse trop de pluie sur certaines régions, alors que d'autres sont aux prises avec de graves sécheresses. L'agriculture éprouve de sérieuses difficultés: le bétail comme les récoltes sont soumis aux caprices de la nature, à différents parasites et virus. Ironiquement, on gèle dans les pays chauds alors que le réchauffement de la planète se poursuit de plus belle ailleurs.

La famine et les épidémies déciment des populations; heureusement que l'aide humanitaire continue de tenter l'impossible pour sauver ces gens. Le problème de l'eau potable demeure crucial; le gaspillage doit absolument cesser.

Bien entendu, l'économie fait elle aussi des siennes. On vote des budgets qui soulèvent des tollés, et les scandales financiers ne cessent de se multiplier. Plusieurs gouvernements ont recours à des manœuvres discutables pour éponger leur déficit, ce qui fait bondir la population. Le peuple n'en peut plus de la pseudo-justice, des jugements truqués et des magouilles. Toutes ses protestations finiront-elles par faire changer les choses?

Le sort des familles et des enfants demeure une préoccupation de premier ordre. La société continue de se métamorphoser, et l'on n'a pas d'autres choix que de faire une place aux minorités. D'ailleurs, celles-ci poursuivent la défense de leurs droits et marquent de plus en plus de points. Pendant ce temps, le mariage continue de faire jaser.

Période d'accalmie entre la mi-juillet et la fin octobre. On reprend le contrôle de diverses situations difficiles; on trouve même des façons brillantes d'intervenir, ce qui fait grimper la popularité de certains chefs politiques.

Puis, en novembre et en décembre, on retrouve ce fameux carré Jupiter-Saturne, cette fois dans des signes différents. Le scénario n'est pas tout à fait le même. Cette fois, ce sont les politiciens, les monarques et les leaders qui vont y goûter... On exige d'eux des comptes. Pour certains, la fin est proche.

Le secteur de la santé est encore rudement éprouvé. Les anciens systèmes sont désuets et présentent de plus en plus de signes d'essoufflement. Chez nous, on est de moins en moins hostile à l'implantation d'un réseau de santé privé.

Le transit de Pluton en Sagittaire continue de malmener les religions; des bouleversements, des décès et des scandales contribuent à toute cette instabilité. Les mouvements fanatiques font encore des leurs.

Pas de conflit mondial en vue, mais le climat demeure tendu au sein de plusieurs nations. Les soulèvements populaires, les grèves et les manifestations de tous genres en témoignent.

L'année 2005 s'annonce donc mouvementée, remplie de remises en question de toutes sortes. Pourtant, peu à peu, le monde se transforme, et des changements positifs majeurs s'amorcent: même si ce n'est pas dans l'immédiat, ça semble très prometteur à moyen terme.

L'harmonie entre les signes

Êtes-vous en harmonie?

S'il est une question qui revient souvent, c'est bien celle-ci: mon signe s'accorde-t-il bien avec tel ou tel autre? Répondre à une telle question, qui semble anodine, n'est pas si facile, et surtout la réponse ne peut être catégorique. C'est comme me demander si une personne aux yeux bleus peut s'entendre avec une autre ayant les yeux verts… la réponse demeure: «Ça dépend…»

La carte du ciel d'une personne est un système complexe où plusieurs éléments entrent en ligne de compte et non seulement le signe astrologique. L'ascendant, les planètes, les maisons et les aspects influencent plus ou moins la personnalité des individus. Il ne suffit pas de se baser sur le signe pour déterminer les affinités ou les antagonismes entre deux personnes.

Si toutefois la question vous préoccupe, et si vous connaissez votre ascendant et celui de l'être cher, vous pouvez constater, grâce au tableau qui suit, non seulement si vos signes sont compatibles, mais également si vos ascendants sont en harmonie. Vous pouvez voir si le signe de l'un a des affinités avec l'ascendant de l'autre, et vice versa. Cela vous permettra de juger de vos possibilités d'entente.

Puisque cela m'est demandé très souvent et que connaître les compatibilités entre les différents signes vous intéresse, je vous propose de découvrir les tendances générales. N'oubliez jamais que rien n'est définitif. Si vous avez rencontré l'homme de votre vie ou la femme de vos rêves, même si son signe ne semble pas être en totale harmonie avec le vôtre, dites-vous que la vie sera votre meilleur juge.

Mon petit test instantané

	BÉLIER	TAUREAU	GÉMEAUX	CANCER	LION	VIERGE
Bélier	1	6	5	3	2	6
Taureau	6	1	6	5	3	2
Gémeaux	5	6	1	6	5	3
Cancer	3	5	6	1	6	5
Lion	2	3	5	6	1	6
Vierge	6	2	3	5	6	1
Balance	4	6	2	3	5	6
Scorpion	6	4	6	2	3	5
Sagittaire	2	6	4	6	2	3
Capricorne	3	2	6	4	6	2
Verseau	5	3	2	6	4	6
Poissons	6	5	3	2	6	4

	BALANCE	SCORPION	SAGITTAIRE	CAPRICORNE	VERSEAU	POISSONS
Bélier	4	6	2	3	5	6
Taureau	6	4	6	2	3	5
Gémeaux	2	6	4	6	2	3
Cancer	3	2	6	4	6	2
Lion	5	3	2	6	4	6
Vierge	6	5	3	2	6	4
Balance	1	6	5	3	2	6
Scorpion	6	1	6	5	3	2
Sagittaire	5	6	1	6	5	3
Capricorne	3	5	6	1	6	5
Verseau	2	3	5	6	1	6
Poissons	6	2	3	5	6	1

Quel nombre avez-vous obtenu?

1- Puisque vous êtes tous les deux du même signe, les points communs entre vous ne manquent pas. Vous vous ressemblez comme deux vieux copains, vous vous comprenez sans vous dire un mot. Vous avez les mêmes qualités… mais aussi les mêmes défauts, et c'est là que, parfois, les étincelles surgissent. Vos travers se retrouvent chez l'autre et vous agacent. Vos propres points faibles vous sautent au visage. Toutefois, puisque vous avez en commun les mêmes buts, les mêmes idéaux, les mêmes opinions sur plusieurs sujets, cette connivence naturelle vous rapproche. Attention, par contre, car il peut s'agir d'une arme à double tranchant: vous vous connaissez tellement bien – vous êtes tirés du même moule – que rien ne vous étonne en l'autre, et vous risquez ainsi de percer tous ses mystères. Laissez-lui son jardin secret, et surtout ne le tenez pas pour acquis. Tâchez de le surprendre au moment où il s'y attend le moins; vous pourrez ainsi vivre tous deux une relation passionnante empreinte de complicité.

2- Vos deux signes relèvent du même élément. Vous avez la même sensibilité, la même façon d'aborder l'existence et le quotidien, la même intensité dans vos relations interpersonnelles; c'est d'ailleurs très probablement ce qui vous a plu chez l'autre. Malgré tout, vous possédez chacun votre individualité, vos différences. Au quotidien, l'entente est bonne, et la relation, vraiment harmonieuse. Votre façon d'agir, de résoudre les problèmes est à peu près la même. En règle générale, ensemble, c'est le paradis sur terre… Mais tout n'est pas parfait, loin de là. Vous avez tous deux le même entêtement, et il est impossible à l'un ou à l'autre de prendre le dessus. Lorsque les choses tournent mal, vous vous isolez chacun de votre côté, ce qui ne règle rien. Les discussions, les divergences d'opinion ou d'avis font partie du vécu de chaque couple. Apprenez à rester amis même lorsque vous n'êtes pas d'accord et à vous respecter mutuellement… Lorsque vous travaillez de concert, rien n'est impossible pour vous. Votre relation pourrait être tout simplement magnifique si vous savez travailler l'un avec l'autre et non chacun de votre côté.

3- Vos deux signes se retrouvent «en carré» ou en croix. Malgré des traits communs, vos personnalités sont très différentes l'une de l'autre; cette différence vous a intrigué, attiré au départ, souvenez-vous-en. Même vos objectifs et votre sens des valeurs sont différents; pourtant vous raisonnez de la même manière. Lorsque tout va bien, tout est merveilleux, mais en cas de conflit, ça peut chauffer. Les divergences d'opinion, les situations délicates ne manquent pas entre vous. S'il est normal de ne pas être toujours du même avis sur tout, il est cependant essentiel d'apprendre à s'écouter pour éviter les malentendus. Ce qui vous a séduit chez l'autre, c'est justement sa vision différente de la vie. Il est donc important d'allier respect et compréhension si vous voulez éviter les heurts. La passion entre vous est très importante, mais attention de ne pas vous enflammer à tout bout de champ. Laissez l'autre s'exprimer. Vous coupez facilement la parole à l'autre sans toujours vous rendre compte qu'un peu d'écoute et d'attention serait tellement plus profitable. Ouvrez votre cœur… et vos oreilles! Vous pourrez vivre une relation très enrichissante ensemble.

4- Vos deux signes sont en opposition; vous êtes aux antipodes l'un de l'autre… peut-être est-ce ce qui vous a fait vibrer lors de votre première rencontre. Même si vous êtes très différents, vous vous complétez magnifiquement, malgré quelques petites escarmouches sans conséquence. Puisque les forces de l'un comblent les points faibles de l'autre, vous avez l'impression de voir votre propre image, comme le négatif d'une photo. Votre conjoint vous permet de découvrir des horizons que vous n'imaginiez pas, de voir le monde sous un jour totalement différent, de vous surpasser. Votre conjoint vous permet aussi de percevoir vos faiblesses. Sans vous l'avouer, ce qui vous agace en lui (ou en elle) met en lumière vos propres défauts. Une telle perception des choses peut créer des frictions, mais vous sentez bien que votre union est très originale et particulière, et vous réussissez à surmonter vos problèmes. Votre couple est équilibré, complémentaire et harmonieux; vous vous apportez beaucoup l'un à l'autre, et vos chances qu'une stabilité et qu'un enrichissement mutuel s'installent dans votre couple sont excellentes.

5- Vos deux signes se trouvent en sextile: vos éléments sont donc compatibles. Votre union sera facile, agréable et sans problème insurmontable. Vous n'avez peut-être pas eu de coup de foudre l'un pour l'autre, et la passion ne vous a pas littéralement emportés. Mais avec le temps vous avez appris à vous connaître et à vous apprécier, et c'est là l'essentiel. Votre affection est profonde. L'amitié qui vous unit, votre compréhension et votre communication exceptionnelles vous permettent de dialoguer sans heurts et de vous expliquer: comme on dit, vous êtes sur la même longueur d'onde. Si votre vision des choses diffère, d'autres éléments et d'autres caractéristiques vous réunissent. Vos sensibilités et vos désirs se rejoignent. Par le dialogue, les petites difficultés s'aplanissent toujours. Le rire et l'humour vous rapprochent l'un de l'autre. Avec un minimum d'efforts, votre relation sera douce, tendre et revigorante. Vous irez là où vos pas vous porteront, main dans la main.

6- Seriez-vous étranger l'un à l'autre? Pour trouver des points communs entre vous, il faut bien chercher. Souvent, vous avez même l'impression de ne pas parler la même langue. Et pourtant... vous pourriez vous entendre, avec un peu d'efforts de part et d'autre. Le plus amusant est que cette différence peut se révéler un précieux atout au cours d'activités communes, dans vos loisirs ou même au travail. Le manque de communication dans votre couple est flagrant; vous le déplorez et aurez parfois l'impression que votre conjoint ne vous comprend pas et ne répond pas à vos attentes. Vos valeurs et vos objectifs divergent du tout au tout parfois. Dans de telles conditions, votre vie de couple repose sur vos efforts. Il est inutile d'essayer de changer votre partenaire. Acceptez-le, sans condition. Pour rendre votre vie à deux plus harmonieuse, vous pourriez jouer sur le romantisme. Sachez surprendre votre partenaire en proposant des sorties en amoureux, des dîners aux chandelles à l'improviste et des surprises de toutes sortes. Si votre partenaire n'arrive pas à cerner complètement votre personnalité, cela peut être un plus. Alliez cette carte «mystère» à la carte «romantisme» et, à coup sûr, vous ferez battre son cœur. Des liens psychiques très forts peuvent être tissés entre vous deux; une compréhension au-delà des mots, voire de la télépathie, n'est pas impossible. Voilà une autre énigme dont vous pourrez jouer pour stimuler votre couple.

Trouver son ascendant... c'est facile!

Vous ne connaissez pas votre ascendant? Nous allons vous donner une méthode très simple pour le trouver.

De quoi avez-vous besoin?

De votre heure de naissance, c'est tout.

Comment faire?

1   prenez votre heure de naissance;
2   ajoutez le temps sidéral;
3   additionnez le tout.

Vous voyez, ce n'est pas bien compliqué.

Dans les lignes qui suivent, nous vous donnons:

1   quelques renseignements sur votre **heure de naissance**;
2   le **temps sidéral** qui correspond à votre **date de naissance**;
3   des **indications** pour additionner l'un à l'autre.

Avant d'aller plus loin, lisez donc les paragraphes qui suivent; vous serez sûr de ne pas faire d'erreur.

1 — Votre heure de naissance

L'ascendant se calcule à partir de l'heure de naissance; il faut donc que vous sachiez à quelle heure vous êtes né pour le calculer.

> **NOTE:** **Si vous ne connaissez pas votre heure de naissance**, seul un astrologue expérimenté pourrait trouver votre ascendant. Mais **informez-vous**: des parents, des proches, des frères ou sœurs, voire l'hôpital où vous êtes né peuvent vous renseigner sur votre heure de naissance.

Si votre heure de naissance est imprécise, vous pouvez essayer quand même. Évidemment, l'ascendant que vous obtiendrez alors sera imprécis, lui aussi.

Donc, vous savez maintenant que votre ascendant se calcule à partir de votre heure de naissance. Rappelez-vous cependant deux petites choses:

Si vous êtes né en après-midi ou en soirée, il faut que vous preniez votre heure en **système de 0 à 24 heures**. Donc, au lieu d'écrire 2 h de l'après-midi, vous écrivez 14 h; au lieu de 9 h du soir, vous écrivez 21 h.

C'est bien important, ne l'oubliez pas!

En effet, si vous êtes né en soirée ou en après-midi, vous n'aurez pas le même ascendant que si vous étiez né le matin.

En astrologie, il faut toujours prendre **l'heure réelle** et non pas l'heure avancée. Vous ne voulez pas calculer l'ascendant de quelqu'un qui serait né une heure plus tard que vous!

Savez-vous si vous êtes né pendant une période d'heure avancée? C'est facile: dans les lignes qui suivent, vous le verrez aisément.

Tableau de l'heure avancée

Avant 1918, il n'y avait pas d'heure avancée.

Si vous êtes né entre les dates suivantes, enlevez une heure à votre heure de naissance pour avoir votre heure réelle de naissance.

En 1918, du 14 avril au 31 octobre, dans toute la province de Québec.

De 1919 à 1927 inclusivement, l'heure était avancée à **Montréal seulement**:

- en 1919, du 31 mars au 25 octobre*;
- en 1920, du 2 mai au 3 octobre*;
- en 1921, du 1er mai au 2 octobre*;
- en 1922, du 30 avril au 1er octobre*;
- en 1923, du 13 mai au 30 septembre*;
- en 1924, du 18 mai au 28 septembre*;

- en 1925, du 3 mai au 27 septembre*;
- en 1926, du 2 mai au 26 septembre*;
- en 1927, du 1er mai au 25 septembre*.

* À Montréal seulement — pas dans le reste du Québec. Donc, si vous êtes né entre ces dates à Montréal, enlevez une heure. Si vous êtes né ailleurs dans la province, laissez votre heure telle quelle.

À partir de 1928, l'heure est avancée **à Montréal et dans tout le reste de la province** entre les dates suivantes:
- en 1928, du 29 avril au 30 septembre;
- en 1929, du 28 avril au 29 septembre;
- en 1930, du 27 avril au 28 septembre;
- en 1931, du 26 avril au 27 septembre;
- en 1932, du 24 avril au 25 septembre;
- en 1933, du 30 avril au 24 septembre;
- en 1934, du 29 avril au 30 septembre;
- en 1935, du 28 avril au 29 septembre;
- en 1936, du 26 avril au 27 septembre;
- en 1937, du 25 avril au 26 septembre;
- en 1938, du 24 avril au 25 septembre;
- en 1939, du 30 avril au 24 septembre;
- en 1940, du 28 avril au 31 décembre*;
- en 1941, TOUTE L'ANNÉE*;
- en 1942, TOUTE L'ANNÉE*;
- en 1943, TOUTE L'ANNÉE*;
- en 1944, TOUTE L'ANNÉE*;
- en 1945, du 1er janvier au 30 septembre*.

* L'heure fut avancée continuellement, hiver comme été, durant la guerre.

- en 1946, du 28 avril au 29 septembre;
- en 1947, du 27 avril au 28 septembre;
- en 1948, du 25 avril au 26 septembre;
- en 1949, du 24 avril au 25 septembre;
- en 1950, du 30 avril au 24 septembre;
- en 1951, du 29 avril au 30 septembre;
- en 1952, du 27 avril au 28 septembre;
- en 1953, du 26 avril au 27 septembre;
- en 1954, du 25 avril au 26 septembre;
- en 1955, du 24 avril au 25 septembre;
- en 1956, du 29 avril au 30 septembre;

- en 1957, du 28 avril au 27 octobre;
- en 1958, du 27 avril au 26 octobre;
- en 1959, du 26 avril au 25 octobre;
- en 1960, du 24 avril au 30 octobre;
- en 1961, du 30 avril au 29 octobre;
- en 1962, du 29 avril au 28 octobre;
- en 1963, du 28 avril au 27 octobre;
- en 1964, du 26 avril au 25 octobre;
- en 1965, du 25 avril au 31 octobre;
- en 1966, du 24 avril au 30 octobre;
- en 1967, du 30 avril au 29 octobre;
- en 1968, du 28 avril au 27 octobre;
- en 1969, du 27 avril au 26 octobre;
- en 1970, du 26 avril au 25 octobre;
- en 1971, du 25 avril au 31 octobre;
- en 1972, du 30 avril au 29 octobre;
- en 1973, du 29 avril au 28 octobre;
- en 1974, du 28 avril au 27 octobre;
- en 1975, du 27 avril au 26 octobre;
- en 1976, du 25 avril au 31 octobre;
- en 1977, du 24 avril au 30 octobre;
- en 1978, du 30 avril au 29 octobre;
- en 1979, du 29 avril au 28 octobre;
- en 1980, du 27 avril au 26 octobre;
- en 1981, du 26 avril au 25 octobre;
- en 1982, du 25 avril au 31 octobre;
- en 1983, du 24 avril au 30 octobre;
- en 1984, du 29 avril au 28 octobre;
- en 1985, du 28 avril au 27 octobre;
- en 1986, du 27 avril au 26 octobre;
- en 1987, du 5 avril au 25 octobre;
- en 1988, du 3 avril au 30 octobre;
- en 1989, du 2 avril au 29 octobre;
- en 1990, du 1er avril au 28 octobre;
- en 1991, du 7 avril au 29 octobre;
- en 1992, du 5 avril au 25 octobre;
- en 1993, du 4 avril au 31 octobre;
- en 1994, du 3 avril au 30 octobre;
- en 1995, du 2 avril au 29 octobre;
- en 1996, du 7 avril au 27 octobre;
- en 1997, du 6 avril au 26 octobre;

- en 1998, du 5 avril au 25 octobre;
- en 1999, du 4 avril au 31 octobre;
- en 2000, du 2 avril au 29 octobre;
- en 2001, du 1er avril au 28 octobre;
- en 2002, du 7 avril au 27 octobre;
- en 2003, du 6 avril au 26 octobre;
- en 2004, du 4 avril au 31 octobre;
- en 2005, du 3 avril au 28 octobre.

Donc, si vous êtes né entre les dates que nous venons de donner, n'oubliez pas d'enlever une heure à votre heure de naissance pour obtenir votre heure réelle de naissance.

2 — Le temps sidéral

Comme nous l'avons vu précédemment, pour calculer l'ascendant, il suffit d'additionner votre heure réelle de naissance au temps sidéral qui correspond à votre journée de naissance.

Le temps sidéral est une heure qui correspond à une seule journée de l'année. Chaque journée a le sien; il n'y a pas deux journées qui ont le même temps.

Pour calculer votre ascendant, vous avez donc besoin de connaître le temps sidéral qui correspond au jour de votre fête. Comment faire? Rien de plus simple.

Aux pages 44 et 45, vous trouverez un tableau: à la première ligne du tableau figurent les 12 mois de l'année, chacun correspondant à une colonne. La première colonne comporte des chiffres allant de 1 à 31. Ces chiffres correspondent, bien sûr, aux quantièmes (jours) des mois.

Il vous suffit maintenant de trouver, dans la colonne qui correspond à votre mois de naissance, la ligne de votre jour de fête, et le tour est joué.

> **PAR EXEMPLE:** Si vous êtes né le 1er janvier, vous cherchez sous janvier, à la première ligne, et vous voyez 6 h 36. Le temps sidéral qui correspond à votre jour de naissance est donc **6 h 36**.
>
> De même, si vous êtes né le 14 mai, vous allez voir, sous la colonne de mai, la ligne qui correspond au 14, et vous trouvez votre temps sidéral, qui est **15 h 24**.
>
> **NOTE:** Pour vous faciliter la tâche, les tableaux des pages 44 et 45 indiquent le temps sidéral corrigé et simplifié.
>
> Suivez la ligne qui correspond à votre jour de fête jusqu'à la colonne de votre mois de naissance: vous avez maintenant le temps sidéral qui correspond à votre jour de naissance.

3 — Et puis, vous additionnez

Vous avez donc maintenant votre heure réelle de naissance et le temps sidéral qui correspond à votre journée de naissance: il vous suffit de faire une toute petite addition. Bien sûr, vous avez pris soin de vous assurer que votre heure de naissance est inscrite **en système de 0 à 24 heures,** surtout si vous êtes né en après-midi ou en soirée.

> **ATTENTION:** Vous avez des heures et des minutes. Vous savez qu'il y a **60 minutes** dans une heure et **24 heures** dans une journée.
>
> Donc si, en additionnant, vous avez un total de minutes supérieur à 60, vous soustrayez 60 du nombre des minutes et vous ajoutez 1 au nombre des heures.
>
> De même, si, en additionnant, vous avez un total d'heures supérieur à 24, vous soustrayez 24.
>
> Vous avez maintenant un total en heures et en minutes; vous n'avez plus qu'à consulter le petit tableau de la page 46, à trouver la section qui correspond à la vôtre et à LIRE votre ascendant.

Voici un exemple pour illustrer cette méthode. Supposons qu'une personne soit née le 24 juin 1967, à 2 h 25 de l'après-midi.

Nous savons que, pour calculer l'ascendant, il faut utiliser l'heure en système de 0 à 24 heures. Donc, 2 h 25 de l'après-midi, c'est en réalité 14 h 25. Comme l'heure était avancée (voir tableau de l'heure avancée), il faut donc soustraire 1 heure, ce qui donne 14 h 25 – 1 h 00 = 13 h 25.

Maintenant que nous avons l'heure réelle de naissance, faisons le calcul:

Heure réelle de naissance	13 h 25
Temps sidéral (du 24 juin)	+ 18 h 06
Total	31 h 31

Comme le nombre des heures est supérieur à 24, nous soustrayons 24 heures à 31 h 31, ce qui donne:

$$
\begin{array}{r}
31 \text{ h } 31 \\
- \quad 24 \text{ h } 00 \\
\hline
7 \text{ h } 31
\end{array}
$$

En consultant la **Table des ascendants** (en page 46), on voit bien que l'ascendant de cette personne est Balance.

Faites vous-même vos calculs

1   Inscrivez votre heure de naissance   _____ h _____
    (en système de 0 à 24 heures)

2   Enlevez 1 heure   (− 1 heure)
    mais seulement si vous êtes né
    en période d'heure avancée   = _____ h _____

Ceci vous donne votre heure
de naissance réelle

3   Inscrivez le temps sidéral
    qui correspond à votre jour de naissance   + _____ h _____

4   Additionnez les deux lignes
    précédentes   = _____ h _____

5   Si le nombre des minutes dépasse 60,
    enlevez 60 minutes et ajoutez 1 heure;
    sinon, laissez tel quel.

    Si le nombre des heures dépasse 24,
    enlevez 24 heures; sinon, laissez tel quel.

Vous obtenez   _____ h _____

*Maintenant, consultez la table des
ascendants et trouvez le vôtre.*

Temps sidéral

Du 1er janvier au 30 juin

JR	JANV.	FÉVR.	MARS	AVRIL	MAI	JUIN
1	6 h 36	8 h 38	10 h 33	12 h 36	14 h 33	16 h 36
2	6 h 40	8 h 42	10 h 37	12 h 40	14 h 37	16 h 40
3	6 h 44	8 h 46	10 h 40	12 h 44	14 h 41	16 h 43
4	6 h 48	8 h 50	10 h 44	12 h 48	14 h 45	16 h 47
5	6 h 52	8 h 54	10 h 48	12 h 52	14 h 49	16 h 51
6	6 h 56	8 h 58	10 h 52	12 h 55	14 h 53	16 h 55
7	7 h 00	9 h 02	10 h 56	12 h 58	14 h 57	16 h 59
8	7 h 04	9 h 06	11 h 00	13 h 02	15 h 01	17 h 03
9	7 h 08	9 h 10	11 h 04	13 h 06	15 h 05	17 h 07
10	7 h 12	9 h 14	11 h 08	13 h 10	15 h 09	17 h 11
11	7 h 15	9 h 18	11 h 12	13 h 14	15 h 13	17 h 15
12	7 h 19	9 h 22	11 h 16	13 h 18	15 h 17	17 h 19
13	7 h 23	9 h 26	11 h 20	13 h 22	15 h 21	17 h 23
14	7 h 27	9 h 30	11 h 24	13 h 26	15 h 24	17 h 27
15	7 h 31	9 h 33	11 h 28	13 h 30	15 h 28	17 h 31
16	7 h 35	9 h 37	11 h 32	13 h 34	15 h 32	17 h 34
17	7 h 39	9 h 41	11 h 36	13 h 38	15 h 36	17 h 38
18	7 h 43	9 h 45	11 h 40	13 h 42	15 h 40	17 h 42
19	7 h 47	9 h 49	11 h 44	13 h 46	15 h 44	17 h 46
20	7 h 51	9 h 53	11 h 48	13 h 50	15 h 48	17 h 50
21	7 h 55	9 h 57	11 h 52	13 h 54	15 h 52	17 h 54
22	7 h 59	10 h 01	11 h 55	13 h 58	15 h 56	17 h 58
23	8 h 03	10 h 05	11 h 58	14 h 02	16 h 00	18 h 02
24	8 h 07	10 h 09	12 h 02	14 h 06	16 h 04	18 h 06
25	8 h 11	10 h 13	12 h 06	14 h 10	16 h 08	18 h 10
26	8 h 15	10 h 17	12 h 10	14 h 14	16 h 12	18 h 14
27	8 h 19	10 h 21	12 h 14	14 h 18	16 h 16	18 h 18
28	8 h 23	10 h 25	12 h 18	14 h 22	16 h 20	18 h 22
29	8 h 26	10 h 29	12 h 22	14 h 26	16 h 24	18 h 26
30	8 h 30		12 h 26	14 h 29	16 h 28	18 h 30
31	8 h 34		12 h 30		16 h 32	

Temps sidéral

Du 1er juillet au 31 décembre

JR	JUIL.	AOÛT	SEPT.	OCT.	NOV.	DÉC.
1	18 h 34	20 h 37	22 h 39	0 h 37	2 h 39	4 h 38
2	18 h 38	20 h 41	22 h 43	0 h 41	2 h 43	4 h 42
3	18 h 42	20 h 45	22 h 47	0 h 45	2 h 47	4 h 46
4	18 h 46	20 h 49	22 h 51	0 h 49	2 h 51	4 h 50
5	18 h 50	20 h 53	22 h 55	0 h 53	2 h 55	4 h 54
6	18 h 54	20 h 57	22 h 59	0 h 57	2 h 59	4 h 57
7	18 h 58	21 h 00	23 h 03	1 h 01	3 h 03	5 h 01
8	19 h 02	21 h 04	23 h 07	1 h 05	3 h 07	5 h 05
9	19 h 06	21 h 08	23 h 11	1 h 09	3 h 11	5 h 09
10	19 h 10	21 h 12	23 h 14	1 h 13	3 h 15	5 h 13
11	19 h 14	21 h 16	23 h 18	1 h 17	3 h 19	5 h 17
12	19 h 18	21 h 20	23 h 22	1 h 21	3 h 23	5 h 21
13	19 h 22	21 h 24	23 h 26	1 h 25	3 h 27	5 h 25
14	19 h 26	21 h 28	23 h 30	1 h 29	3 h 31	5 h 29
15	19 h 30	21 h 32	23 h 34	1 h 32	3 h 35	5 h 33
16	19 h 34	21 h 36	23 h 38	1 h 36	3 h 39	5 h 37
17	19 h 38	21 h 40	23 h 42	1 h 40	3 h 43	5 h 41
18	19 h 42	21 h 44	23 h 46	1 h 44	3 h 47	5 h 45
19	19 h 46	21 h 48	23 h 50	1 h 48	3 h 50	5 h 49
20	19 h 49	21 h 52	23 h 54	1 h 52	3 h 54	5 h 53
21	19 h 53	21 h 56	23 h 58	1 h 56	3 h 58	5 h 57
22	19 h 57	22 h 00	0 h 02	2 h 00	4 h 02	6 h 01
23	20 h 02	22 h 04	0 h 06	2 h 04	4 h 06	6 h 05
24	20 h 06	22 h 08	0 h 10	2 h 06	4 h 10	6 h 09
25	20 h 10	22 h 12	0 h 14	2 h 12	4 h 14	6 h 13
26	20 h 14	22 h 16	0 h 18	2 h 16	4 h 18	6 h 17
27	20 h 18	22 h 20	0 h 23	2 h 20	4 h 22	6 h 21
28	20 h 22	22 h 24	0 h 26	2 h 24	4 h 26	6 h 24
29	20 h 26	22 h 27	0 h 30	2 h 28	4 h 30	6 h 28
30	20 h 30	22 h 31	0 h 34	2 h 32	4 h 34	6 h 32
31	20 h 33	22 h 35		2 h 36		6 h 36

Table des ascendants...
Quel est le vôtre?

Comparez le total obtenu en additionnant votre heure de naissance réelle au temps sidéral du jour de votre naissance, aux tranches d'heures ci-dessous pour connaître votre ascendant.

Heures:	Ascendants:
- de 0 h 00 à 0 h 34	Cancer
- de 0 h 35 à 3 h 21	Lion
- de 3 h 22 à 5 h 59	Vierge
- de 6 h 00 à 8 h 40	Balance
- de 8 h 41 à 11 h 18	Scorpion
- de 11 h 19 à 13 h 43	Sagittaire
- de 13 h 44 à 15 h 35	Capricorne
- de 15 h 36 à 16 h 58	Verseau
- de 16 h 59 à 17 h 59	Poissons
- de 18 h 00 à 19 h 04	Bélier
- de 19 h 05 à 20 h 24	Taureau
- de 20 h 25 à 22 h 22	Gémeaux
- de 22 h 23 à 24 h 00	Cancer

Définition des ascendants

Bélier: ce signe prédispose à l'impulsivité et même à l'agressivité. Vous êtes franc, mais vous vous faites souvent des ennemis, car votre entourage n'est pas toujours prêt à admettre la vérité. Vous êtes essentiellement un être dynamique; toutefois, il vous arrive fréquemment de commencer mille et un projets et de n'en terminer aucun. Vos sentiments sont vifs et entiers. Nous devons souligner ici que vous détenez le record des accidents.

Taureau: vous êtes tenace, persévérant, mais bien souvent têtu. Vous allez toujours au bout de ce que vous entreprenez. Vous refusez les échecs et vous vous battez jusqu'à la mort pour réussir. L'argent est essentiel à votre bien-être, et vous avez toujours peur d'en manquer. Vous êtes lent à vous attacher, mais vos sentiments sont d'une profondeur et d'une stabilité peu communes. Il est vrai que vous n'êtes pas bavard, mais, quand vous parlez, on sait toujours à quoi s'en tenir.

Gémeaux: j'ai surnommé ce signe le «courant d'air». Effectivement, vous bougez sans cesse, vous êtes partout à la fois et vous ne voulez rien manquer. C'est d'ailleurs pour cette raison que vous avez tellement tendance à vous éparpiller. Vos réflexes et vos réactions sont très rapides. Vous adorez parler et communiquer; voilà pourquoi vous êtes si doué pour travailler avec le public. Même si vous parlez beaucoup, vous n'exprimez pas toujours facilement vos sentiments.

Cancer: cet ascendant confère une nature très maternelle ou paternelle, selon le cas. Vous avez énormément besoin de vous sentir aimé. Vous dorlotez les vôtres et vous comblez leurs besoins avant même qu'ils ne les aient exprimés. Votre hypersensibilité et votre naïveté vous jouent bien souvent de vilains tours. Pour vous, l'amour, l'amitié et la famille sont sacrés. D'ailleurs, les sentiments sont votre meilleur carburant.

Lion: vous êtes le roi des animaux et, effectivement, vous ne détestez pas régner sur votre entourage. Vous n'acceptez pas de passer inaperçu et, finalement, vous avez presque toujours besoin d'un public. Il y a cependant une exception: quand vous êtes triste ou déprimé, vous ne voulez plus voir personne. Vous partagez facilement vos gains et vos succès, mais vous ne voulez aucun témoin de vos chagrins. Assurément, vous êtes doué pour l'administration… et pour le vedettariat.

Vierge: cet ascendant rend méthodique, méticuleux, logique et rationnel. Avouons toutefois que vous êtes souvent maniaque des détails, de l'hygiène et de la propreté. On peut vous compter parmi les êtres les plus responsables et les plus dévoués du zodiaque. Malheureusement, vous vous sentez toujours coupable de tout et vous estimez que vous n'en avez jamais assez fait. Votre mémoire est davantage axée sur les mauvais souvenirs que sur les bons. Si je peux me permettre de vous donner un conseil, je vous dirais de moins penser et de mettre plus de fantaisie dans votre vie.

Balance: votre charme est incontestable, vous trouvez tout beau et, avec vous, rien n'est jamais totalement négatif. Vous détestez la solitude et vous éprouvez constamment le besoin d'être entouré, que ce soit au travail ou dans votre vie privée. Vous ne pouvez supporter ni le mensonge, ni l'hypocrisie, ni l'injustice. Le seul problème que vous ayez, c'est quand il s'agit de prendre une décision: vous n'en finissez plus de balancer.

Scorpion: vous avez bien mauvaise réputation et, pourtant, elle n'est absolument pas fondée. Il n'y a pas de bons ni de mauvais signes; chacun a ses qualités et ses défauts. Ces rumeurs qui circulent sur votre compte viennent sûrement d'un astrologue qui n'aimait pas les Scorpion; moi, je vous aime bien. N'oublions pas que vous êtes méfiant et que vous ne laissez pas facilement paraître vos sentiments. Vous êtes un travailleur acharné et votre mémoire est phénoménale. D'ailleurs, ne vous souvenez-vous pas toujours de ce qu'on vous a fait?

Sagittaire: votre indépendance frise souvent les extrêmes. Vous ne voulez rien devoir à personne et vous remettez toujours au centuple les faveurs qu'on vous fait. Vous avez la bougeotte, vous ne tenez pas en place et vous adorez voyager. La nature et les animaux vous attirent énormément. Un emploi sédentaire ne vous convient pas tellement; cependant, s'il est question de mouvement au travail, vous serez parfaitement satisfait.

Capricorne: vous êtes comme le bon vin: plus vous vieillissez, plus vous prenez de la force et du piquant. Et puisque vous vous bonifiez avec le temps, la deuxième partie de votre vie est toujours bien meilleure que la première. Il est vrai que vous mettez sans cesse les bouchées doubles lorsqu'il s'agit de travail et que vous êtes plutôt perfectionniste. Vous parlez peu et, souvent, votre entourage vous reprochera d'être renfermé et replié sur vous-même.

Verseau: vous êtes très humain, mais votre bonté se retourne facilement contre vous. En effet, vous êtes souvent victime de profiteurs, de parasites et de faux amis qui abusent carrément de vous. Apprenez à dire non et vous serez gagnant. Vous jugez d'après vous-même et vous êtes constamment déçu. Votre intuition est pourtant surprenante: vous auriez intérêt à vous y fier davantage.

Poissons: de tous les signes, vous êtes le plus sensible et le plus vulnérable. Vous vous découragez facilement et vous abandonnez la lutte après le premier échec. Par peur de la solitude, vous vous entourez de gens qui vous causent beaucoup plus de chagrin que de joie. Attention! Vous avez une âme de missionnaire et vous êtes incapable de refuser quoi que ce soit à votre prochain. Les paradis artificiels et les croyances utopiques exercent beaucoup d'attraction sur vous.

IMPORTANT: il n'existe pas de signes purs; ainsi, il est impossible d'être un pur Bélier, un pur Taureau, etc. L'influence de votre ascendant et celle des positions planétaires à votre naissance sont tout aussi importantes. J'ai constaté que l'influence de l'ascendant est de plus en plus forte avec le temps. En vieillissant, c'est l'ascendant qui prédomine et, dans la deuxième partie de la vie, il prend une valeur significative. Toutefois, on compte deux exceptions: l'ascendant Capricorne et l'ascendant Vierge, qui obéissent à la règle inverse.

Les 12 signes et les 36 décans

Signe	1er décan	2e décan	3e décan
Bélier 21 mars au 20 avril	21 mars 31 mars	1er avril au 10 avril	11 avril au 20 avril
Taureau 21 avril 20 mai	21 avril au 29 avril	30 avril au 10 mai	11 mai au 20 mai
Gémeaux 21 mai au 21 juin	21 mai au 1er juin	2 juin au 11 juin	12 juin au 21 juin
Cancer 22 juin au 23 juillet	22 juin au 1er juillet	2 juillet 12 juillet	13 juillet 23 juillet
Lion 24 juillet au 23 août	24 juillet au 3 août	4 août au 13 août	14 août au 23 août
Vierge 24 août au 23 septembre	24 août au 3 septembre	4 septembre au 13 septembre	14 septembre au 23 septembre
Balance 24 septembre au 23 octobre	24 septembre au 3 octobre	4 octobre au 13 octobre	14 octobre au 23 octobre
Scorpion 24 octobre au 22 novembre	24 octobre au 2 novembre	3 novembre au 12 novembre	13 novembre au 22 novembre
Sagittaire 23 novembre 20 décembre	23 novembre au 2 décembre	3 décembre au 12 décembre	13 décembre au 20 décembre
Capricorne 21 décembre au 20 janvier	21 décembre au 31 décembre	1er janvier au 10 janvier	11 janvier au 20 janvier
Verseau 21 janvier 19 février	21 janvier au 31 janvier	1er février au 10 février	11 février au 19 février
Poissons 20 février 20 mars	20 février au 29 février	1er mars au 10 mars	11 mars au 20 mars

Les subtilités de votre décan

On entend souvent parler des différents décans, et vous connaissez probablement le vôtre. Pourtant la plupart des gens ne savent pas trop ce que c'est ni à quoi cela correspond.

Vous avez dû constater que les natifs de votre signe sont loin d'être tous comme vous. En fait, chaque décan a une influence bien particulière et renseigne sur votre personnalité, mais aussi sur vos tendances, vos goûts et vos besoins.

Dans les lignes qui suivent, signe par signe, vous trouverez quelle est l'influence du décan et comment il touche votre façon d'être.

Bélier (21 mars au 20 avril)

Ce que vous avez en commun avec les autres natifs de votre signe

Vous êtes actif et dynamique, vous avez constamment quelque chose en tête et, comme vous n'aimez pas attendre, vous allez droit au but. Ardent, compétitif, vous êtes très stimulé par les défis, ce qui vous pousse à commencer un tas de choses; pourtant lorsque ça démarre votre motivation baisse, et vous vous attaquez à un autre projet. Franc mais brusque, vous dites tout ce que vous pensez, ce qui crée parfois des frictions. Vous ne supportez pas la contrariété, vous piquez des colères terribles, mais vous n'êtes pas rancunier pour deux sous. En amour, vous êtes fougueux: c'est la passion et rien d'autre qui vous attire.

Quelle sorte de Bélier êtes-vous?

• **Bélier du 1er décan** (du 21 au 31 mars)

Votre vitalité est incroyable, vous êtes une vraie dynamo. Vous vous sentez vivre lorsque vous êtes dans le feu de l'action, vous avez donc constamment besoin de bouger, d'accomplir quelque chose. Les obstacles ne vous font pas peur, vous avez même tendance à les oublier, ce qui joue parfois contre vous, dans les questions matérielles notamment. Rapide en tout, vous ne supportez pas qu'on vous fasse attendre: sur la route, vous faites des excès, ce qui peut vous occasionner accidents et contraventions. Leader de nature, vous avez tendance à diriger les gens autour de vous: les collègues, parfois même les supérieurs. Vous contrôlez, vous donnez des ordres, mais n'aimez pas en recevoir.

• **Bélier du 2ᵉ décan** (du 1ᵉʳ au 10 avril)

Décidément, on vous remarque de loin! Vous avez une personnalité éclatante, vous aimez les vêtements luxueux, le beau: vous attachez beaucoup d'importance à votre image. Pour vous, réussir est la priorité: vous vous arrangez pour y arriver, vous gardez votre direction. Votre attitude reflète la confiance, ce qui vous aide beaucoup sur le plan professionnel. Dans votre petit univers comme dans votre bande d'amis, c'est vous le roi, pourtant vous êtes très généreux avec ceux qui vous entourent. Vous êtes droit et fier de nature, mais vous ne pardonnez pas lorsqu'on vous critique ou qu'on vous met en boîte.

• **Bélier du 3ᵉ décan** (du 11 au 20 avril)

Vous êtes le plus affectueux des Bélier. Vous bouillonnez d'énergie, mais vous avez un peu de mal à prendre des décisions et fonctionnez mieux en équipe que seul. Les tensions interpersonnelles et la chicane vous indisposent au plus haut point; heureusement, votre sens de la diplomatie vous permet d'éviter bien des affrontements. Vous êtes très habile sur le plan humain, ce qui vous aide à atteindre vos buts. Votre vie sociale est remplie, mais le centre de votre existence, ce sont vos amours. Votre vie de couple est très importante pour vous, vous êtes passionné, aimant, mais vos attentes ne sont pas toujours réalistes.

Taureau (21 avril au 20 mai)

Ce que vous avez en commun avec les autres natifs de votre signe

Votre sens pratique est incroyable. Déterminé et travailleur, vous atteignez presque toujours les buts que vous vous êtes fixés. Vous êtes prudent, vous pesez le pour et le contre avant de vous décider, mais une fois que votre idée est faite, vous n'en changez plus. Il faut dire que vous êtes un peu anxieux, que les changements et les risques ne vous plaisent pas du tout. Un peu casanier, vous appréciez la nature, le calme et les bonnes choses de la vie. Sur le plan interpersonnel, vous êtes plutôt timide, mais en amour comme en amitié, vous êtes fidèle et loyal.

Quelle sorte de Taureau êtes-vous?
• **Taureau du 1er décan** (du 21 au 29 avril)
De tous les Taureau, c'est vous le plus rapide et le plus curieux, votre esprit est vif, votre sens du commerce incroyable. Vous ne perdez jamais vos intérêts de vue. Vous êtes très communicatif, vous parlez beaucoup (quoique vous soyez assez discret sur vous-même), vous savez vous attirer des sympathies, surtout vous avez le don de convaincre les autres. En affaires, vous jouez habilement vos cartes, vous réussissez toujours à obtenir l'aide ou les faveurs nécessaires pour atteindre vos buts. Assez mondain, vous aimez les sorties, rencontrer du monde: vous connaissez beaucoup de gens, mais ce sont davantage des relations sociales que de vrais amis.

• **Taureau du 2e décan** (du 30 avril au 10 mai)
Vous avez vraiment le sens de la famille, vous misez beaucoup sur votre petit monde, vous faites de gros efforts pour votre partenaire et vos jeunes. Même avec vos amis, vous êtes un papa gâteau ou une maman poule. Plutôt inquiet de nature, vous vous tracassez pour ceux que vous aimez, vous cherchez constamment à les protéger. Généreux, hospitalier, vous aimez recevoir et gâter ceux qui sont à votre table. On vous apprécie beaucoup et avec raison. Assez rêveur par moments, vous avez de fortes émotions et une grande sensibilité.

• **Taureau du 3e décan** (du 11 au 20 mai)
Vous avez le sens du pratique, le tangible est très important pour vous. Sage, prévoyant, vous prenez votre temps, ce qui vous évite bien des erreurs, en affaires notamment. Assez matérialiste, vous êtes très avisé dans les questions d'argent et vous pensez à long terme; vous avez toujours de petites réserves en cas de besoin, et votre compte en banque est certainement plus rondelet que vous ne le dites. Avec les autres, vous êtes discret, vous parlez peu, pourtant vos gestes en disent long et on peut toujours compter sur vous.

Gémeaux (21 mai au 21 juin)
Ce que vous avez en commun avec les autres natifs de votre signe
Votre intelligence est remarquable, votre esprit aussi. Curieux, vous vous intéressez à un tas de choses, vous allez spontanément vers les gens, vous nouez des amitiés, voire des flirts, mais vous êtes un peu changeant, et ce qui vous intéresse un jour peut vous ennuyer le lendemain. Intellectuel, brillant, vous avez presque toujours le dernier mot. Vos champs d'intérêt sont variés, vous connaissez un tas de choses

quoique pas toujours en profondeur. Très mondain, vous raffolez des sorties, des réunions sociales. Vous êtes constamment «sur la trotte».

Quelle sorte de Gémeaux êtes-vous?
• **Gémeaux du 1er décan** (du 21 mai au 1er juin)
La réussite compte beaucoup à vos yeux, vous aimez les belles choses, vous avez des goûts luxueux, et vous savez que cela prend des sous pour vous les offrir. Vous aimez bien être le centre d'attraction, être admiré, et vous misez beaucoup sur la réussite professionnelle ou sociale. Communicatif et plein d'entrain, vous avez le talent d'aller chercher les appuis ou les faveurs et, en affaires, vous avez un flair incroyable. Vous avez donc toutes les chances de finir vos jours bien à l'aise.

• **Gémeaux du 2e décan** (du 2 au 11 juin)
Vous êtes pétillant, vous aimez bouger, vous avez constamment envie de faire quelque chose, de vous investir dans un projet. Que ce soit dans vos loisirs ou sur le plan professionnel, votre esprit compétitif vous pousse constamment à vous surpasser. Démonstratif, franc, vous n'avez pas peur de dire ce que vous pensez, même si cela peut blesser vos interlocuteurs. Vous êtes très chaleureux, vous prenez les devants dans votre groupe d'amis, d'ailleurs vous ne supportez pas qu'on vous contredise. En amour, quand vous voulez quelque chose, rien ne peut vous arrêter.

• **Gémeaux du 3e décan** (du 12 au 21 juin)
Quelle vedette vous êtes! Que ce soit dans votre cercle d'amis ou avec des inconnus, on apprécie votre esprit, votre humour et votre intelligence. Vous rayonnez sur votre entourage, vous ne dérogez jamais à votre sens des valeurs. Confiant, vous aimez bien qu'on remarque votre intelligence, votre humour, votre allure; vous prenez spontanément la première place, que ce soit dans votre milieu de travail, dans votre cercle d'amis ou dans votre couple. Très mondain, hyper-séduisant, vous avez le don de charmer les gens, et on ne vous résiste pas très longtemps. Comédien-né, confiant, voire un brin snob, vous ne passez jamais inaperçu.

Cancer (22 juin au 23 juillet)
Ce que vous avez en commun avec les autres natifs de votre signe
Vous êtes né sous le signe des émotions et de la famille: vous êtes donc sensible, fragile, même si vous vous faites une carapace en société. Doux, affectueux, un peu rêveur, vous avez du mal à supporter qu'il y

ait de la chicane autour de vous. Votre petite famille est le centre de votre vie, vous adorez votre conjoint, vos enfants. Généreux, accueillant, vous êtes bien chez vous, entouré des vieux copains et des vôtres. Vous avez une nature d'artiste et une très grande créativité.

Quelle sorte de Cancer êtes-vous?
• **Cancer du 1ᵉʳ décan** (du 22 juin au 1ᵉʳ juillet)
Vous avez soif d'harmonie et de tendresse, vous êtes un grand romantique, mais vous avez bien du mal à passer aux actes, à faire des choix. Être bien entouré est essentiel à votre équilibre, vous avez besoin de rapports agréables avec les gens. La dispute et l'injustice vous horripilent. Votre gentillesse et votre charme font qu'on vous apprécie, mais vous avez souvent du mal à vous affirmer par peur des conflits. La vie sentimentale est très importante à vos yeux, vous rêvez tellement d'aimer et d'être aimé.

• **Cancer du 2ᵉ décan** (du 2 au 12 juillet)
Quel esprit vous avez! Très communicatif, vous éprouvez de fortes émotions, mais vous dites ce que vous ressentez, vous exprimez vos opinions, vous faites valoir vos arguments avec brio. Votre vie sociale est bien remplie, vous avez de nombreuses activités, un tas d'amis et vous vous déplacez beaucoup. Indépendant de nature, même si vous adorez votre conjoint, vous aimez bien avoir vos propres occupations, vos relations, votre métier… et surtout votre propre compte en banque.

• **Cancer du 3ᵉ décan** (du 13 au 23 juillet)
Votre sensibilité est vraiment à fleur de peau. Très généreux, toujours aux aguets, vous cherchez constamment à faire plaisir à votre petit monde, à dorloter ceux que vous aimez et à les protéger, car vous êtes un peu inquiet de nature. Hyper-maternel ou paternel, vous en faites beaucoup pour les vôtres, un peu trop même; vous avez du mal à établir vos limites, à dire non. Vous changez constamment d'humeur, d'idée: prendre des décisions est parfois un tour de force pour vous. Par bonheur, vous êtes très souple et vous vous adaptez bien aux circonstances.

Lion (24 juillet au 23 août)
Ce que vous avez en commun avec les autres natifs de votre signe
Vous avez une personnalité forte, vous vous affirmez, que ce soit parmi vos intimes ou avec des inconnus. Sûr de vous, vous mettez beaucoup d'énergie pour gravir des échelons, vous voulez réussir tant sur le plan social que financier. Tout semble facile pour vous, et pourtant vous y

mettez beaucoup d'efforts. On vous remarque, on vous estime, et cela fait parfois l'envie de certaines personnes de votre entourage. Vous êtes d'une très grande générosité, toutefois vous avez horreur de l'hypocrisie. En amour, vous donnez beaucoup mais vous exigez beaucoup aussi.

Quelle sorte de Lion êtes-vous?

• **Lion du 1er décan** (du 24 juillet au 3 août)

Vous êtes le plus sage, mais en même temps le plus ambitieux des Lion. Vous êtes responsable, sérieux. Votre diplomatie et votre sens politique servent vos intérêts. Vous êtes habile avec les gens, vous pouvez même les manipuler au besoin. Côté sous, vous êtes très prévoyant, vous misez sur le solide, sur le long terme, et cela finit toujours par rapporter. Perfectionniste, malgré vos réalisations, vous voulez toujours faire plus, faire mieux. En amour et sur le plan personnel, vous êtes très entier, très stable, mais il faut que le partenaire soit à la hauteur.

• **Lion du 2e décan** (du 4 au 13 août)

On vous remarque de loin, vous êtes tellement flamboyant! Votre optimisme fait plaisir à voir. Confiant, chef-né, vous prenez des initiatives, vous donnez forme à vos projets. Même en affaires, le risque ne vous fait pas peur; en général, cela vous avantage, mais il ne faut pas sous-estimer les difficultés ou donner votre confiance trop facilement. En général, c'est seul que vous maximiserez vos chances de réussite. Vous régnez dans votre milieu de travail, dans votre cercle d'amis, à la maison et même en amour.

• **Lion du 3e décan** (du 14 au 23 août)

Vous êtes le plus intrépide des Lion, vous avez une énergie prodigieuse, rien ne vous arrête ni ne vous résiste. Les défis ne vous font pas peur, vous surmontez les obstacles, mais parfois vous allez trop vite, ce qui vous expose à des erreurs coûteuses. Une bonne planification vous permettrait d'atteindre plus rapidement vos objectifs ambitieux. Vous êtes très entier en amour comme en amitié. Vous êtes franc, direct, quoique parfois un peu trop contrôlant avec votre entourage. Laissez un peu plus de place aux autres, vos rapports humains n'en seront que plus agréables.

Vierge (24 août au 23 septembre)

Ce que vous avez en commun avec les autres natifs de votre signe

Vous avez soif de perfection. Votre intelligence est vive, vous raisonnez beaucoup, un peu trop même. Pratique, minutieux, vous êtes prévoyant, et ce, dans toutes les sphères de votre vie. Travailleur, assidu, responsable, sans faire de bruit vous faites votre chemin. Souvent d'ailleurs votre timidité vous empêche de prendre vraiment le crédit de vos réalisations. Avec votre entourage, vous avez peur de déplaire, de faire de la peine, cela fait en sorte que vous n'arrivez pas toujours à imposer des limites. Votre sens du dévouement est remarquable.

Quelle sorte de Vierge êtes-vous?
• **Vierge du 1er décan** (du 24 août au 3 septembre)
Très logique, vous raisonnez bien, vous savez faire passer vos opinions, vos idées sans qu'on s'en rende compte. Votre entourage se fie d'ailleurs beaucoup sur votre jugement. Votre bon sens et votre esprit constructif peuvent vous mener très loin, d'ailleurs vous êtes un excellent administrateur. Économe, prudent, vous réussissez à vous imposer sur le plan professionnel et à avoir un compte en banque bien garni. Vos amis sont peu nombreux, mais leur fidélité est à toute épreuve. En amour, vous savez ce que vous voulez: très entier, vous vous investissez beaucoup dans votre couple.

• **Vierge du 2e décan** (du 4 au 13 septembre)
Vous êtes le plus affectueux des Vierge. Sur le plan professionnel, vous êtes travailleur, organisé, mais vous manquez un peu d'initiative. Tranquille, discret, vous avez soif de romantisme et vous rêvez de l'Amour parfait. Conciliant, vous faites beaucoup de compromis et d'efforts pour que tout aille bien dans votre couple. Vous avez même tendance à esquiver les discussions tant vous avez peur de la chicane, pourtant certaines sont nécessaires. Avec les années, vous vous affirmerez davantage, ce qui sera pour le mieux.

• **Vierge du 3e décan** (du 14 au 23 septembre)
Que vous êtes sociable! Vous recherchez les contacts humains, vous raffolez des sorties et des réceptions, vous faites bonne impression sur les gens que vous croisez. Votre logique est brillante, vous avez un sens de l'humour bien à vous. Dans vos activités, on apprécie votre sens critique, votre esprit d'équipe et votre efficacité. Habile communicateur, vous avez la bosse du commerce et gardez toujours vos intérêts en tête. Le renouveau vous stimule, et vous avez certainement une allure beaucoup plus jeune que votre âge.

Balance (24 septembre au 23 octobre)

Ce que vous avez en commun avec les autres natifs de votre signe

Votre désir de plaire vous ouvre bien des portes! Votre gentillesse et votre côté humain charment ceux que vous rencontrez. Positif, sociable, vous aimez beaucoup les rapports interpersonnels. Vous appréciez les arts, la beauté, l'harmonie, d'ailleurs la chicane vous déplaît tellement que, parfois, vous avez du mal à vous affirmer. Votre sens de la justice est marqué, à vrai dire vous recherchez la perfection en tout, ce qui vous rend parfois indécis, hésitant. Vous êtes hyper-romantique, et l'amour occupe une place très importante dans votre cœur. La solitude vous fait peur, une vie à deux agréable et sereine est donc essentielle à votre bonheur.

Quelle sorte de Balance êtes-vous?

• Balance du 1er décan (du 24 septembre au 3 octobre)

Vous êtes d'une sensibilité extrême, c'est vous le plus tendre des Balance. Imaginatif, romanesque, vous êtes constamment à la recherche du partenaire idéal. Cela peut même vous empêcher de vous engager avec un être en chair et en os. C'est dommage car vous avez vraiment soif d'amour et de tendresse. Vous avez des attentions délicieuses pour ceux qui vous entourent, vous cherchez à faire plaisir à tous, cela fait en sorte que vous hésitez à établir vos limites, à dire non. Sur le plan professionnel, vous avez une grande créativité et beaucoup de potentiel, mais vous manquez d'initiative et vous attendez trop, ce qui peut parfois retarder vos réalisations.

• Balance du 2e décan (du 4 au 13 octobre)

Vous êtes le plus sage et le plus sérieux des Balance. Idéaliste, vous recherchez la perfection en tout. Cela fait en sorte que vous avez toujours peur de commettre des erreurs. Vous cherchez constamment à en faire plus, à vous surpasser. Dans les questions financières, vous vous trompez rarement; économe, vous misez sur le long terme, vous finissez toujours par atteindre vos objectifs matériels. Sur le plan affectif, vous avez soif de stabilité; vous n'êtes pas très démonstratif, pourtant vos actes parlent pour vous. Vous êtes tendre, fidèle et dévoué. Vous vous investissez pleinement dans votre vie intime et, avec le temps, vous trouverez le bonheur dont vous rêvez.

• Balance du 3e décan (du 14 au 23 octobre)

Vous avez une personnalité expansive, vous prenez votre place, vous vous affirmez. Optimiste, vous avez des goûts artistiques, vous appréciez les belles choses, le luxe, et vous dépensez sans compter. Heureusement que vous avez des aptitudes pour gagner de l'argent! Votre tact et votre diplomatie vous aident sur le plan professionnel, vous permettent de trouver des appuis. Vous aimez la vie mondaine, les rencontres, les belles sorties: vous avez beaucoup de charme et vous en êtes conscient. Pourtant, lorsque vous aimez, vous devenez très stable, très aimant et vous déployez beaucoup d'efforts pour que votre couple fonctionne.

Scorpion (24 octobre au 22 novembre)
Ce que vous avez en commun avec les autres natifs de votre signe
Vous avez un charme mystérieux qui fait tourner bien des têtes. Votre charisme est fort, mais les gens ne savent pas trop comment réagir avec vous. Vous êtes passionné, entier et vous ne faites aucune concession. Émotif, vous vous cachez derrière une carapace, vous testez les gens. Vous devinez même ce qu'ils ont derrière la tête. Vous avez une mémoire d'éléphant, vous ressassez longtemps ce qu'on vous a fait. Vous êtes déterminé, volontaire et très tenace; lorsque vous voulez quelque chose, aucune difficulté ne vous rebute. Pas surprenant qu'on vous trouve un peu mystérieux.

Quelle sorte de Scorpion êtes-vous?
• **Scorpion du 1er décan** (du 24 octobre au 2 novembre)
Quel caractère! Lorsque vous vous fâchez, ce n'est pas drôle. Vous savez ce que vous voulez, vous n'avez pas peur des affrontements, vous dites ce que vous pensez. Vos sentiments sont d'une intensité incroyable, que ce soit de l'amour ou de la haine. Dans vos occupations, les défis vous stimulent, vous déployez une telle volonté que vous surmontez les obstacles: votre volonté est étonnante. Vous avez toutefois peu de vrais amis. Sur le plan intime, vous recherchez la passion: vous être impulsif, ardent, mais jaloux avec ceux que vous aimez.

• **Scorpion du 2e décan** (du 3 au 12 novembre)
Vous avez une personnalité très «magnétique». Même si vous ne vous en rendez pas compte, vous faites tourner bien des têtes. Vous êtes très généreux avec votre entourage, vos proches notamment, mais vous ne supportez pas qu'on essaie d'abuser de vous ou qu'on vous mente. En amour, vous donnez sans compter, mais vous êtes possessif: la fidélité est très importante à vos yeux. Vous avez du flair en affaires. Intense dans tout ce que vous faites, vous vous engagez beaucoup dans vos

activités professionnelles, vous planifiez, vous savez utiliser les gens qui vous entourent; vous avez donc tous les atouts pour atteindre les plus hautes cimes.

• **Scorpion du 3ᵉ décan** (du 13 au 22 novembre)
Vous êtes le plus doux et le plus sociable des Scorpion. Très sensible, vous placez votre vie intime au centre de votre existence: vous savez faire naître et maintenir la passion dans votre couple. Les sacrifices ne vous font pas peur lorsqu'il s'agit de faire plaisir à ceux que vous aimez. Perspicace, vous devinez tout. Votre intuition est phénoménale et vous permet de deviner ce qu'on voulait vous cacher. Côté carrière, vous savez vous faire aimer et apprécier de vos collaborateurs, et vous utilisez votre pouvoir de séduction. En société, vous êtes aimable, charmant en apparence, quoique toujours un peu sur vos gardes. Très observateur, vous voyez tout.

Sagittaire (23 novembre au 20 décembre)
Ce que vous avez en commun avec les autres natifs de votre signe
Quel entrain vous avez! Vous êtes confiant, positif, vous bougez constamment. Ouvert à tout, aux autres cultures, aux gens, vous êtes toujours bien entouré. Très indépendant, vous dites ce que vous pensez, vous ne supportez pas qu'on vous empêche d'agir; conseils et contraintes vous font horreur, en ce qui concerne vos finances notamment. Le renouveau vous stimule, d'ailleurs vous rêvez constamment de voyages, de nouvelles activités; vous appréciez beaucoup les plaisirs, la bonne bouffe. Sur le plan sentimental, vous êtes fougueux, passionné, mais vous tenez beaucoup à votre autonomie.

Quelle sorte de Sagittaire êtes-vous?
• **Sagittaire du 1ᵉʳ décan** (du 23 novembre au 2 décembre)
Vous êtes le plus communicatif et le plus spirituel des Sagittaire. Enjoué, amusant, vous parlez beaucoup, vous vous faites spontanément des amis, mais vous en changez souvent. En fait, vous êtes tellement changeant qu'on a du mal à vous suivre. Cela ne vous empêche pas d'avoir beaucoup de plaisir en société, de vous faire remarquer. Vos sentiments sont vifs quoique pas toujours profonds. Très doué pour les affaires ou le commerce, vous avez beaucoup d'aptitudes à gagner des sous, mais vous dépensez libéralement; avec vous l'argent roule, et étrangement vous vous en sortez toujours brillamment.

- **Sagittaire du 2ᵉ décan** (du 3 au 12 décembre)

C'est vous le plus sensible et le plus affectueux des Sagittaire. Vous avez une énergie incroyable quoique fluctuante: tantôt vous déplacez des montagnes, tantôt vous restez passif, sans bouger. Les gens vous stimulent. Vous adorez les déplacements, les sorties, les voyages, en fait vous seriez toujours prêt à partir. Recevant, hospitalier, votre maison est continuellement pleine de monde, et votre table, bien garnie. Votre petite famille est très importante pour vous, vous adorez votre conjoint et vos enfants.

- **Sagittaire du 3ᵉ décan** (du 13 au 20 décembre)

De tous les Sagittaire, c'est vous le plus stable, le plus raisonnable. Vous misez sur l'avenir, vous avez des idées constructives, et surtout la ténacité nécessaire pour les mettre à exécution. Dans les questions d'argent, vous calculez tout, vous finissez toujours par tirer avantage de toutes les situations. Tant mieux parce que vous appréciez les bonnes choses, les plaisirs et les voyages, et cela prend des sous. Votre indépendance financière est essentielle pour vous, vous mettez beaucoup d'efforts pour réussir sur le plan professionnel et, tôt ou tard, vous y arrivez. Socialement, vous êtes chaleureux, plein d'entrain, pourtant vous gardez une certaine réserve. Vous savez ce que vous voulez. Avec votre petit monde et votre partenaire, votre loyauté ne fait aucun doute.

Capricorne (21 décembre au 20 janvier)

Ce que vous avez en commun avec les autres natifs de votre signe

Sans faire de bruit, vous finissez toujours par atteindre vos objectifs. Très jeune, vous étiez déjà sage, mûr et intelligent. Votre ténacité et votre détermination vous permettent d'atteindre vos objectifs, lentement mais sûrement. Prévoyant, vous mettez beaucoup de cœur dans ce que vous faites, et vos résultats sont spectaculaires, sur le plan matériel notamment. Le temps travaille toujours pour vous et vous finirez vos jours à l'abri du besoin. Vous êtes pourtant bien discret, timide même, mais très stable, tant en amitié qu'en amour. Vos proches savent qu'ils peuvent vraiment compter sur vous. Étrangement, vous rajeunissez avec les ans.

Quelle sorte de Capricorne êtes-vous?

- **Capricorne du 1ᵉʳ décan** (du 21 au 31 décembre)

Vous êtes enthousiaste, votre optimisme fait plaisir à voir. Capable de vous vendre, de faire passer vos idées, vous travaillez fort pour atteindre le succès professionnel et financier. Avec le temps, vous dépassez même vos objectifs, et un certain facteur chance peut vous avantager épisodiquement. Votre sens des valeurs est fort, vous respectez l'ordre, les traditions, et vous avez la faculté de trouver des gens qui vous aident à réaliser vos projets. Vous aimez les plaisirs de la vie, mais avec modération. Sur le plan interpersonnel, vous êtes enjoué, affectueux et stable.

• **Capricorne du 2ᵉ décan** (du 1ᵉʳ au 10 janvier)
Vous êtes le plus énergique des Capricorne, le plus pétillant. Votre tête est pleine de projets, d'idées, et en même temps vous avez tout ce qu'il faut pour les mener à terme. Vous ne perdez pas une minute, les défis vous stimulent et vous êtes d'ailleurs assez compétitif: cela vous permet de vous hisser assez haut dans votre sphère d'activité. En finances, vous prenez des risques bien calculés, ce qui sert vos intérêts. Malgré votre diplomatie naturelle, vous n'hésitez pas à affirmer vos idées. Sur le plan affectif, vous êtes ardent, intense, mais vous misez sur la stabilité et le long terme.

• **Capricorne du 3ᵉ décan** (du 11 au 20 janvier)
Bien des têtes se retournent sur votre passage, et cela ne vous déplaît pas. Votre bon goût vous permet d'apprécier les belles choses, les objets luxueux, mais vous demeurez discret. Cela fait en sorte qu'on vous trouve parfois un peu froid. Vous faites beaucoup d'efforts pour que les gens qui vous entourent soient heureux, vous êtes exceptionnellement loyal dans vos affections. À la fois ambitieux et déterminé, vous finirez par connaître la réussite tant sociale que matérielle: les deux comptent beaucoup à vos yeux. En fait, vous finissez toujours par atteindre vos buts, si élevés soient-ils.

Verseau (21 janvier au 19 février)
Ce que vous avez en commun avec les autres natifs de votre signe
Il n'y a pas à dire, vous êtes quelqu'un d'original, vous avez vos idées, vos valeurs bien à vous, et cela ne vous dérange pas de choquer les bien-pensants. Avant-gardiste, un peu artiste, vous avez une allure qu'on remarque. Vous appréciez le changement, les technologies de pointe. Vous avez des éclairs de génie, mais côté pratique vous manquez d'assiduité, vous remettez à plus tard, ce qui vous empêche de donner forme à vos projets. Dans les questions de sous, vous manquez de persévérance. Les contacts humains comptent beaucoup pour vous, vos amis passent avant tout. Côté cœur, vous êtes fougueux mais un peu volage: chose certaine, les conventions, ce n'est pas pour vous.

Quelle sorte de Verseau êtes-vous?

• **Verseau du 1ᵉʳ décan** (du 21 au 31 janvier)

Vous êtes un rêveur, vous idéalisez l'amour, vous cherchez le conjoint idéal, l'âme sœur. Vos attentes ne sont pas toujours réalistes. Cela vous fait papillonner d'un partenaire à l'autre, jusqu'au jour où vous comprenez que la perfection n'existe pas. Hyper-sociable, vous adorez rencontrer des gens, vous vous faites des amis de toutes sortes; ceux que vous côtoyez apprécient beaucoup vos qualités humaines. Côté carrière, vous êtes créatif, vous avez de bonnes idées, quoique la ténacité vous fasse parfois défaut.

• **Verseau du 2ᵉ décan** (du 1ᵉʳ au 10 février)

Vous êtes le plus intellectuel et le plus vif des Verseau. Vous comprenez rapidement les concepts et les théories, vous donnez l'impression de tout savoir, vous êtes dangereusement convaincant. Vous avez soif d'apprendre, il y a constamment de nouveaux champs d'intérêt qui vous stimulent. En affaires, vous avez le sens de l'opportunité et vous jouez bien vos cartes. Votre vie sociale est trépidante, votre réseau social s'élargit constamment, toutefois vos relations interpersonnelles demeurent souvent un brin superficielles.

• **Verseau du 3ᵉ décan** (du 11 au 19 février)

Votre sensibilité est grande, vos émotions vous gouvernent constamment. Sur le plan intime, vous êtes plein d'amour pour votre conjoint, pour vos jeunes, pourtant vos relations avec eux sont loin d'être traditionnelles: c'est la complicité qui compte pour vous. Très sociable, vous adorez rencontrer des gens, vous êtes très sensible aux ambiances, vous ressentez les problèmes des autres avec beaucoup d'intensité, un peu trop même. Généreux, accueillant, vous rêvez de vous engager socialement, d'être utile dans votre milieu.

Poissons (20 février au 20 mars)

Ce que vous avez en commun avec les autres natifs de votre signe

Vous vivez au rythme de vos émotions, vous êtes hypersensible. En fait, vous avez de très belles valeurs humaines, vous êtes compatissant, vous cherchez constamment à faire plaisir, à aider ceux qui vous entourent. Intuitif, vous devinez bien des choses, mais vous avez tendance à rêver plutôt qu'à agir, et certaines facettes de votre vie en pâtissent. Sur le plan matériel notamment, vous êtes négligent. Cela ne vous empêche pas d'être toujours prêt à dépanner ceux qui sont dans le besoin, et il y en a probablement beaucoup dans votre entourage.

Vous adorez vos amis, votre famille et votre partenaire, vous cherchez à les dorloter, à les gâter, bref, vous avez bien du mal à dire non.

Quelle sorte de Poissons êtes-vous?

• **Poissons du 1ᵉʳ décan** (du 20 au 29 février)
Vous êtes beaucoup plus structuré que les autres Poissons. Certes, vous êtes souple sur le plan humain, mais lorsque vous avez un but, vous savez être tenace, ce qui vous sert tant sur le plan professionnel que dans les questions d'argent. Vous êtes bon gestionnaire, économe, mais votre grand cœur vous coûte parfois cher. Sur le plan intime, vous êtes sérieux, tendre, vous en faites beaucoup pour ceux que vous aimez, un peu trop même. Plutôt anxieux, vous attendez avant de donner votre confiance ou votre cœur, mais lorsque vous le faites, c'est pour la vie. Avec le temps, vous vous affirmerez davantage, vous serez plus ferme, et votre existence n'en sera que plus agréable.

• **Poissons du 2ᵉ décan** (du 1ᵉʳ au 10 mars)
Vous êtes la générosité en personne, vous cherchez constamment à faire le bonheur des autres. Boute-en-train et optimiste, vous adorez les contacts humains, les sorties, les voyages, vous profitez des bonnes choses. À vrai dire la modération n'est pas votre fort. Dans vos activités vous faites plus que votre part; sur le plan matériel par contre, vous auriez avantage à calculer plus, à être plus prudent. Heureusement, vous avez souvent beaucoup de flair, et de bonnes occasions peuvent vous tirer d'embarras à la dernière minute. Parfois des personnes influentes peuvent vous donner un petit coup de pouce. En amour, vous êtes exalté, vous vous donnez sans réserve.

• **Poissons du 3ᵉ décan** (du 11 au 20 mars)
Il n'y a pas à dire, vous êtes le plus actif et le plus dynamique des Poissons. Lorsque vous êtes en forme, vous pouvez déplacer des montagnes, vous élaborez des projets, vous entraînez les gens à vous suivre. Si les défis vous stimulent, la petite routine a tôt fait de vous ennuyer: vous devenez alors négligent, vous avez la tête ailleurs. Vous avez des qualités humaines exceptionnelles, mais l'organisation et la prévoyance ne sont pas votre fort: cela joue souvent contre vous en affaires. Vous avez des émotions à fleur de peau, vous dites ce que vous avez sur le cœur, quoique souvent vous le regrettiez après coup. Côté cœur, vous êtes amoureux, insatiable même: la passion vous donne des ailes.

Bélier

♈

du 21 mars au 20 avril

D ynamisme, énergie, tels sont les qualificatifs qui décrivent le mieux votre signe. Entreprendre ne vous fait pas peur, et vous n'hésitez pas un instant à aller de l'avant dans mille et un projets. En fait, vous êtes infatigable.

Tout comme la nature qui se réveille après un long hiver dans votre signe, votre activité est débordante. Avec autant d'idées en tête et d'envie de bouger, il n'est pas étonnant de vous voir mettre plusieurs projets en marche simultanément. Toutefois, comme il est presque impossible de tout mener de front, vous ne pouvez tout réaliser, et ce sont souvent les autres qui terminent votre travail ou en tirent profit.

Chez vous, les demi-mesures n'existent pas. Vous aimez ou vous détestez; c'est clair et net. Le mot compromis ne fait pas partie de votre vocabulaire. Vous n'avez pas un tempérament qui vous porte à faire des courbettes aux gens qui vous irritent ou dont le comportement vous déplaît; votre franchise est parfois bien mal perçue et peut créer des froids ou des inimitiés. Mais ce n'est sûrement pas cela qui vous fera changer d'avis ou de façon d'être.

Homme ou femme d'action, seule l'inactivité parvient à vous perturber. N'avoir rien à faire ou devoir attendre vous met les nerfs à fleur de peau: vous trépignez, vous ne tenez pas en place, vous vous rongez les sangs en pensant à tout ce que vous pourriez faire au lieu d'attendre, et vous n'en pouvez plus. Non, la patience n'est pas votre fort.

Votre dynamisme et votre ardeur au travail font de vous un être sensationnel pour amorcer ou même lancer les activités, et, dans les sprints de dernière minute, personne ne vous égale. Mais le revers de la médaille d'une telle énergie, c'est qu'elle n'est pas éternelle. Votre intérêt commence à s'émousser dès qu'une autre idée prend forme. Les travaux de longue haleine, les projets à long terme et les études poussées ne vous conviennent pas très bien. Pour vous, il n'y a que le change-ment qui soit un véritable défi.

Évidemment, le plan émotif n'est pas en reste. Encore une fois, il vous faut de l'action; vos sentiments ne sont pas mitigés, loin de là. Il n'est pas rare de vous voir piquer une crise terrible pour une bagatelle; heureusement, la rancune n'est pas un trait de votre caractère, et vous ne restez pas fâché longtemps. La personne à qui vous en vouliez tant peut devenir celle que vous aimez le plus en quelques minutes. Direct, franc, vous ne mâchez pas vos mots, notamment envers les gens qui tardent à se décider et qui hésitent. Ils vous mettent les nerfs en boule, et vous ne vous gênez pas pour le leur faire savoir. Attendre, c'est déjà difficile, mais attendre à cause des autres, c'est carrément insupportable.

Avec un caractère aussi net, la petite vie de «pépère pantoufle», un travail routinier et le petit train-train quotidien ne sont décidément pas pour vous. Que l'on parle défis de taille, choses à accomplir, gens à convaincre, voilà qui vous plaît et vous passionne.

En amour, que vous soyez homme ou femme, c'est vous qui choisissez votre partenaire, et plus l'entreprise vous semble difficile, plus la personne vous attire. Vous avez un tempérament ardent et entreprenant, et rien ne vous empêchera de défendre ceux que vous aimez, au risque de vous mettre vous-même en danger.

Quant à la colère, même si elle vous submerge facilement, avec vos fameux coups de tête, et qu'il ne faut pas vous prendre avec des pincettes dans ces moments-là, vous avez un cœur d'or et savez vous faire pardonner.

Comment se comporter avec un Bélier?

Le meilleur moyen de bien s'entendre avec un Bélier est de ne pas le contrarier. Puisqu'il a l'esprit de contradiction, il suffit de dire blanc pour qu'il dise noir. Donc, en se rangeant à son avis, on évite bien des problèmes. Il pourrait même piquer une de ses célèbres colères sous prétexte de défendre son point de vue; dans ce cas, attendre que l'orage soit passé est encore la meilleure attitude à adopter. Si vous tentez de le raisonner sur le coup, à force d'arguments logiques, vous ne ferez qu'attiser sa colère. Lorsque la tempête se sera apaisée, il sera temps de discuter.

N'oubliez pas que le Bélier est extrêmement actif. Alors ne tentez pas de lui demander de vous attendre toute une soirée, assis à ne rien faire. Rester tranquille, se reposer sont des choses qu'il ne peut faire. Pour développer une relation agréable avec lui, il faut le stimuler, lui trouver des activités, l'appuyer dans tous ses projets... et ne pas se décourager s'il abandonne après avoir commencé.

En somme, il vous faudra de la patience pour deux, mais comme il a de l'énergie pour quatre, sinon plus, vous ne vous ennuyerez jamais.

Ses goûts

Ses vêtements sont plutôt voyants et de couleur vive. Il porte de gros bijoux, et en grande quantité. Son intérieur est chargé, coloré, parfois hétéroclite aux yeux des autres, mais cela lui plaît; c'est le plus important, après tout!

Ses goûts le portent vers ce qui se voit, va vite ou fait du bruit. Il aime montrer ce qu'il possède et n'hésite pas à faire étalage de ses possessions en public.

Ce n'est pas un fin gastronome: on le voit plus souvent fréquenter les endroits de restauration rapide que les salles de nouvelle cuisine. Il mange rapidement, avale sans mastiquer. Si c'est lui qui prépare le repas, gare aux casseroles brûlées, car évidemment, pour gagner du temps, il ne fera pas mijoter les petits plats à feu doux mais les fera plutôt cuire à gros bouillons.

Son potentiel

Comme il s'agit d'un être rempli d'énergie, débordant d'idées, il est toujours en train de commencer quelque chose. Par contre, quand il est question de fignoler, il préfère confier la finition à quelqu'un d'autre. Il n'a pas la patience qu'il faut pour remettre cent fois son ouvrage sur le métier.

Son raisonnement est surtout logique et pratique; ce n'est pas lui qui pourra disserter sur la philosophie taoïste. Très habile de ses mains, le Bélier fera des merveilles avec le métal, le feu, la soudure, le génie et la chirurgie. Il est aussi très doué pour la politique et ferait un excellent stratège militaire, dans le domaine de la défense. Son dynamisme et ses nombreuses idées lui permettent également d'ouvrir sa propre entreprise, mais comme il a du mal à penser à long terme, cela pourrait ne pas durer éternellement. Son caractère autoritaire en fait un chef naturel; il est donc bien placé pour commander... et déléguer.

Ses loisirs

Puisque c'est le dynamisme qui l'anime, le Bélier adore les activités qui lui permettent de se mesurer aux autres. Il sera donc naturellement attiré par les sports de compétition. Mais il y a tant de disciplines qui le fascinent qu'il aura bien des difficultés à s'en tenir à une seule, il en changera souvent. Dès qu'il maîtrise les rudiments d'une activité, qu'il sait comment elle fonctionne et qu'il s'est mesuré aux autres, cela l'intéresse moins et il s'envole pour aller voir ailleurs. Puisque c'est la rapidité qui l'intéresse, on le verra plus souvent au volant d'une formule 1 que derrière une table pour une partie d'échecs. On ne le verra pas non plus assis avec un livre, mais plus souvent en train de s'élancer d'une falaise en deltaplane.. Puisqu'il est superactif et ne semble pas rebuté par le danger, au grand désespoir de ceux qui l'aiment, il optera pour la course automobile (il conduit vite «naturellement»), le saut en parachute, l'alpinisme ou le saut à l'élastique... Il n'est donc pas étonnant de le voir revenir couvert de plaies et de bosses, qui ne vont certes pas le ralentir! Si vous voulez le retenir à la maison pour la soirée, proposez-lui de visionner le plus récent film d'action et non un film philosophique japonais.

Sa décoration

Ça brille, ça attire le regard, alors c'est pour lui. Pour son décor, proposez-lui des objets aux couleurs franches, gaies, et même vives; par exemple, le rouge franc que les décorateurs hésitent à utiliser ne lui fait pas peur. Les teintes pastel et les nuances subtiles ne sont pas franchement de son goût; ça le déprime même. Il choisira son mobilier dans le style moderne ou contemporain. Il aime aussi les objets inusités, les meubles imposants, et les accessoires et bibelots en grand nombre. Chez lui, le décor est plutôt surchargé, et il n'hésite pas à le renouveler de fond en comble. Les souvenirs l'encombrent. Il ne faut donc pas s'étonner de trouver le vieux fauteuil de grand-père au fond du garage ou pire, dans la remise au bout de la cour. Bref, son décor lui ressemble. On aime ou on n'aime pas, mais une chose est sûre, il ne laisse personne indifférent.

Son budget

Puisque le Bélier démarre au quart de tour et agit souvent sur un coup de tête, il ne faut certes pas lui demander de faire preuve de prévoyance, pas même sur le plan financier. De temps en temps, il décidera de faire un budget et d'économiser. Vous serez très étonné, car il le fera... durant quelques jours! Mais il est tellement sujet aux coups de foudre qu'il finit souvent par vider son compte en banque pour un objet qui attirera son attention dans un magasin, pour de nouveaux vêtements à la mode, pour des appareils qui lui feront gagner du temps... bref, il videra son portefeuille et n'hésitera pas longtemps à surcharger ses cartes de crédit. Et, bien entendu, il attendra de recevoir les «derniers rappels» avant de remettre de l'ordre dans ses affaires. Devant un tel comportement, on est toujours étonné de constater qu'il arrive à s'en sortir sans trop de problème.

Quel cadeau lui offrir?

Il n'est pas facile d'offrir un cadeau à une personne qui se procure elle-même tout ce qui lui tente et qui semble posséder tout ce qu'il lui faut. Le meilleur cadeau est donc celui qui le surprendra. Il adore les nouveautés. Soyez aux aguets pour dénicher des articles dernier cri, ceux qui viennent de sortir et qu'il n'a pas encore vus. Vous pouvez aussi orienter votre choix sur le modèle «revu et amélioré». Un vêtement dernier cri, un gros bijou, un accessoire énorme, et bien sûr tout cela dans les couleurs les plus vives, le ravira. N'essayez pas de lui offrir un casse-tête ou un jeu d'échecs; allez-y plutôt avec le plus récent jeu vidéo, mais pas un jeu d'énigmes à résoudre. Il appréciera plus une course de formule 1. Il aime que ça aille vite, que ça fasse du bruit et que ça se voie. N'oubliez jamais que c'est un être impatient. S'il lui faut commander un article et attendre de 4 à 8 semaines avant de le recevoir, il ne tiendra pas en place; faites-lui la surprise, commandez-le pour lui.

Les enfants Bélier

Les enfants Bélier marchent et parlent souvent plus tôt que les autres enfants du même âge. Ils courent, bougent, sautent, grimpent, rien ne les effraie; ils sont même un peu casse-cou. Ils ont peu conscience du danger, ne regardent pas souvent où ils posent leurs pieds et, pour cela, sont les champions des accidents. Leurs parents doivent se montrer très vigilants avec eux. Attention aussi aux allumettes: ils adorent jouer avec le feu. Ils sont étourdissants; il faut avoir des yeux tout autour de la tête pour les surveiller. Ce sont aussi des chefs de bande qui aiment commander et prendre des initiatives. Colériques, batailleurs et parfois hyperactifs, ils ont besoin d'activités qui leur permettront de dépenser leur surplus d'énergie. En classe, le jeune Bélier, qui a un esprit vif, sera porté à s'intéresser à tout. Il faudra donc redoubler d'efforts pour capter son intérêt et l'amener à se concentrer sur un seul sujet à la fois. Autant à l'école qu'à la maison, il faut l'encourager à terminer ce qu'il entreprend, lui inculquer la patience et la détermination, deux qualités qu'il n'a pas naturellement, mais qui lui permettront d'aller très loin s'il sait les utiliser.

L'ado Bélier

L'élément qui régit ton signe est le feu, ce qui te donne une énergie puissante, le goût d'entreprendre, de bouger. On remarque souvent ton enthousiasme, tes idées du tonnerre, ton courage et même ta témérité. Ton entourage te reproche de ne pas réfléchir, d'aller trop vite, de commencer mille et une choses sans rien terminer, tout simplement parce que tu aimes expérimenter, essayer, relever de nouveaux défis et ne pas t'attarder sur ce qui prend trop de temps. Tu n'aimes pas la routine, le train-train, mais avoue que ce qui te demande des efforts ne te plaît guère non plus. Tu as tendance à te démotiver et à t'ennuyer rapidement; il te faut toujours du nouveau.

Tu aimes les sports qui te permettent de bouger, de démontrer ta force et ton endurance. Tu as besoin de te défouler, de te dépenser physiquement, car tu es rempli d'énergie. Mais tu fais tout très rapidement, même manger. Tu avales trop vite et n'importe quoi. N'oublie pas que tu es en pleine croissance et qu'il te faut de bons aliments sains pour renouveler toute l'énergie que tu dépenses sans compter. Méfie-toi aussi des accidents, car tu agis souvent sans réfléchir, et cela peut te causer des problèmes.

Ta spontanéité et ta franchise sont de belles qualités, mais il faut savoir les utiliser avec discernement. Tu ne mâches pas tes mots lorsque tu as quelque chose à dire, et parfois cela blesse tes proches. Pourtant, ta sincérité est aussi très appréciée par tes amis.

Tes études

Tu aimes que ça bouge; il te faut donc trouver des projets à court terme qui te permettront de franchir les étapes avec rapidité. Tu seras fier lorsque tu les réussiras. Par contre, tu as tendance à te décourager lorsque tu es confronté à des travaux à long terme; tu as l'impression de piétiner et tu voudrais rapidement faire autre chose. Pour tes études, il faudra trouver un programme court qui débouche rapidement sur un emploi concret, rapidement accessible. Ne te lance pas dans de longues années d'études; tu ne le supporterais pas.

Ton orientation

Un métier où il y a du nouveau, où ça bouge te conviendra parfaitement. Les métiers qui demandent des idées et un esprit vif t'attireront, que ce soit la vente, la publicité, le marketing, les affaires, la mécanique, la justice, les forces policières, les soins dentaires, le journalisme, les emplois où on travaille le métal ou avec le feu, bref tout ce qui demande de l'initiative et un esprit d'entreprise te passionnera. Tu pourrais même avoir l'idée de créer ta propre entreprise et d'être ton propre patron. Tu es un chef-né.

Tes rapports avec les autres

Puisque tu ne restes jamais en place, tu rencontreras beaucoup de gens et connaîtras beaucoup de personnes; c'est ce que tu recherches. Tu aimes confronter tes idées à celles des autres, mais tu cherches toujours à avoir le dernier mot. En fait tu n'es pas très réceptif aux idées des gens; ce que tu aimes surtout, c'est la compétition. Tu as beaucoup d'amis, mais tu en changes souvent. Dans ton groupe, tu chercheras toujours à diriger. Tu seras un meneur. Cela t'exposera aussi à des conflits de personnalité, et tu pourrais perdre de très bons amis.

Rosie O'Donnel, Elton John, Aretha Franklin, Janette Bertrand, Diana Ross, Charles Dumont, Roch Voisine, Richard et Marie-Claire Séguin, Warren Beatty, Céline Dion, Marlon Brando, Marie Denise Pelletier, Eddie Murphy, René Homier-Roy, Jacques Brel, Jean-Paul Belmondo, Jacques Villeneuve, Donald Pilon, Robert Toupin, Francine Grimaldi, Francine Ruel, Francis Reddy, Charlie Chaplin, Michèle Richard, David Lahaie, Alain Choquette, Mariah Carey, France D'Amour.

Pensée positive pour le Bélier

Je reçois les cadeaux de la vie avec reconnaissance et je les partage dans la joie. Plus je donne et plus je reçois.

Pensée positive spéciale pour 2005

Je prends le temps qu'il faut pour bien planifier mon avenir. Je vais droit devant, laissant le passé derrière moi.

Le subconscient nous dirige toujours selon nos pensées. En répétant le plus souvent possible ces pensées conçues tout spécialement pour vous, vous vous attirerez plein de belles choses.

Signe: Bélier

Élément: Feu

Catégorie: Cardinal

Symbole: ♈

Points sensibles: Dents, vertèbres cervicales, fièvre, blessures et accidents, à la tête, notamment.

Planète maîtresse: Mars, planète de l'énergie.

Pierres précieuses: Sanguine, rubis, diamant.

Couleurs: Rouge, orange, jaune; les teintes vives.

Fleurs: Tulipe, marguerite, œillet.

Chiffres chanceux: 4-7-13-16-20-24-31-36.

Qualités: Énergique, actif, dynamique, entreprenant, courageux.

Défauts: Imprudent, égocentrique, pas assez tenace.

Ce qu'il pense en lui-même: Je n'ai pas de temps à perdre...

Ce que les autres disent de lui: Quelle bombe d'énergie... Impossible de le suivre!

Prédictions annuelles

Le mot qui résume le mieux ce qui est sur le point de se produire est «libération». Petit à petit, le ciel se dégage et vous êtes davantage en mesure de façonner votre existence selon vos goûts. Le 16 juillet est une date à retenir, car Saturne, qui vous a fait subir toutes sortes de revers, de pertes et de déceptions, non seulement quitte le paysage, mais se met à soutenir vos entreprises. Quant à Jupiter, responsable du mauvais *timing* qui vous affecte depuis un bon moment déjà, cette planète cesse de s'opposer à votre signe à partir du 12 octobre. Graduellement, vous sentez que le vent commence à tourner; vous pouvez enfin espérer des événements heureux.

SANTÉ – Comme les influences planétaires demeurent fragilisantes pour encore quelque temps, vous avez tout intérêt à agir en conséquence. L'imprudence risque de vous jouer des tours, tout comme l'insouciance et la gourmandise. Afin de ne pas vous mettre dans de beaux draps, adoptez une attitude préventive: prenez-vous en main dès maintenant. À vrai dire, la procrastination n'est pas de mise. Soignez vos problèmes de santé sans tarder, car plus vous remettrez les choses au lendemain, plus la remontée se fera lentement.

SENTIMENTS – Vous continuez à vous interroger sur le rôle que vous désirez jouer auprès de votre entourage. Vous en avez marre de toujours avoir à prendre l'initiative et de vous sentir obligé d'aller au-devant des autres; vous vous apprêtez d'ailleurs à prendre de grandes décisions. La présence de Jupiter dans votre septième secteur vous permet de côtoyer une foule de nouvelles gens; pas toutes des relations profondes ou durables, mais de multiples occasions de vous divertir. Certains couples traversent une période de remise en question. Pour plusieurs, il s'agit d'un tournant majeur. Un proche risque d'avoir des ennuis de santé.

AFFAIRES – Ce n'est absolument pas le moment de lâcher la proie pour l'ombre. Pensez-y deux fois avant de faire de grands changements ou de vous lancer dans une aventure périlleuse. Mieux vaut apprendre à vous contenter de ce que vous avez pour l'instant; si vous trépignez d'impatience, employez plutôt votre énergie à vous perfectionner, à suivre des cours, à planifier en vue de périodes plus fastes. La clé de votre succès en 2005, c'est de penser à long terme, de ne pas vous laisser intimider par les limitations de votre situation actuelle. Donnez-vous du temps; vous verrez, vous en sortirez vainqueur. En attendant, ne prenez pas de risques avec votre argent et protégez vos biens contre les malfaiteurs.

Janvier

D	L	M	M	J	V	S
						1
2	3	4	5	6	7F	8F
9D	10●D	11	12	13	14	15
16	17	18	19	20	21	22D
23D/30	24D/31	25○F	26F	27	28	29

○	Pleine lune	●	Nouvelle lune
F	Jour favorable	D	Jour difficile

SANTÉ – La planète Mars vous transmet une énergie du tonnerre; rien ne vous résiste. De fait, vous êtes si fougueux que parfois vous vous sentez surexcité. Attention que la poussée d'adrénaline ne soit pas trop forte! Sachez vous garder du temps pour vous relaxer, vous évader ou vous changer les idées. Un petit rhume disparaît aussi rapidement qu'il est arrivé. Vous avez bon appétit, mais ce serait sage de réduire vos portions.

SENTIMENTS – La première quinzaine est magnifique tant sur le plan intime que social. Vous rencontrez du beau monde, même les solitaires pourraient se trouver quelqu'un. Vous renouez également avec d'anciennes connaissances. Vous entretenez avec tous des rapports cordiaux. Par la suite, vous devez mettre un peu d'eau dans votre vin si vous souhaitez éviter les malentendus, voire les affrontements.

AFFAIRES – Mois excellent pour trouver du boulot ou pour entreprendre des démarches en vue de faire progresser votre situation financière ou professionnelle. Bon temps également pour voyager ou chercher une nouvelle résidence. Un conseil cependant, ne signez rien sur un coup de tête entre le 10 et le 31. À la même période, une grosse dépense pourrait vous tenter dangereusement.

Février

D	L	M	M	J	V	S
		1	2	3	4F	5F
6D	7D	8●	9	10	11	12
13	14	15	16	17	18	19D
20D	21F	22F	23○F	24	25	26
27	28					

○	Pleine lune	●	Nouvelle lune
F	Jour favorable	D	Jour difficile

SANTÉ – La première semaine se déroule sans heurts, vous semblez même mieux canaliser votre énergie. Les trois suivantes exigent toutefois davantage de vigilance. Une imprudence ou une distraction risque d'entraîner un accident, tandis qu'un mode de vie déraisonnable menace de miner votre vitalité. Bon mois pour vous refaire une beauté ou vous mettre au régime.

SENTIMENTS – Entre le 3 et le 27, vous disposez d'un transit favorable de Vénus, qui devrait vous apporter un vent de fraîcheur. Magnifique période pour vous faire de nouveaux amis ou resserrer les liens avec ceux que vous avez déjà. Au sein de votre couple, la communication est plus facile; vous redécouvrez cette belle complicité qui semblait disparue depuis quelque temps.

AFFAIRES – Si vous devez porter un grand coup, postuler pour un nouveau poste ou présenter une demande quelconque, mieux vaut agir au cours de la première semaine, puisque c'est à ce moment que vos chances de succès sont les meilleures. À partir du 8, les choses sont plus ardues, vous pourriez même déplorer des ralentissements, sans compter que ça ne tourne pas toujours rond au travail. Essayez de ne pas perdre patience.

Mars

D	L	M	M	J	V	S
		1	2	3F	4F	5D
6D	7	8	9	10●	11	12
13	14	15	16	17	18D	19D
20D	21F	22F	23	24	25○	26
27	28	29	30F	31F		

○	Pleine lune	●	Nouvelle lune
F	Jour favorable	D	Jour difficile

SANTÉ – Les trois premières semaines sont encore marquées par divers transits contrariants. Demeurez sur le qui-vive et continuez d'investir dans votre santé; tous ces efforts seront largement récompensés. En attendant les influences plus positives sur le point de se manifester, il faut à tout prix vous prémunir contre les blessures et les défaillances. Sur le plan psychologique, on décèle des alternances d'enthousiasme et d'anxiété.

SENTIMENTS – Si vous espérez que les autres devinent vos besoins ou viennent vous aider à chasser les moments de cafard, vous risquez d'être déçu. Alors, parlez, prenez les devants, proposez des activités à vos proches. Cela transformera l'ennui en véritables occasions de réjouissance. Tout le monde sera content, vous le premier. Un parent traverse des moments difficiles.

AFFAIRES – Mieux vaut continuer d'agir avec la plus grande prudence jusqu'au 21. On se montre injuste envers vous, et ça vous blesse; par-dessus le marché, vous avez l'impression que les pépins s'accumulent et que vous n'en verrez jamais la fin. Pourtant, vers la fin du mois, le climat s'allège considérablement. Une bonne nouvelle ou une réponse favorable vous prouve alors que le vent commence à tourner.

Avril

D	L	M	M	J	V	S
					1D	2D
3	4	5	6	7	8●	9
10	11	12	13	14D	15D	16D
17F	18F	19	20	21	22	23
24○	25F	26F	27D	28D	29	30

○ Pleine lune et éclipse lunaire annulaire   ● Nouvelle lune et éclipse solaire annulaire totale
F   Jour favorable   D   Jour difficile

SANTÉ – Vous vous sentez beaucoup plus solide, et avec raison. Les dangers de vous blesser ou d'être malade ont largement diminué. Vous ne devriez quand même pas vous croire invincible, surtout que l'éclipse solaire a lieu dans votre signe. Allez-y mollo, respectez vos limites, et vous pourrez profiter à plein de cette vitalité fraîchement renouvelée.

SENTIMENTS – Vous êtes mieux dans votre peau, et ça paraît. Votre charisme est puissant, vous faites tourner bien des têtes, et les invitations ainsi que les propositions intéressantes fusent. Une amitié amoureuse peut transformer la destinée des célibataires. Le comportement d'un jeune, d'un frère ou d'une sœur vous laisse perplexe, à moins qu'il ne vous fasse carrément sortir de vos gonds; c'est la seule ombre au tableau.

AFFAIRES – Vous voici enfin en meilleure position, vous avez davantage de latitude et de liberté d'action. Fini le temps où vous deviez vous contenter des miettes sans dire un mot! Bon mois pour chercher un meilleur emploi, pour consolider vos finances, pour vous recycler, bref, pour repartir du bon pied. Si vous en avez besoin, on pourrait vous donner un sérieux coup de main.

Mai

D	L	M	M	J	V	S
1	2	3	4	5	6	7
8●	9	10	11	12D	13D	14F
15F	16F	17	18	19	20	21
22	23○	24F	25F	26D	27D	28
29	30	31				

○ Pleine lune		●	Nouvelle lune
F Jour favorable		D	Jour difficile

SANTÉ – Pas d'éclipse ni de transit négatif en ce mois. Votre énergie n'est pas aussi fulgurante que le mois dernier, mais vous en avez suffisamment pour faire tout ce que vous voulez. De toute façon, ce n'est guère reposant de toujours fonctionner à cent à l'heure... Mois excellent pour soigner vos bobos, pour consulter un professionnel de la santé ou un thérapeute.

SENTIMENTS – Votre intuition est vive, ce qui vous aide à saisir le moment opportun pour aborder vos proches; bonne période, donc, pour faire des mises au point ou pour présenter vos demandes. Votre sensibilité est forte elle aussi, cela vous confère énormément d'empathie. Pas étonnant que l'on vous considère comme un vrai psychologue. À partir du 11, votre destinée amoureuse prend une orientation fort positive. Et en avant le plaisir!

AFFAIRES – Votre meilleure période s'étend du 10 au 31. Votre charme allié à votre facilité d'expression vous ouvrent toutes les portes ou à peu près. Ne rejetez pas l'aide d'autrui, car en étant trop indépendant vous risquez de passer à côté d'une belle occasion. Une dépense imprévue à la maison ou pour un proche n'a pas d'effets à long terme sur votre budget.

Juin

D	L	M	M	J	V	S
			1	2	3	4
5	6●	7	8D	9D	10D	11F
12F	13	14	15	16	17	18
19	20F	21○F	22D	23D	24	25
26	27	28	29	30		

○	Pleine lune	●	Nouvelle lune
F	Jour favorable	D	Jour difficile

SANTÉ – L'arrivée de Mars dans votre signe, le 12, marque le retour en force d'un dynamisme époustouflant; vous vous sentez renaître. Mais comme rien n'est parfait, il est bon de savoir que ce transit prédispose également aux accidents et aux crises, tant sur le plan physique que moral. Je compte donc sur vous pour être vigilant et pour bien gérer vos ressources.

SENTIMENTS – Entre le 4 et le 28, vous risquez de traverser une période trouble. Votre couple pourrait être source de tensions, tandis que l'attitude d'un proche ou les difficultés qu'il rencontre vous inquiètent. Armez-vous de patience et pesez bien vos mots. Bientôt les choses iront beaucoup mieux; ce n'est qu'un moment creux à passer.

AFFAIRES – Les 10 premiers jours s'annoncent nettement plus favorables que le reste du mois; arrangez-vous donc pour agir sans tarder. N'attendez pas pour mettre vos projets en branle ou pour formuler vos requêtes. Par la suite, vous n'avez pas nécessairement toute la latitude souhaitée: la pression est grande au boulot, et vous devez composer avec des événements imprévus. Ne laissez pas un dégât ou un vol envenimer les choses.

Juillet

D	L	M	M	J	V	S
					1	2
3	4	5D	6●D	7D	8F	9F
10	11	12	13	14	15	16
17F	18F	19F	20D	21○D	22	23
24/31	25	26	27	28	29	30

○	Pleine lune	●	Nouvelle lune
F	Jour favorable	D	Jour difficile

SANTÉ – Mars continue de visiter votre signe jusqu'au 28; votre énergie reste présente; hélas, les menaces de blessure et de défaillances aussi. Demeurez sur le qui-vive et misez sur une attitude préventive. Psychologiquement, toutefois, vous vous sentez beaucoup plus résistant que le mois dernier. Les trois premières semaines seraient idéales pour rafraîchir votre image ou pour perdre quelques kilos superflus.

SENTIMENTS – La marmaille cesse de vous torturer; cependant, la situation d'un aîné demeure problématique. En ce mois crucial pour vos amours, vous envisagez de prendre d'importantes décisions. Ceux qui sont seuls pourraient avoir un coup de foudre et entamer une nouvelle relation. Socialement, vous êtes très en demande; on vous trouve hyper charmant.

AFFAIRES – Des hauts et des bas sont à prévoir. Au boulot, c'est tout ou rien: des moments où vous êtes débordé sont entrecoupés de temps morts. Vos démarches finiront par porter fruit, même si ça ne fonctionne pas du premier coup. Ne soyez pas négligent avec vos sous ou vos biens; vous éviterez ainsi une perte.

Août

D	L	M	M	J	V	S
	1	2D	3D	4●F	5F	6F
7	8	9	10	11	12	13
14F	15F	16D	17D	18	19○	20
21	22	23	24	25	26	27
28	29D	30D	31F			

○	Pleine lune	●	Nouvelle lune
F	Jour favorable	D	Jour difficile

SANTÉ – Pas une mais deux bonnes nouvelles: primo, Mars a quitté votre signe, et ont suivi les dangers de vous blesser ou d'être malade; secundo, Saturne, qui minait votre résistance depuis quelques années, est elle aussi sortie du décor. Bon temps pour vous débarrasser une fois pour toutes de tous ces malaises qui vous empêchaient de fonctionner à plein. Vous renouez avec la vie, vous avez le moral au beau fixe; plus rien ne peut vous arrêter!

SENTIMENTS – Vous communiquez beaucoup plus aisément avec vos proches. Le moment est venu de faire ces mises au point qui s'imposaient depuis longtemps. Un enfant ou un bon ami vous confie une bonne nouvelle; même chose pour votre chéri. Si vous êtes seul, sachez que vous traversez une phase d'intense popularité; pas facile toutefois de faire un choix.

AFFAIRES – Vous êtes d'attaque, et le plus beau, c'est que vos chances de succès sont désormais beaucoup plus intéressantes. Vous vous exprimez avec brio, vous avez des idées de génie et vous savez parfaitement vous mettre en valeur. Pas étonnant que vous fassiez une impression du tonnerre partout où vous passez.

Septembre

D	L	M	M	J	V	S
				1F	2F	3●
4	5	6	7	8	9	10F
11F	12D	13D	14	15	16	17○
18	19	20	21	22	23	24
25D	26D	27D	28F	29F	30	

○	Pleine lune	●	Nouvelle lune
F	Jour favorable	D	Jour difficile

SANTÉ – Les astres continuent de vous avantager, et un minimum d'efforts devrait vous garder à l'abri des contretemps. À vrai dire, seuls les débordements ou une gestion inadéquate de vos ressources, tant physiques que mentales, risquent de vous perturber. Restez bien branché sur vos véritables besoins, soyez à l'écoute de vous-même, et tout devrait marcher comme sur des roulettes.

SENTIMENTS – Ce sera plus facile de voir clair en vous et de bien saisir les autres après le 12; tout vous apparaîtra avec une limpidité surprenante. Une vieille affaire refait surface, à moins que vous ne rencontriez une personne que vous n'aviez pas vue depuis fort longtemps. Vous faites la lumière sur la situation et en éprouvez un profond soulagement.

AFFAIRES – L'indécision semble s'emparer de vous. Cela ne vous ressemble pas; d'habitude vous allez droit au but sans vous soucier de ce que les autres pensent ou disent, mais présentement on dirait que vous êtes trop perméable aux remarques de l'entourage. Faites-vous confiance, écoutez votre instinct et poursuivez votre route; c'est le meilleur moyen de triompher. Côté finances, vous serviriez-vous un peu trop de votre carte de crédit?

Octobre

D	L	M	M	J	V	S
						1
2	3●	4	5	6	7F	8F
9F	10D	11D	12	13	14	15
16	17○	18	19	20	21	22D
23D/30	24D/31	25F	26F	27	28	29

○ Pleine lune et éclipse lunaire partielle	● Nouvelle lune et éclipse solaire annulaire
F Jour favorable	D Jour difficile

SANTÉ – Même si elles se produisent toutes deux dans l'axe de votre signe, les éclipses de ce mois ne devraient pas trop vous bousculer. En tout cas, rien qu'un brin de prudence et de relaxation ne puisse contrecarrer. Le moment serait fort bien choisi pour prendre de bonnes résolutions, pour vous remettre en forme. Ou encore pour rajeunir votre apparence ou pour alléger votre silhouette.

SENTIMENTS – Du 8 octobre au 5 novembre, vous bénéficiez de plusieurs transits avantageux tant pour la vie intime que pour les mondanités. Profitez-en pour resserrer les liens qui vous unissent à votre partenaire. Si vous êtes seul, gardez l'œil ouvert, vous êtes sur le point de rencontrer une personne sérieuse, prête à s'engager. Un proche ne sait pas trop où donner de la tête lors de la première quinzaine; vos lumières arrivent à temps.

AFFAIRES – Le moment est venu de faire table rase des problèmes passés et d'amorcer un nouveau départ. Vos tentatives pour donner un nouvel élan à votre carrière donnent d'excellents résultats. Certaines portes que vous aviez cru fermées à tout jamais pourraient s'ouvrir. La chance commence à vous faire de l'œil; une somme inattendue pourrait vous parvenir.

Novembre

D	L	M	M	J	V	S
		1●	2	3	4F	5F
6D	7D	8	9	10	11	12
13	14	15○	16	17	18	19D
20D	21F	22F	23F	24	25	26
27	28	29	30			

○	Pleine lune	●	Nouvelle lune
F	Jour favorable	D	Jour difficile

SANTÉ – Voici un mois très constructif, durant lequel vous devriez vous sentir fringant tout en gardant les deux pieds sur terre. Pourquoi ne pas en profiter pour vous remettre en forme et faire un peu plus d'exercice? Votre moral se démarque par sa solidité, et votre flair ne ment pas; bref, vous êtes en pleine possession de vos moyens.

SENTIMENTS – Les cinq premiers jours sont bénis des dieux; vous avez tout ce qu'il faut pour donner à votre vie des allures de conte de fées. Par après, vous devez faire preuve de plus de souplesse, voire de délicatesse, afin de ne pas froisser un être cher qui a tendance à se montrer trop susceptible. Votre popularité ne faiblit pas; bien au contraire, vous êtes de plus en plus en demande.

AFFAIRES – Les démarches que vous faites et les entreprises que vous mettez sur pied d'ici le 26 donneront des résultats spectaculaires. Vous êtes en pleine renaissance: un nouvel emploi, une promotion ou des responsabilités accrues avec un salaire plus approprié sont autant de possibilités. Bonne période également pour les déplacements. Une bonne nouvelle vous parviendra certainement.

Décembre

D	L	M	M	J	V	S
				1●F	2F	3D
4D	5	6	7	8	9	10
11	12	13	14	15○	16D	17D
18D	19F	20F	21	22	23	24
25	26	27	28F	29F	30●D	31D

○	Pleine lune	●	Nouvelle lune
F	Jour favorable	D	Jour difficile

SANTÉ – Si vous broyez un peu de noir lors de la première quinzaine, rien n'y paraîtra par la suite. En attendant, évitez de trop vous accrocher au passé; ça risque même de vous rendre plus vulnérable physiquement. Le reste du mois vous trouve solide, bien portant et plein de motivation.

SENTIMENTS – Quelques accrochages avec votre entourage demeurent possibles jusqu'au 16, mais ce que vous vivez par la suite vous fait rapidement oublier ces désagréments. En effet, on peut vous annoncer une vie sociale emballante ainsi que de multiples satisfactions tant sur le plan familial et amical qu'amoureux. Au fait, une sortie pourrait transformer la vie de ceux qui sont seuls.

AFFAIRES – Ici aussi, c'est la seconde quinzaine qui semble la plus prometteuse. Vos demandes et démarches reçoivent toute l'attention qu'elles méritent, sans compter que vos projets se concrétisent comme par enchantement. Parlant de bonnes nouvelles, vous pourriez également toucher un montant sur lequel vous ne comptiez pas et bénéficier d'un solide coup de main pour arriver à vos fins.

Taureau

♉

du 21 avril au 20 mai

Quand on parle des taureaux, on pense bien souvent à ceux qui hantent les arènes d'Espagne, des animaux vifs et combatifs. Décidément, ils ont peu de choses en commun avec vous, qui êtes un être lent et tranquille. En fait de taureau, vous ressembleriez plutôt à cette bonne vache de campagne qui broute paisiblement, sans se compliquer l'existence.

Amoureux de la nature, de la campagne, de la verdure, vous trouvez le moyen d'avoir une boîte à fleurs ou un jardinet même au cœur de la ville. Il vous faut absolument un espace vert pour égayer votre paysage.

Ce qui frappe au premier abord, lorsqu'on vous rencontre, c'est votre fidélité et votre stabilité. Vous n'êtes pas du genre à déménager tous les ans et à vous faire de nouveaux amis toutes les semaines. Votre domicile, vos biens, vos amis, vous y tenez et vous les gardez précieusement. Le temps qui passe n'émousse pas vos sentiments: au contraire, il les renforce. Pour vous, vos petites habitudes, vos vieilles pantoufles, vos vieux amis et vos bons voisins sont très importants, et vous n'êtes pas prêt à tout chambarder. En amour, c'est la même chose. Vous ne recherchez pas la passion dévorante mais plutôt un attachement, une grande amitié et une forte complicité avec l'élu de votre cœur. Vous vous montrez dévoué et sincère, mais vous avez aussi le souvenir tenace et la mémoire longue. Vous n'acceptez ni le mensonge ni la tromperie, et s'il arrivait que vous subissiez ces outrages, vous vous en souviendriez longtemps. D'ailleurs, votre mémoire est remarquable.

Vous savez retrouver la moindre de vos petites choses: les papiers, les petits cadeaux que les enfants vous ont fait trois ans plus tôt, ce que votre patron vous a dit au téléphone le mois précédent. Peu importe ce dont il s'agit, vous oubliez fort peu de choses.

Les mauvaises langues se moqueront de cette faculté en disant que vous avez un esprit lent, que vous mettez du temps à comprendre les explications ou les raisonnements et que, pour cette raison, vous apprenez tout par cœur. Laissez-les parler! Chez vous, il n'y a pas de place pour la désorganisation: tout est classé, rien ne se perd. Vous êtes méthodique, responsable et déterminé... un peu têtu, parfois! L'important, c'est d'arriver au but, pas à pas, lentement mais sûrement. Vous connaîtrez parfois des retards, des délais parce qu'il vous faudra surmonter des obstacles; mais en prenant votre temps, vous réussirez à éviter l'échec.

Ce dont vous avez une sainte horreur, c'est d'être poussé dans le dos. Vous ne fonctionnez bien qu'en allant à votre propre rythme. Les délais trop courts et les situations urgentes vous déplaisent; vous connaissez vos capacités et vos limites, et vous savez que travailler dans l'urgence vous empêche d'exprimer tout votre talent.

En fait, vous détestez les changements trop radicaux. Que ce soit au boulot ou à la maison, qu'il s'agisse d'implanter un système informatique, d'être muté dans le quartier voisin, de changer de couvre-lit ou de déménager, tout cela crée un petit sentiment de panique en vous. Pourtant, une fois habitué à votre nouvelle réalité (ça prend un petit bout de temps), vous reconnaîtrez que ce changement en a valu la peine. Mais sur le coup, vous ne trouvez pas ça drôle ni attrayant.

Vous avancez lentement mais sûrement, ce qui vous permet d'atteindre votre but, même si c'est parfois long. Vous avez une patience d'ange, mais puisque vous vous montrez craintif, vos peurs peuvent vous empêcher d'agir ou miner votre moral.

Ce n'est pas parce que vous prenez tout votre temps que vous n'appréciez pas les plaisirs de la vie, au contraire. Vous avez un faible pour la bonne chère, les vins capiteux, les belles choses. Sérieux et prévoyant, vous savez exactement ce qu'il faut faire pour vous les procurer. Comme vous souffrez d'insécurité, vous savez aussi prévoir les coups durs et vous vous ménagez des portes de sortie. Vous êtes rarement pris au dépourvu et vous savez faire de petites économies pour les jours plus difficiles.

Vous êtes une personne terre à terre qui attache une certaine importance à l'univers matériel. Cet aspect de la vie n'est pas sans vous causer quelques inquiétudes qui font sourire vos proches. Petit à petit, vous faites votre nid et vous parvenez sans grand sacrifice à vivre avec une certaine aisance. Et évidemment, c'est là que les cigales qui ont chanté tout l'été viennent voir le Taureau, qui a su se faire fourmi.

Comment se comporter avec un Taureau?

Le Taureau possède un esprit très cartésien. Avec lui, un plus un, ça fait toujours deux. Il refuse les généralités, les on-dit ou les «je pense bien», les «peut-être que»; lorsque vous discutez avec un Taureau, il vaut mieux être sûr de ce que vous dites. Oubliez aussi les théories métaphysiques vaseuses. Il comprend mieux ce qu'il voit que ce qu'il entend. Donc, si vous le pouvez, prouvez vos assertions par A+B, et autant que possible par écrit.

Ne tentez pas de l'entraîner dans des projets à peine ébauchés ou fantaisistes. De toute façon, il sera incapable de prendre une décision sur-le-champ; il lui faudra peser le pour et le contre et il s'assurera d'avoir tout bien compris avant de se décider. Il doit y penser et se faire une idée, ce qui, vous le constaterez, peut demander un temps fou. De bonnes occasions lui passent ainsi sous le nez, mais il ne s'en formalise pas.

Le Taureau est quelqu'un de méthodique qui ne peut pas partir sur les chapeaux de roue. Ce sera à vous de l'encourager et de l'aider à se lancer. Mais une fois parti, vous verrez qu'il ira loin. Il appréciera votre aide, mais surtout pas qu'on le pousse dans le dos. S'il se sent pressé et obligé d'agir à la hâte, il refusera tout simplement d'avancer.

Vos relations avec un Taureau seront harmonieuses si vous évitez tout conflit. N'oubliez pas qu'il possède une mémoire phénoménale et qu'il n'oublie jamais rien, que ce soit le bien ou le mal qu'on lui a fait. En respectant son besoin essentiel de calme et de sécurité, vous développerez une bonne relation avec lui.

Si vous voulez qu'il vous suive dans une activité qui vous plaît mais qui n'est pas forcément de son goût, essayez le «donnant-donnant» avec lui; normalement, ça marche toujours très bien avec un Taureau. Après tout, un plus un, ça fait deux.

Ses goûts

On l'a vu, le Taureau adore la campagne et la nature. S'il n'y habite pas, il la recréera chez lui avec des plantes, des meubles anciens ou rustiques. Être propriétaire de sa maison est une autre de ses priorités. Il aime porter des vêtements sobres et classiques. Ce n'est décidément pas quelqu'un qui suit la mode de près; il préfère garder ses vêtements longtemps.

À table, le Taureau fait honneur à la bonne chère. N'hésitez pas à lui servir des portions généreuses. Les plats en sauce, les salades et les produits laitiers lui plaisent beaucoup. Il savoure, il déguste; cela fait plaisir à voir. Par contre, il a tendance à abuser et à manger trop.

Son potentiel

Pas à pas, le Taureau va son petit bonhomme de chemin, avec détermination et sans se laisser arrêter par quoi que ce soit. Il n'est pas un être vif et il réagit mal sous la pression et les urgences. Le court terme, ce n'est pas dans ses cordes. Mais dans les projets à longue échéance, il se révèle fantastique. Il ne prend pas de risques, mais il ne commet pas d'erreurs.

On l'a dit, le Taureau est matérialiste. Pour cette raison, il est imbattable dans les métiers de gestion, d'administration, de la construction, de l'ébénisterie et de l'immobilier. Il réussira également bien dans l'artisanat, l'esthétique, la coiffure, l'alimentation et la restauration. Il a beau être craintif, il ne perd pas de vue ses intérêts personnels. Avec un dollar, il est capable d'en faire 10.

Ses loisirs

C'est un être terre à terre. Il préférera donc les loisirs paisibles et rentables: il peut s'occuper en bricolant ou en réparant un objet utile. Vous voulez lui faire plaisir, alors proposez-lui de réparer le robinet qui coule, de construire une terrasse ou de coudre des rideaux pour la chambre d'amis plutôt que de l'emmener danser. Et imaginez les économies ainsi réalisées; lui, il y a déjà pensé! C'est une personne très habile de ses mains pour construire, pour fabriquer; il n'est peut-être pas rapide, mais ce qu'il fait est bien fait, et c'est du solide! Au jardin aussi, il connaît la réussite. Le Taureau aime la nature et a le pouce vert.

Les jours de pluie, le Taureau aime jouer à des jeux de société où son sens de la stratégie et son intelligence seront mis au défi. Il apprécie les jeux de cartes, le bridge et les échecs, où il se révèle un excellent stratège. De tels loisirs lui permettent de mettre sa timidité de côté pour socialiser avec des partenaires de jeu.

À la cuisine, homme ou femme, le Taureau consacrera des heures à mijoter des petits plats que vous n'oublierez pas de sitôt. Pour lui, cuisiner est un véritable plaisir, et même un art.

Le natif du Taureau a de nombreux talents dans différents domaines: artisanat, poterie, céramique. Bref, il sait produire de ses propres mains. Comme le signe du Taureau correspond à la gorge, beaucoup d'entre eux chantent et ont une très belle voix.

Paradoxe de sa nature, au cinéma ou en lecture, il préfère des œuvres d'aventures ou de comédie, malgré sa personnalité pantouflarde. Peut-être préfère-t-il vivre la grande aventure à travers des personnages de fiction?

Sa décoration

Le Taureau aime être à l'aise dans son environnement. Il dispose d'un intérieur très confortable: de gros fauteuils moelleux, des meubles solides et, bien souvent, une table de salle à manger de grandes dimensions (il aime tant manger). En tant qu'amoureux de la campagne, le Taureau optera souvent pour un mobilier rustique.

En général, il s'entoure d'objets anciens, mais sans pour cela sacrifier son confort; une belle armoire ancienne lui conviendra, mais une chaise qui branle, ce n'est guère pour lui.

Signe de terre, le Taureau est très attaché aux possessions matérielles; il préfère avoir sa propre maison, qu'il considère comme un bon investissement. Il la choisira solide, agréable et entourée d'un lopin de terre verdoyant, dans la mesure du possible. La céramique, le bois, la brique et la pierre sont les matériaux qu'il préfère et il les utilise, même si sa résidence se situe en plein centre-ville. À peine la porte de sa demeure franchie, on s'y sent comme à la campagne. Le Taureau n'est pas non plus du genre à tout chambouler. Les meubles changent rarement de place et bien que son intérieur ne soit pas très moderne, il est très chaleureux.

Son budget

Le Taureau est un être sérieux qui a le sens de l'économie et qui est très habile de ses mains. Donc, sur le plan financier, il pourrait être avantagé par rapport à d'autres. Néanmoins, on l'entend souvent dire que les temps sont durs, que les taxes sont élevées, que les enfants dépensent trop. Bref, le Taureau n'a pas d'argent à jeter par les fenêtres… il compte et recompte chaque sou. Et même s'il vient de gagner le gros lot, n'ayez crainte, ce n'est pas lui qui aura la folie des grandeurs et qui dilapidera sa fortune sans réfléchir.

Toutefois, il n'est pas non plus comme un écureuil qui engrange sans dépenser. Il sait saisir au vol d'excellentes occasions, et peu de bonnes affaires lui passent sous le nez. Pour lui, l'épargne est un mode de vie. Sage au travail, sage en amour, pourquoi serait-il différent lorsqu'il pense à son porte-monnaie? L'argent ne se trouve pas le long des trottoirs, et il en est pleinement conscient. C'est un être prévoyant, mais qui semble souffrir un peu d'insécurité. On ne sait jamais ce qui peut arriver. Il aurait même tendance à exagérer sur ce point: la famine et la disette rôdent... Bien sûr, rien de cela n'arrive, mais il s'inquiète et ne se laissera jamais surprendre dans une mauvaise posture financière. Ses proches le taquinent même sur son côté pingre... tout en sachant très bien à quelle porte frapper lorsqu'eux-mêmes sont dans le besoin.

Notre Taureau a probablement un petit bas de laine bien gonflé; il ne l'avouera jamais, mais il trouvera toujours quelques dollars cachés çà et là, si le besoin s'en fait sentir.

Quel cadeau lui offrir?

Puisqu'il a le sens pratique, offrez-lui quelque chose d'utile, tout simplement. Son petit côté bricoleur sera servi si vous lui donnez des outils ou du matériel pour faire travailler ses dix doigts. Jardinage, couture ou artisanat sont aussi des passe-temps qui l'occupent; ce sont donc de bonnes pistes à explorer pour lui faire plaisir.

Offrez-lui un portefeuille, un logiciel de comptabilité personnelle, une boîte ouvragée pour classer ses certificats de placement ou un petit coffre-fort: soyez assuré qu'il s'en servira, puisque l'argent compte beaucoup pour lui.

On l'a vu, le Taureau a une bonne fourchette et il ne résistera pas à un bon vin, du caviar, des gâteaux raffinés ou encore à un dîner gastronomique. Un parfum bien choisi peut également le mettre en joie, car le Taureau est très sensible aux odeurs.

Les enfants Taureau

Sages, très sages, les bébés Taureau sont dociles, souriants, faciles à vivre et beaux à croquer! Ils le resteront même en grandissant. Il suffit de discuter avec eux, de leur expliquer les choses et de les prendre avec douceur, et tout se passera bien. S'ils sont contrariés, ils boudent et ils peuvent bouder longtemps, car même très jeunes, ils ont déjà une bonne mémoire et n'oublient rien.

Manquant parfois d'assurance et de confiance en eux, ces enfants Taureau ont besoin d'être entourés, aimés et soutenus par leurs proches. Sur le plan scolaire, quelques difficultés peuvent surgir, car ils ne sont pas très rapides et demandent beaucoup d'explications. Par contre ce sont des élèves appliqués et motivés lorsqu'ils savent qu'on les soutient. Ils feront leur chemin dans la vie si, très jeunes, on les habitue à des changements, car ils cherchent plutôt la stabilité. On leur donnera ainsi une meilleure confiance dans leurs moyens et on les incitera à repousser leurs limites.

L'ado Taureau

Tu es un être réfléchi, sérieux et prudent. Tu ne peux évoluer que dans le calme et la stabilité, et tu es très perturbé dès que l'on te bouscule ou que tu te sens menacé dans ta tranquillité.

Même si certaines personnes te disent que tu es trop lent, tu leur prouveras que tu fais rarement des erreurs, car tu réfléchis beaucoup avant d'entreprendre quoi que ce soit, et avec ton talent, tu deviens très doué pour réussir tout ce que tu fais. D'ailleurs, tu peux tout accomplir, du moment que tu n'es pas dérangé et que tu as tout ton temps pour analyser la situation avant de te lancer dans une entreprise quelconque. Tes goûts musicaux et tes talents artistiques sont importants, et tu adores tout ce qui se rapporte à l'art.

Tu es également un être très près de la nature, ce qui te permet de te ressourcer et de faire le point. Tu aimes te retrouver à la campagne pour préparer tes plans, mais surtout pour oublier les petits tracas quotidiens. Par contre, un imprévu, un chambardement, un changement brusque, et te voilà bien ennuyé. Tu supportes mal le stress et tu ne te sens pas bien lorsqu'il y a trop de transformations autour de toi.

Tu es têtu, et il est bien difficile de te faire changer d'idée. Mais tu es aussi quelqu'un de loyal et d'honnête, sur qui l'on peut compter. Par contre, tu es sensible; alors, prends garde de ne pas te faire manipuler. Sur le plan financier, puisque tu es raisonnable, ne t'en fais pas, tu iras loin.

Tes études

Tu es très assidu et appliqué, donc il n'y a pas grand-chose à ton épreuve. Tes travaux sont généralement faits bien longtemps d'avance, tu révises bien pour réussir tes examens et tu planifies tes études et ton avenir. Tu possèdes la détermination et la persévérance nécessaires pour mener tes projets à terme. Tu es aussi prudent, et tu sais où tu t'en vas... Ne t'inquiète pas, le temps travaille pour toi, tu réussiras à atteindre tous les buts que tu t'es fixés et ceux que tu te fixeras dans l'avenir.

Ton orientation

Ton choix de carrière peut surprendre, mais ton bon jugement est ton meilleur atout. Il s'agit de ta vie, tu connais tes capacités et tu sais ce que tu peux faire. Puisque tu as de la suite dans les idées, les métiers liés à la planification, à la comptabilité, à l'administration, à la psychologie, au commerce et à l'immobilier te conviendront très bien. Le chant, la musique, l'art, la terre, le travail manuel sont aussi des domaines qui t'attirent et dans lesquels tu réussiras. L'aspect financier de ta vie d'adulte t'inquiète, mais n'aie aucune crainte, tu te prépares un bel avenir.

Tes rapports avec les autres

Les gens que tu côtoies savent qu'ils peuvent compter sur toi, car tu es quelqu'un de sérieux. Tu as des idées bien arrêtées, et il est difficile de te les faire changer. Par contre, tu ne les imposes pas aux autres. Pour être à l'aise, il te faut un environnement stable. Tu as de bons copains avec qui tu t'entends très bien, souvent même mieux qu'avec les membres de ta famille. Tu aimes tes amis, tu les protèges, tu leur donnes beaucoup. Mais il serait bon aussi que tu saches recevoir!

ILS SONT EUX AUSSI

Roy Dupuis, Serge Thériault, Barbra Streisand, Claude Dubois, Michel Barrette, Luc De Larochelière, Ginette Reno, Michelle Pfeiffer, Billy Joel, Salvador Dali, Pauline Lapointe, Louise Portal, Stevie Wonder, Gaston L'Heureux, Jean Leloup, Claude Michaud, Denise Filiatrault, Janet Jackson, Cher, Claude Blanchard, Dorothée Berryman, Guy Mongrain, Marie Plourde, Joëlle Morin, Suzanne Champagne, Patrick Huard.

Pensée positive pour le Taureau

J'avance avec confiance sur le chemin de ma vie. J'accepte tous les bienfaits futurs et présents, en me donnant le droit d'en profiter.

Pensée positive spéciale pour 2005

Je gère à merveille ma destinée. Je suis maître de moi-même, je maîtrise bien mes émotions et toute situation.

Le subconscient nous dirige toujours selon nos pensées. En répétant le plus souvent possible ces pensées conçues tout spécialement pour vous, vous vous attirerez plein de belles choses.

Signe: Taureau

Élément: Terre

Catégorie: Fixe

Symbole: ♉

Points sensibles: Gorge, sinus, nuque, thyroïde, seins, système glanduaire. Bonne résistance générale.

Planète maîtresse: Vénus, planète du bonheur intime.

Pierres précieuses: Émeraude, jade, corail.

Couleurs: Les couleurs pastel et les tons de vert.

Fleurs: Muguet, pivoine, toutes les fleurs des champs.

Chiffres chanceux: 3-9-13-18-23-36-39-45-49.

Qualités: Persévérant, méthodique, pondéré, d'une patience à toute épreuve.

Défauts: Anxieux, matérialiste, lent.

Ce qu'il pense en lui-même: Pourquoi vouloir changer quelque chose quand ça peut rester pareil?

Ce que les autres disent de lui: Si on ne le pousse pas, il sera encore à la même place dans dix ans!

Prédictions annuelles

Vous avez devant vous une année paisible, durant laquelle vous pourrez aisément mener votre vie comme vous l'entendez. Si vous mettez la main à la pâte, vous obtiendrez des résultats positifs; en effet, la destinée n'attend que votre intervention pour vous offrir ses largesses. Par contre, si vous restez dans votre coin à espérer qu'il se passe quelque chose, ou si vous attendez constamment après les autres, vous risquez de trouver non seulement que le temps est bien long, mais aussi que la vie manque de piquant. Le moment est venu de prendre les rênes de votre destin et de façonner votre avenir; croyez-moi, vous avez tout ce qu'il faut pour réussir haut la main.

SANTÉ – La première moitié de 2005 est tout à fait exempte d'influences négatives, vous devriez donc évoluer aisément. C'est le temps ou jamais de faire provision d'énergie, de vous remettre en forme et de vous débarrasser de ce qui vous perturbait par le passé. Ceux qui entreprendront une démarche avec un thérapeute ou un professionnel de la santé le feront dans des conditions hautement favorables. Le reste de l'année exige davantage de doigté, voire de sagesse, sans quoi Saturne risque de vous rappeler à l'ordre.

SENTIMENTS – Vous misez davantage sur la qualité des relations que sur leur nombre. Vous vous constituez un réseau d'amis qui respectent vos valeurs et qui misent eux aussi sur le partage. Le confort de votre petit nid fait que vous êtes très sélectif au sujet des invitations que vous recevez. Vous n'avez vraiment pas envie de voir du monde juste pour passer le temps, surtout si ces gens ne font que vous parler de leurs problèmes. Les couples consolident leurs rapports, tandis que les solitaires prennent le temps de se laisser apprivoiser. À vrai dire, vous savez bien trop ce que vous voulez pour vous contenter d'un prix de consolation.

AFFAIRES – Retroussez vos manches, il y a de la besogne qui vous attend! L'année s'annonce fort occupée, vous n'aurez pas deux secondes pour vous ennuyer. En plus, vous pourrez vous adonner à des activités différentes, explorer de nouveaux champs d'intérêt, voire démarrer une carrière ou une entreprise parallèle. Petit à petit, votre compte en banque grossit; vous dépensez moins que lors des deux dernières années et vous serez certainement en mesure de vous constituer un coussin confortable. Entre la mi-juillet et le 31 décembre, n'allez pas compromettre votre sécurité en investissant sans réfléchir ou en prêtant de l'argent.

Janvier

D	L	M	M	J	V	S
						1F
2F	3	4	5	6	7	8
9F	10●F	11D	12D	13	14	15
16	17	18	19	20	21	22
23/30	24/31	25○D	26D	27F	28F	29F

○	Pleine lune	●	Nouvelle lune
F	Jour favorable	D	Jour difficile

SANTÉ – Jusqu'au 10, vous avez tendance à broyer du noir inutilement; le passé vous hante. Par la suite, votre moral est à toute épreuve; cependant vous êtes plus distrait, plus gauche que d'habitude. Les petits dégâts risquent de s'additionner... Bon mois pour les bilans ou pour reprendre vos bonnes habitudes.

SENTIMENTS – Ce qui vous avantage le plus, c'est certes votre merveilleuse facilité d'expression. Vous trouvez toujours le mot juste pour faire passer votre message, sans blesser ni froisser qui que ce soit. De charmantes invitations et des coups de fil enrichissants, sinon stimulants, ponctuent le mois. En amour, tous y trouvent leur compte entre le 10 et le 31, même les célibataires.

AFFAIRES – Mois excellent pour négocier, pour présenter vos demandes, car ici encore votre verve et votre charme opèrent. On ne peut rien vous refuser; vous faites un grand pas en avant. Une occasion peut vous échapper de justesse, mais vous avez tôt fait de vous ressaisir. Vous vous lancerez alors à la poursuite d'un autre idéal et, cette fois, cela marchera à merveille.

Février

D	L	M	M	J	V	S
		1	2	3	4	5
6F	7F	8●D	9D	10	11	12
13	14	15	16	17	18	19
20	21D	22D	23○D	24F	25F	26
27	28					

○	Pleine lune	●	Nouvelle lune
F	Jour favorable	D	Jour difficile

SANTÉ – La première semaine n'est pas mal, mais c'est par la suite que vous êtes au sommet de votre forme. Vous débordez d'énergie et jouissez d'une santé florissante. Sur le plan psychologique, on décèle une forte propension à l'anxiété jusqu'au 17, puis tout rentre dans l'ordre; vous êtes même complètement détaché de ce qui vous stressait tant auparavant.

SENTIMENTS – Vous avez la cote. On vous invite à gauche et à droite, on vous présente de nouvelles gens à qui vous faites une impression du tonnerre. Quant à vos proches, ils n'ont d'yeux que pour vous. Un jeune vous donne un peu de fil à retordre au cours de la première quinzaine; heureusement, tout s'arrange rapidement sans laisser de traces.

AFFAIRES – Vous êtes en position de force. Bon moment pour aller de l'avant, pour mettre vos projets en branle. La fougue et la motivation qui vous animent vous permettent d'entreprendre des projets d'envergure et surtout de les mener à terme. Vous jouez gagnant sur toute la ligne; il se pourrait même qu'un petit prix lors d'un tirage vous surprenne. Bon mois pour les déplacements d'affaires ou de plaisance.

Mars

D	L	M	M	J	V	S
		1	2	3	4	5F
6F	7D	8D	9	10●	11	12
13	14	15	16	17	18	19
20	21D	22D	23F	24F	25○	26
27	28	29	30	31		

○	Pleine lune	●	Nouvelle lune
F	Jour favorable	D	Jour difficile

SANTÉ – Les trois premières semaines sont magnifiques; vous semblez invincible tant moralement que physiquement, sans compter que vous avez un flair aiguisé. Soyez plus prudent par après, car les risques de blessure et de malaise augmentent sensiblement. À vous de prendre les devants et d'adopter une attitude préventive.

SENTIMENTS – Entre le 1er et le 23, vous disposez d'un transit particulièrement favorable, qui devrait vous permettre d'éprouver un profond sentiment de bien-être dans toutes vos relations interpersonnelles. Le temps est à la saine camaraderie, y compris avec votre chéri. Si jamais vous êtes seul, une douce amitié amoureuse pourrait vous transporter au septième ciel.

AFFAIRES – Il n'y a que la dernière semaine qui laisse à désirer; tout le reste du mois est positif. Vous traversez un cycle de chance où vos efforts sont largement récompensés. La conjoncture favorise toujours les voyages et les démarches. Une personne envieuse cherche à vous jouer dans le dos, mais vous avez tôt fait de la démasquer et surtout de l'empêcher de vous porter préjudice.

Avril

D	L	M	M	J	V	S
					1F	2F
3D	4D	5	6	7	8●	9
10	11	12	13	14	15	16
17D	18D	19F	20F	21F	22	23
24○	25	26	27	28F	29F	30D

○ Pleine lune et éclipse lunaire annulaire   ● Nouvelle lune et éclipse solaire annulaire totale
F   Jour favorable   D   Jour difficile

SANTÉ – Les deux éclipses se produisent dans des secteurs plutôt délicats de votre ciel, ce qui a pour effet de vous rendre plus vulnérable. Un mode de vie sain, de bonnes habitudes alimentaires et du repos vous permettront d'éviter infections et défaillances. Vous devriez également vous protéger des accidents; en effet, la distraction ou la témérité risquent de vous jouer de mauvais tours.

SENTIMENTS – Entre le 16 avril et le 10 mai, vous recevez la visite de Vénus, planète du bonheur affectif. Les couples retombent amoureux, tandis que les célibataires font une rencontre susceptible de changer radicalement le cours de leur vie. Socialement, vous n'êtes pas à plaindre non plus, puisque vous battez tous les records de popularité. Seul un membre de la famille vous en fait voir de toutes les couleurs.

AFFAIRES – Vos activités sont mal synchronisées: à certains moments vous avez plus de travail que vous ne pouvez en prendre, à d'autres, c'est le calme plat. Rien n'arrive comme prévu; vous devez fréquemment rajuster votre tir. Pas facile de s'organiser dans un tel brouhaha... La pression est grande, mais je dois avouer que vous vous défendez plutôt bien.

Mai

D	L	M	M	J	V	S
1D	2D	3	4	5	6	7
8●	9	10	11	12	13	14
15D	16D	17F	18F	19	20	21
22	23○	24	25	26F	27F	28D
29D	30	31				

○	Pleine lune	●	Nouvelle lune
F	Jour favorable	D	Jour difficile

SANTÉ – Finis les éclipses et le transit dissonant de Mars! Vous êtes enfin débarrassé de cette fragilité qui vous affectait tant, ainsi que des menaces de blessure. Vous remontez la pente à toute vitesse, et l'on vous retrouve en super forme pour profiter des beaux jours. Bon mois, donc, pour vous reprendre en main et même pour vous refaire une beauté.

SENTIMENTS – Je vous rappelle que les 10 premiers jours sont toujours régis par Vénus, l'astre du bonheur amoureux et de la popularité. On apprécie votre brillante personnalité; impossible de résister à votre charme. Le reste du mois n'offre rien de mauvais même s'il est plus tranquille; vous pourrez au moins régler ce problème familial qui durait depuis quelques semaines. Vos amis continuent de se montrer attentionnés et disponibles.

AFFAIRES – Les tempêtes d'avril sont terminées, et vous reprenez le contrôle de la situation. Ceux qui vous mettaient des bâtons dans les roues pourraient changer leur fusil d'épaule et se mettre à vous appuyer. Un transfert, un deuxième emploi ou carrément un nouveau poste pourrait vous permettre de vous rapprocher de votre but.

Juin

D	L	M	M	J	V	S
			1	2	3	4
5	6●	7	8	9	10	11D
12D	13F	14F	15F	16	17	18
19	20	21○	22F	23F	24D	25D
26	27	28	29	30		

○	Pleine lune	●	Nouvelle lune
F	Jour favorable	D	Jour difficile

SANTÉ – La première moitié du mois est fantastique; vous êtes en pleine forme, et rien ne semble pouvoir miner votre résistance ou votre moral. Par la suite, vous conservez tout votre aplomb psychologiquement, mais il n'en va pas de même physiquement. Vous risquez de vous sentir plus fatigué, ce qui pourrait entraîner différents malaises et indispositions. À vous de vous préparer.

SENTIMENTS – C'est entre le 4 et le 28 que vous vivez les moments les plus plaisants. Vous êtes constamment entouré de gens qui cherchent à satisfaire vos moindres exigences. La communication va bon train; pas de malentendus ni d'hypocrisie, vos rapports avec les autres sont parfaitement limpides. Vous avez également l'occasion de faire la connaissance de nouvelles personnes susceptibles de vous apporter gros.

AFFAIRES – Profitez des 12 premiers jours pour mettre vos projets en marche ou pour présenter vos demandes, car c'est dans cette période que vos chances de réussite sont les plus élevées. Par après, vous devez composer avec des retards, des embûches ou des contretemps. Les choses ne fonctionnent pas du premier coup; heureusement que vous êtes tenace!

Juillet

D	L	M	M	J	V	S
					1	2
3	4	5	6●	7	8D	9D
10F	11F	12F	13	14	15	16
17	18	19F	20F	21○D	22D	23
24/31	25	26	27	28	29	30

○	Pleine lune	●	Nouvelle lune
F	Jour favorable	D	Jour difficile

SANTÉ – Vous traversez une période creuse. Rien de tragique, mais plutôt une vague impression de malaise. Moins énergique et moins motivé qu'au cours des derniers mois, vous vous sentez même parfois abattu. Quelques correctifs s'imposent; il serait temps de réviser vos habitudes alimentaires et peut-être votre mode de vie. Seriez-vous en train de brûler la chandelle par les deux bouts?

SENTIMENTS – Comme vous êtes mal dans votre peau, cela se répercute sur vos relations interpersonnelles. On vous trouve grognon, maussade et trop souvent renfermé. Au début du mois, vous faites la sourde oreille mais, à partir du 22, vous changez d'attitude, ce qui a un effet magique. Tout baigne dans l'huile à nouveau, vous retrouvez votre sourire ainsi que votre sens de l'humour.

AFFAIRES – Mieux vaut vous armer de patience et jouer la carte de la souplesse. Les événements n'obéissent pas aux scénarios que vous aviez imaginés, vous vous heurtez à différents écueils, sans compter qu'une foule d'imprévus vous dérange. Vous avez l'impression que certains ne jouent pas franc-jeu, mais pour l'instant les preuves vous manquent. Ne parlez pas trop.

Août

D	L	M	M	J	V	S
	1	2	3	4●D	5D	6D
7F	8F	9	10	11	12	13
14	15	16F	17F	18D	19○D	20
21	22	23	24	25	26	27
28	29	30	31D			

○ Pleine lune		● Nouvelle lune	
F Jour favorable		D Jour difficile	

SANTÉ – En ce mois, Mars vous fait la vie dure. Vous avez les nerfs à fleur de peau, et c'est sans doute ce qui provoque cet état de panique. De surcroît, vous n'êtes pas à l'abri d'une blessure ou de quelque ennui de santé. Adoptez sans tarder une attitude préventive; n'hésitez pas non plus à consulter si vous en ressentez le besoin.

SENTIMENTS – Au cours des 17 premiers jours, vous jouissez de l'appui inconditionnel de Vénus pour mettre de l'ordre dans votre vie de couple. Une saine discussion sera à l'origine d'un tendre rapprochement. Les probabilités de rencontre heureuse sont très élevées pour les célibataires, tout comme celles des joies en amitié. Des proches se retrouvent sur le carreau et réclament votre aide.

AFFAIRES – Vous ne savez plus par où commencer. Il y a tant à faire, et dans des conditions pas toujours évidentes. C'est le temps de mettre à contribution votre sens de l'organisation et votre détermination. Laissez faire les détails, si irritants soient-ils, et misez plutôt sur la vue d'ensemble. Établissez votre plan d'action en tenant compte de vos priorités, vous verrez, ça ira mieux que vous ne le pensez.

Septembre

D	L	M	M	J	V	S
				1D	2D	3●F
4F	5F	6	7	8	9	10
11	12F	13F	14D	15D	16	17○
18	19	20	21	22	23	24
25	26	27	28D	29D	30F	

○	Pleine lune	●	Nouvelle lune
F	Jour favorable	D	Jour difficile

SANTÉ – Bien que l'on décèle toujours un risque d'accident bête, vous semblez plus en forme. Vous gérez infiniment mieux le stress et n'êtes plus constamment au bord de la crise de nerfs. Vos efforts pour améliorer votre vitalité ou votre résistance portent leurs fruits. Par contre, si vous vous laissez aller, ça ne fait qu'envenimer les choses. Bon mois pour faire de l'exercice physique mais, encore là, à condition de ne pas vous blesser.

SENTIMENTS – Entre le 5 et le 21, vous pouvez régler une foule de petits conflits et même faire la lumière sur certaines situations obscures. Le dialogue est facile et surtout profitable. Vous recommencez à avoir le goût de voir du monde, ce qui vous stimule au plus haut point. La marmaille fait de beaux progrès; cependant un parent éprouve des difficultés.

AFFAIRES – Même si la pression reste forte, vous évoluez dans un climat nettement plus favorable. Vous devez encore vous battre pour atteindre vos objectifs, au moins vous commencez à obtenir des résultats tangibles. Une bonne nouvelle ou l'obtention d'un nouveau poste vous réjouira, ou encore vous réussirez à décrocher un contrat que vous espériez depuis un certain temps.

Octobre

D	L	M	M	J	V	S
						1F
2F	3●	4	5	6	7	8
9	10F	11F	12D	13D	14	15
16	17○	18	19	20	21	22
23/30	24/31	25D	26D	27F	28F	29F

○ Pleine lune et éclipse lunaire partielle   ● Nouvelle lune et éclipse solaire annulaire
F   Jour favorable   D   Jour difficile

SANTÉ – Mars est toujours dans votre signe et s'oppose à Mercure, puis en fin de mois à Jupiter. Voilà plus qu'il n'en faut pour vous inciter à la plus grande prudence. Ne courez aucun risque, ménagez votre monture et prenez les précautions nécessaires pour ne pas contracter une infection. En ce mois, la sagesse et la prévention sont assurément de rigueur.

SENTIMENTS – On a tendance à mal interpréter vos gestes, à déformer vos propos. La communication avec l'entourage laisse à désirer, et vous en êtes frustré. Au lieu de vous apitoyer sur votre sort ou de bougonner dans votre coin, profitez-en pour vous consacrer à un hobby qui vous changera les idées. Vous verrez, si vous prenez un peu vos distances, vos proches se montreront plus affables. Mieux vaut vous laisser désirer que vous imposer.

AFFAIRES – Des retards, des pépins de toutes sortes et des combats inutiles risquent de vous faire sortir de vos gonds. Cependant, en agissant avec souplesse et en évitant de trop parler, vous arriverez à tirer fort bien votre épingle du jeu. Un dégât, une perte matérielle ou une contravention pourrait temporairement faire un trou dans votre budget; prenez donc vos précautions.

Novembre

D	L	M	M	J	V	S
		1●	2	3	4	5
6F	7F	8D	9D	10	11	12
13	14	15○	16	17	18	19
20	21D	22D	23D	24F	25F	26
27	28	29	30			

○ Pleine lune		● Nouvelle lune	
F Jour favorable		D Jour difficile	

SANTÉ – Même si Mars s'éternise dans votre signe, le reste des influences planétaires devient plus encourageant. Avec un minimum de précautions, vous resterez à l'abri des blessures, des chutes ainsi que du rhume. Sur le plan psychologique, vous êtes beaucoup plus solide, vous faites la part des choses et vous décidez de ne plus vous en faire avec ce qui n'en vaut pas la peine. Bravo! Bon mois pour repartir du bon pied.

SENTIMENTS – Du 5 novembre au 16 décembre, vous jouissez d'un transit fort avantageux de Vénus. Votre cote d'amour est à la hausse; votre popularité va en grandissant, si bien que les solitaires pourraient faire une rencontre électrisante. Ceux qui sont déjà en couple voient leur union se solidifier et bénéficient d'un beau courant de romantisme. On se montre plus courtois, plus gentil envers vous; certains vous présentent même des excuses.

AFFAIRES – La partie n'est peut-être pas gagnée d'avance, mais je vous assure que si vous avez le goût de vous battre, vous en sortirez vainqueur. La ténacité joue en votre faveur. En effet, vos efforts pour améliorer votre sort ou pour défendre votre point de vue seront couronnés de succès. Bon temps pour faire des démarches ou des revendications.

Décembre

D	L	M	M	J	V	S
				1●	2	3F
4F	5D	6D	7	8	9	10
11	12	13	14	15○	16	17
18	19D	20D	21F	22F	23F	24
25	26	27	28	29	30●F	31F

○	Pleine lune	●	Nouvelle lune
F	Jour favorable	D	Jour difficile

SANTÉ – Désolée, Mars traîne toujours dans votre signe, et il est trop tôt pour relâcher votre vigilance... Bonne nouvelle, ce n'est que pour quelques semaines encore. En attendant, profitez de toute cette énergie que cette planète vous confère et continuez de faire attention à vous. D'ici le 13, vous êtes nerveux, parfois agité, mais ça devrait rentrer dans l'ordre par la suite. La gourmandise risque de vous occasionner des dérangements digestifs, voire de vous donner quelques kilos en trop.

SENTIMENTS – N'oubliez pas que la première quinzaine vous réserve toutes sortes de belles surprises tant sur le plan intime que social; vous serez choyé et n'aurez pas à vous plaindre. Pour que ça continue de bien aller par la suite, pesez bien vos mots. Dans une réunion familiale, un parent risque de se montrer désagréable, mieux vaut l'ignorer.

AFFAIRES – Les tensions sont nombreuses entre le 1er et le 16; vous avez parfois l'impression de ne pas être à votre place. Heureusement, le reste du mois est ponctué de progrès concrets, ce qui chasse les doutes que vous avez pu avoir. Vous qui êtes habituellement si raisonnable avez envie de faire des folies. Votre budget vous le permet-il?

Gémeaux

♊

du 21 mai au 21 juin

Les deux personnages que votre signe représente sont tout à fait significatifs de votre double personnalité. Vous pouvez rapidement passer d'un extrême à l'autre, et même faire les choses en double.

Vous ne passez pas inaperçu: toujours actif, toujours à gesticuler et à discuter vivement, vous donnez parfois l'impression d'être une vraie tornade.

Vous êtes aussi un habile communicateur, qui peut donner son opinion sur une multitude de sujets, même lorsque vous en ignorez les tenants et les aboutissants. Personne ne peut vous prendre en défaut, tellement vous donnez l'impression de tout connaître.

Vous êtes un être qui a besoin de contacts humains pour s'épanouir pleinement. La solitude et l'isolement vous donnent froid dans le dos. Vous avez besoin de donner votre point de vue et d'avoir un public pour l'écouter. Vous êtes quelqu'un de très populaire, de bien entouré; vous avez besoin d'une vie sociale bien remplie.

Parfois, on vous pense frivole et léger. À première vue, vos amitiés peuvent sembler superficielles, et vous êtes un touche-à-tout qui ne peut s'arrêter pour développer un aspect particulier de ses relations ou de ses connaissances. En fait, vous fuyez simplement l'ennui. Qui pourrait vous en vouloir pour cela?

Mais vous possédez surtout d'énormes dons pour œuvrer en communications, dans les médias, en journalisme, dans la vente ou dans l'enseignement. La nouveauté est votre moteur. Chaque jour qui passe vous permet d'apprendre et de découvrir de nouvelles facettes de l'existence, d'essayer une multitude de choses, de relever de nouveaux défis. Il faut que votre vie bouge, et vous n'avez pas de temps à perdre avec des questionnements inutiles et stériles. D'ailleurs, avec un esprit aussi vif et curieux, vous vous ouvrez de larges horizons; vos champs d'intérêt sont variés et nombreux, et vous ne pouvez vous limiter à ne faire qu'une chose à la fois.

Vous êtes capable de mener deux ou trois activités de front, à la surprise de tous. Vous pouvez téléphoner tout en écrivant un texte à votre ordinateur, vous raser en conduisant, préparer un repas en aidant les enfants à faire leurs devoirs, regarder la télévision en faisant des exercices, bref, vous êtes étourdissant! Ce que vous faites dans une journée demanderait plusieurs jours à n'importe qui d'autre, et évidemment votre agenda est plus que rempli: sorties, amis à rencontrer, cours du soir, invitations de dernière minute, travail, passe-temps préférés, bref, vous essayez de tout faire, de ne rien manquer dans la vie.

Évidemment, vous êtes une personne un peu stressée, voire nerveuse. On le serait à moins. Vous avez une âme d'adolescent et, physiquement, vous ne faites pas votre âge. Vous représentez tellement la jeunesse éternelle que vieillir vous fait peur. Pourtant, vous garderez toujours votre cœur de 20 ans, même quand vous en aurez 90, alors ne vous tracassez pas trop pour cela.

En amour aussi, butiner ne vous fait pas peur. On pourrait même croire à certains moments que c'est votre passe-temps préféré. Pourtant, vous êtes attaché à votre partenaire. Mais vous pensez qu'il n'y a pas de mal à regarder ailleurs, simplement pour voir. C'est sans doute un Gémeaux qui a inventé le flirt, car vous adorez vous amuser. En véritable paon que vous êtes, vous déployez vos charmes, faites des yeux de biche et savez séduire comme personne. Mais lorsque votre proie se rend et succombe, vous filez à toute vitesse… vous vous rappelez soudainement que vous aviez un autre rendez-vous.

Vous garder à la maison, vous empêcher de sortir et de voir des gens est impossible. Vous êtes un courant d'air et avez besoin de votre liberté.

Comment se comporter avec un Gémeaux?

Puisque le Gémeaux est le signe de la liberté, l'imprévu sera toujours la norme. Changer d'activités, d'amis ou même d'humeur, souvent sans raison, n'est pas une exception dans son cas, mais bien la règle. Un Gémeaux peut se dire fatigué et avoir envie de passer une soirée tranquille à regarder la télévision, puis se lever brusquement pour aller faire la foire dans la boîte de nuit la plus proche de son domicile.

Avec lui, une existence de tout repos n'est pas possible. L'ennui le gagne rapidement et l'horripile. Pour le rendre heureux, il faut absolument lui concocter un programme époustouflant, avec une multitude d'activités et de gens. Le mieux est de le déstabiliser, de jouer de multiples personnages, de fuir la conformité et de le surprendre. Ce n'est qu'ainsi qu'il sera heureux et ravi.

Pour se ressourcer, il doit absolument se dépenser et s'étourdir avec des activités à l'extérieur, sans vous, et rencontrer beaucoup de gens différents. Ouvrez-lui la porte, et il en profitera au maximum avant de vous revenir avec mille et une histoires à vous raconter. Chercher à le retenir, c'est le perdre à coup sûr.

Pour se faire apprécier d'un Gémeaux, il faut être prêt à parler, à discuter, à se livrer et surtout à le contredire parfois, car il adore argumenter et convaincre. Si vous cherchez à avoir le dernier mot, il sera ravi, car il aime les gens qui savent lui tenir tête et qui ont un esprit vif et inventif.

Pour gagner son estime, montrez-lui votre indépendance, ayez vos propres occupations, rencontrez vos amis. Il ne cherche pas la docilité chez son partenaire, car pour lui la docilité devient vite de l'ennui, et l'ennui le fait fuir.

Alors, sortez, intéressez-vous à de multiples sujets et, lorsque vous le croiserez entre la cuisine et le salon, entre deux portes, vous aurez plein de trucs surprenants à lui raconter; vous éveillerez ainsi son intérêt, vous l'intriguerez, et il cherchera à se rapprocher de vous. Il sera là pour vous écouter d'une oreille attentive et pour discuter de tout ce que vous aurez découvert.

Ses goûts

Le Gémeaux s'intéresse à tout et à tous. Par contre, il ne peut fixer son attention très longtemps sur un sujet, et dès qu'il a découvert le pourquoi du comment, il passe à autre chose. Il peut se passionner pour la biologie moléculaire le lundi, l'histoire du vélo le mardi et finir la semaine en se demandant quelle est la philosophie qui sous-tend le système politique de la Corée du Nord en plein XXIe siècle. Bref, le sujet l'intéresse, mais en connaître les détails, très peu pour lui. Il survole pour se faire une idée, mais va rarement au fond des choses.

Sa demeure n'est pas non plus une petite maison conventionnelle de banlieue; elle est plutôt à son image, décontractée et grouillante d'activité. Chez lui, c'est presque portes ouvertes. Sa silhouette d'adolescent est mise en valeur par ses vêtements décontractés. La cravate ou les talons aiguilles, très peu pour le Gémeaux. D'ailleurs, il se crée son propre style, qui n'est jamais le même, et évolue au jour le jour, au gré de son humeur, mais surtout pas selon les circonstances. On le remarquera... n'est-ce pas ce qu'il recherche de toute façon?

Comme il est toujours pressé, il est un habitué des établissements de restauration rapide. Il mange vite, sans goûter, car souvent il fait une autre activité en même temps qu'il se nourrit. Il n'a pas de temps à perdre à savourer. Mais il aime les repas à plusieurs services. D'ailleurs, il n'est pas rare de le voir picorer dans l'assiette des autres pour varier son menu; mais si vous faites la même chose, il vous fera les gros yeux.

Son potentiel

Le Gémeaux est une personne intelligente qui manie très bien les idées et les concepts; malheureusement, parce qu'il s'intéresse à trop de choses, il est aussi superficiel et ne parvient pas à s'intéresser en profondeur à quoi que ce soit.

Il est le candidat idéal pour les entreprises de communications et de relations publiques, pour les médias, le journalisme en particulier, mais aussi pour la vente, l'enseignement, l'animation et la comédie. D'ailleurs, quoi qu'il fasse, il est toujours en représentation. Il aime se montrer et s'amuser. Il est brillant, très habile de ses mains, et sa dextérité est légendaire.

Quelle que soit son occupation, il s'arrangera toujours pour organiser des activités et des sorties de toutes sortes. Il aime raconter des anecdotes, planifier des rencontres avec des compétiteurs, discuter de ce qu'il y a à faire… bref, faites-lui confiance pour vous divertir et vous organiser un emploi du temps des plus variés et chargés. Car s'il peut tout faire en même temps, il pense que les autres sont aussi aptes que lui à mener plusieurs activités de front.

Ses loisirs

On l'a vu, le Gémeaux se désintéresse rapidement d'une activité lorsqu'il la maîtrise bien. Le changement, le renouveau et de nouvelles découvertes sont nécessaires pour lui éviter l'ennui. Il lui faut à tout prix passer à autre chose. Ses loisirs doivent être stimulants et non répétitifs, car il en changera.

Intelligent et curieux, il adore apprendre: il n'est pas rare de le voir s'inscrire à plusieurs cours en même temps, et souvent bien différents les uns des autres. Qu'il s'agisse de cuisine méditerranéenne ou de mécanique automobile, tout l'intéresse… enfin, jusqu'à ce qu'il en comprenne les rudiments; après, il voudra passer à une autre chose qui le captivera aussi. Il aime acquérir de nouvelles connaissances, et la lecture lui permet d'apprendre et de s'évader. Il est doué pour l'écriture car il a une imagination très féconde.

Le Gémeaux aime par-dessus tout les contacts humains, il est particulièrement attiré par les activités mondaines ou sociales. Il n'est pas rare de le voir dans un lancement de livre, à une première au théâtre, même après une épuisante journée de travail. Il déborde d'énergie lorsqu'il est question d'être en société. Il peut même accepter deux ou trois invitations la même journée. Ça l'emballe de courir d'un endroit à l'autre, de communiquer, de discuter, de parler, de voir du monde, bref de se montrer et de nouer des relations, même fugaces.

Il a un côté intellectuel très développé, mais il aime aussi beaucoup faire marcher ses dix doigts, car il se sait fort habile. Le piano, les activités manuelles et les arts sont les domaines qui lui plaisent le plus, et il peut exceller dans la danse, le massage ou la graphologie. Pas un domaine ne le rebute et tout l'intéresse vraiment, mais son intérêt s'émousse rapidement. Il cherche constamment de nouvelles sources d'intérêt, de nouvelles passions qui sauront l'emporter et le faire vibrer.

Au cinéma, il vaut mieux lui proposer une nouveauté, car il aura sans doute vu tous les films à l'affiche depuis quelques semaines. Emmenez-le voir le dernier succès dont tout le monde parle, celui qui fait scandale ou encore un spectacle qui l'étonnera. Par la suite, un souper au restaurant sera de mise, bien entendu pour discuter de ce qu'il vient de voir.

Sa décoration

Le Gémeaux a un décor qui ressemble bien à sa personnalité, c'est-à-dire changeant. Et on ne parle pas de juste bouger les meubles. Non. Il n'hésitera pas à renouveler toute sa décoration de fond en comble. Ainsi, il pourrait avoir un intérieur japonais avec des meubles laqués et, d'un seul coup, se retrouver avec un ameublement digne d'un film de science-fiction, avec de l'acier inoxydable et des blocs de verre dans tous les coins. En fait, à y regarder de plus près, on constatera que quelle que soit sa décoration, il préférera un style dépouillé et plutôt moderne, mais il ne faut jurer de rien avec lui, car on ne sait jamais… Par contre, comme il s'agit d'un signe d'air, notre fameux courant d'air appréciera les fenêtres, la lumière et les pièces à aires ouvertes. Il se choisira souvent une résidence ou un appartement aux étages supérieurs, pour avoir une vue imprenable sur le monde.

Il n'est pas du genre à se terrer à la campagne, car il a besoin d'une vie sociale trépidante, de recevoir et de voir beaucoup de gens. La vie citadine lui convient bien, et surtout les tours d'habitation d'où il peut contempler le monde à ses pieds.

Assurément, ses goûts le portent vers le contemporain; les nouveautés et l'exclusivité exercent un attrait puissant sur lui. Ce qui brille l'attire particulièrement, notamment les miroirs qui multiplient les espaces, les couleurs pâles, les teintes nuancées et rares, presque indéfinissables, le verre qui joue avec la lumière. Son intérieur fait jaser ceux qui le voient, et c'est justement l'effet recherché.

Son budget

Sur le plan financier aussi, le Gémeaux est bien changeant: c'est tout ou rien. Il peut se faire écureuil, économiser sou par sou, planifier son budget, choisir ses placements, puis tout flamber en une soirée ou lors d'une expédition de magasinage… Et il ne partait pas pour ça!

Évidemment, ses finances subissent des fluctuations: l'argent rentre mais sort souvent aussi rapidement. Il n'hésite jamais à dépenser pour acquérir un objet qui lui plaît, en se disant qu'il s'occupera des factures plus tard, en temps utile. Bien entendu, quand elles arrivent, il est parfois pris de court, mais il ne s'en fait pas pour si peu. Il jongle entre les rentrées d'argent et les sorties, les dettes et les surplus, et finit toujours par s'en sortir... jusqu'à la fois suivante.

Quel cadeau lui offrir?

Le meilleur cadeau est celui qui le surprendra et qui lui laissera un souvenir dont il pourra parler longtemps.

S'il s'agit d'un passionné de lecture, les récentes parutions l'intéressent toujours. Il a l'esprit ouvert, alors n'ayez pas peur de choisir un sujet qu'il ne connaît pas du tout: il adore découvrir et bientôt il vous donnera des leçons là-dessus.

Les œuvres ou les magazines qui traitent de nombreux thèmes lui plaisent bien; les revues sur la littérature ou le cinéma aussi. Du papier à lettres, des stylos (il les perd constamment!) seront aussi les bienvenus. Puisqu'il passe des heures au bout du fil, vous pourriez lui offrir un téléphone portable, ou encore un appareil de type Palm, ou un abonnement à Internet, pour qu'il garde contact avec tout le monde.

Certains Gémeaux sont des collectionneurs. Une pièce originale ou rare pour enrichir sa collection sera appréciée. Vous pouvez aussi lui offrir un gadget inutile mais surprenant qui l'intriguera et fera jaser lorsqu'il le montrera à ses amis.

Les enfants Gémeaux

L es petits Gémeaux sont curieux de tout. Ils posent mille et une questions. Ils sont vifs et brillants. Leur esprit est constamment en éveil. Avant même de savoir parler, ils gazouillent sans arrêt. En fait, ils en ont tellement à dire qu'ils apprennent à parler très tôt, et dès ce moment, la paix et la tranquillité de la famille sont perturbées.

Les questions s'enchaînent, et ils vous laissent à peine le temps de répondre que déjà de nouvelles interrogations surgissent. Très tôt, ils ont tendance à avoir le dernier mot. Ce n'est pas de tout repos, mais ils sont si adorables.

Ils sont également bien entourés; ils ont de nombreux amis qu'ils inviteront à dîner ou à dormir à la maison, sans vous prévenir. Rapidement, la maison se transformera en hall de gare; ils déborderont d'activités, et c'est tout juste s'il leur restera du temps pour aller à l'école et pour dormir… Comme ils sont toujours par monts et par vaux, il vous arrivera de les chercher, car une activité n'attend pas l'autre. On les croit occupés dans leur chambre à faire leurs devoirs, on se retourne et on les voit en train de jouer sur la pelouse.

Très habiles de leurs mains, les enfants Gémeaux bricolent, dessinent admirablement et sont très adroits. Avec eux, le donnant-donnant marche bien, car ils aiment négocier. S'ils nettoient leur chambre, vous devrez les conduire à leur match de soccer. Ne cédez pas rapidement à leurs demandes, parce qu'ils en profiteront pour quémander une autre faveur, et vous n'en sortirez plus. Avec eux, vous n'aurez jamais le dernier mot. Ils sont très vifs, ont un esprit brillant, même s'ils ont déjà une petite tendance à être superficiels.

Ils ne tiennent pas en place et sont vraiment très sociables. Apprenez-leur toutefois à planifier leur horaire, à déterminer leurs priorités, à concentrer leurs efforts et stimulez-les afin qu'ils aient le goût d'approfondir les choses au lieu de papillonner constamment de l'une à l'autre. S'ils aiment le sport, offrez-leur une activité qui demande une constante remise en question de leur capacité physique: la gymnastique acrobatique, par exemple.

L'ado Gémeaux

E n astrologie ton signe correspond à l'adolescence. Éternellement jeune, tu conserveras toute ta vie l'idéalisme qui te caractérise maintenant. Tu as un signe d'air, ce qui te donne un intérêt pour de multiples activités. Ton entourage te reprochera peut-être de changer trop souvent d'idée, mais tu évolues rapidement et tu as besoin de relever constamment de nouveaux défis, d'apprendre de nouvelles choses, de tenter de nouvelles expériences.

Tu t'intéresses à tout, et cela t'ouvre des horizons et te permet de rencontrer beaucoup de gens très différents. Tu aimes t'exprimer, communiquer, côtoyer beaucoup de monde. Tu es bavard mais, finalement, tu parles peu de ce que tu ressens.

Polyvalent et spontané, tu as une soif d'apprendre immense, et ce besoin d'en savoir plus fait de toi quelqu'un de brillant et dont on recherche la compagnie. Fais attention toutefois de ne pas trop disperser tes énergies, car la superficialité te guette.

Avec toi, tout va vite. Tu mènes plusieurs projets et activités de front, et tu en as d'autres en vue. Tu es aussi un être émotif: tes opinions et tes goûts changent très rapidement, et peu de gens comprennent comment tu peux dire blanc un jour et noir le lendemain, mais, en réalité, tu es fidèle à toi-même.

Tes études

Tu t'intéresses à tellement de choses qu'il est difficile pour toi de te bâtir un programme d'études cohérent. Pense à long terme. Quels sont les domaines qui t'intéressent le plus? Concentre-toi sur ces sujets, quitte à suivre des cours complémentaires dans d'autres champs d'intérêt. Fixe-toi un objectif et essaie de ne pas le perdre de vue, même s'il y a tellement de choses intéressantes dans ce monde. Tu as tout le temps de les découvrir plus tard. Tu as une intelligence très vive, qui te permet de te débrouiller et d'avoir des résultats plus que convenables, mais il ne faut pas te demander de te concentrer pour travailler avec assiduité et application. Tu as plutôt tendance à étudier ou à faire tes travaux à la dernière minute, à survoler la matière pour en saisir les principes plutôt qu'à bien la comprendre, ce qui peut te jouer des tours.

Ton orientation

Choisir sa voie lorsqu'on s'intéresse à tellement de choses, lorsqu'on a des talents multiples peut devenir un vrai casse-tête. Tes projets d'avenir changent constamment, et tu ne parviens pas à te fixer définitivement. Le mieux pour toi est donc d'opter pour une carrière qui te permettra de déployer tes multiples talents. N'oublie pas que tu peux profiter de tes loisirs pour explorer de nombreux domaines. L'écriture, le journalisme, la traduction, la vente, le commerce, le tourisme, les relations publiques, le travail de bureau et la mécanique de précision sont des milieux professionnels qui pourraient te convenir, car le travail n'y est pas routinier. De plus, très souvent, les natifs de ton signe mènent de front deux carrières totalement différentes, tout en ayant de multiples activités en dehors; donc, ne t'inquiète pas, tu pourras essayer tout ce qui te tente, sans trop te limiter.

Tes rapports avec les autres

Les autres sont excessivement importants dans ta vie. Tu es très sociable et tu as besoin d'être entouré de nombreux amis pour échanger des idées et pour étaler tes connaissances, il faut bien l'avouer. En fait, tu réussis presque toujours à avoir le dernier mot, car tu connais une multitude de choses sur tout, ce qui te permet de donner ton opinion sur des sujets très variés. Tu te lies facilement, et ta vie sociale est trépidante. Tes amis sont très importants dans ta vie; il est donc important pour toi de bien les choisir, car ils pourraient exercer une grande influence sur toi.

Charles Aznavour, André Montmorency, Valérie Letarte, Corey Hart, Brooke Shields, Clint Eastwood, Marilyn Monroe, Jacques Duval, Macha Grenon, Rita Lafontaine, Tex Lecor, Danielle Ouimet, Paul McCartney, Francine Raymond, Benoit Brière, Alanis Morissette, Jacynthe René.

Pensée positive pour le Gémeaux

Je suis en paix avec toutes les facettes de ma personnalité; je suis en harmonie avec moi-même et j'ouvre la porte à de multiples bénédictions.

Pensée positive spéciale pour 2005

J'accepte avec sérénité tous les cadeaux que la vie m'envoie. Je m'en sers pour mon plus grand bien.

Le subconscient nous dirige toujours selon nos pensées. En répétant le plus souvent possible ces pensées conçues tout spécialement pour vous, vous vous attirerez plein de belles choses.

Signe: Gémeaux

Élément: Air

Catégorie: Double

Symbole: Ⅱ

Points sensibles: Poumons, bronches, bras, épaules, mains, tension, nervosité, insomnie.

Planète maîtresse: Mercure, planète du commerce.

Pierres précieuses: Topaze, cristal, aigue-marine.

Couleurs: Tous les bleus, gris, kaki.

Fleurs: Marguerite, jasmin, rose jaune.

Chiffres chanceux: 3-4-16-17-23-26-34-37-43-44.

Qualités: Intelligent, sociable, vif, conciliant, brillant, communicateur, expressif, habile, convaincant.

Défauts: Bavard, superficiel, frivole, instable, parfois un peu profiteur.

Ce qu'il pense en lui-même: Je peux parler de n'importe quoi.

Ce que les autres disent de lui: Il parle tellement! Réussirons-nous à placer un mot?

Prédictions annuelles

L'année s'annonce fort bien. Vous bénéficiez de l'appui de Jupiter, la grande bénéfique, et comme cette planète sera là au moment de votre prochain anniversaire, vous continuez d'en ressentir les influences positives jusqu'en juin 2006. Vous avez devant vous 18 mois de chance durant lesquels vous pouvez aisément faire de votre destinée exactement ce que vous désirez. Voilà pourquoi il est primordial de bien cibler vos objectifs, d'avoir un but précis et de déterminer avec précision ce que vous attendez de la vie. Avec un minimum d'efforts, vous parviendrez à vos fins. Si votre idéal est flou ou si vous vous contentez de l'à-peu-près, il va sans dire que la récolte sera moins intéressante.

SANTÉ – En plus de vous sentir animé d'un impérieux besoin de profiter à plein de l'existence, vous disposez des ressources nécessaires pour régler vos problèmes passés et pour améliorer votre état. Vos bonnes résolutions porteront leurs fruits. Par contre, le laisser-aller vous rendrait plus vulnérable et pourrait même vous faire prendre plusieurs kilos indésirables. Année magnifique pour investir dans votre bien-être physique, mais également pour faire du ménage dans vos vieux souvenirs. Vous n'avez plus envie de traîner des émotions négatives qui freinent vos élans. Et vive la liberté!

SENTIMENTS – Attendez-vous à une année d'intense popularité. Indéniablement, vous avez la cote, et ce, sur tous les plans. Vous qui détestez le petit train-train quotidien pouvez profiter d'une vie sociale hyper remplie. Vous avez du plaisir à profusion avec vos amis, sans compter que vous faites plein de nouvelles rencontres stimulantes. Parlant de nouvelles rencontres, les solitaires pourront bientôt dire adieu au célibat. Quant à ceux qui sont déjà en couple, le rapprochement sera évident. Certains parlent de fiançailles, de vie commune, de mariage. Bon temps pour fonder une famille ou avoir un autre enfant.

AFFAIRES – Les aspects planétaires vous avantagent au plus haut point. Votre carrière connaît un essor fulgurant: une promotion, un nouvel emploi, des contrats lucratifs et des entreprises qui démarrent à vive allure sont au programme. Vos finances vont donc en augmentant; vous avez même la main heureuse au jeu. Bonne année pour les voyages, les investissements sérieux et l'immobilier. Un seul conseil, méfiez-vous de votre tendance au sabotage. N'allez pas mettre en danger ce qui roule à merveille et fuyez comme la peste les aventures périlleuses. Ce serait dommage de gaspiller cette chance qui passe.

Janvier

D	L	M	M	J	V	S
						1D
2D	3F	4F	5	6	7	8
9	10●	11F	12F	13D	14D	15
16	17	18	19	20	21	22
23/30F	24/31F	25○	26	27D	28D	29D

○	Pleine lune	●	Nouvelle lune
F	Jour favorable	D	Jour difficile

SANTÉ – Les astres vous malmènent en ce mois. Entre le 1er et le 10, vous traînez de la patte. En plus de vous sentir fatigué, vous risquez de contracter une infection, d'éprouver différents malaises et de vous faire mal. Par après, vous retrouvez votre aplomb psychologique et commencez à constater une amélioration de votre vitalité. Les menaces de blessure demeurent; vous devez donc continuer d'être prudent.

SENTIMENTS – Ici aussi, les 10 premiers jours risquent d'être décevants. Rien de grave, mais une foule de petits soucis et de contrariétés finit par miner votre moral. Le reste du mois est nettement plus positif, mais vous restez sur vos gardes. Vous n'avez guère envie de vous ouvrir ni d'accorder votre confiance au premier venu.

AFFAIRES – L'année commence de façon déconcertante, mais vous vous ressaisissez vers le milieu de la deuxième semaine. Vous faites alors table rase des problèmes; votre vitesse de croisière s'accélère, et vous discernez plus clairement ce qui est conforme à vos intérêts et à votre plan de carrière.

Février

D	L	M	M	J	V	S
		1	2	3	4	5
6	7	8 ● F	9F	10D	11D	12
13	14	15	16	17	18	19
20	21	22	23 ○	24D	25D	26F
27F	28					

○	Pleine lune	●	Nouvelle lune	
F	Jour favorable	D	Jour difficile	

SANTÉ – Jusqu'au 7, vous demeurez soumis à la double opposition Mars-Pluton; on ne peut pas dire que vous êtes en grande forme. Des accès de nervosité, un rhume, une défaillance et même un accident sont possibles; pas le temps de relâcher votre vigilance. Par la suite, vous retrouvez votre pep, votre résistance ainsi que votre bonne humeur. Bon mois pour vous refaire une beauté.

SENTIMENTS – Entre le 3 et le 27, Vénus et Jupiter s'unissent pour établir un puissant climat de romantisme. Les couples retombent amoureux, tandis que les solitaires découvrent enfin une personne qui partage leurs aspirations. Vous vous ouvrez davantage au monde extérieur. Tant mieux, surtout avec toutes les invitations et belles propositions que vous recevez. On vous adore et l'on sait parfaitement vous le démontrer.

AFFAIRES – Une fois la première semaine écoulée, vous pourrez faire ce que bon vous semble. Vous aurez la voie libre, et vos projets se mettront à prendre forme. Bonne période pour les mises au point, les négociations, les démarches ainsi que le renouveau. Une somme imprévue tombe du ciel, serait-ce à la loterie?

Mars

D	L	M	M	J	V	S
		1	2	3	4	5
6	7F	8F	9D	10●D	11	12
13	14	15	16	17	18	19
20	21	22	23D	24D	25○F	26F
27F	28	29	30	31		

○	Pleine lune	●	Nouvelle lune
F	Jour favorable	D	Jour difficile

SANTÉ – Si ce n'était de cette manie de vous accrocher au passé, tout irait à merveille. En effet, constamment regarder en arrière joue avec vos nerfs et mine votre résistance physique. Tournez la page une fois pour toutes; savourez plutôt ce que la vie cherche à vous offrir de bon. La fin du mois vous trouve dans de meilleures dispositions.

SENTIMENTS – Tout va bien, mais on dirait que vous cherchez la bête noire, du moins jusqu'au 23. Vous risquez de tomber à bras raccourcis sur un proche qui n'a pourtant rien à voir avec les frustrations que vous éprouvez. La dernière semaine est nettement plus joyeuse; un ami vous aide à faire la part des choses. À partir de ce moment, vous commencez à recevoir plein de nouvelles agréables.

AFFAIRES – Vous travaillez d'arrache-pied; à certains moments vous avez même l'impression de piétiner, pourtant il n'en est rien. D'ailleurs, les progrès colossaux que vous connaissez entre le 21 et le 31 vous enlèvent tous vos doutes. Cette période est également propice aux voyages, aux déplacements, de même qu'aux tirages.

Avril

D	L	M	M	J	V	S
					1	2
3F	4F	5D	6D	7	8●	9
10	11	12	13	14	15	16
17	18	19D	20D	21D	22F	23F
24○	25	26	27	28	29	30F

○ Pleine lune et éclipse lunaire annulaire   ● Nouvelle lune et éclipse solaire annulaire totale
F   Jour favorable   D   Jour difficile

SANTÉ – Malgré les éclipses de ce mois, vous vous débrouillez plutôt bien. À vrai dire, vous êtes de ceux qui en subissent le moins les effets. Vous débordez d'énergie, vous avez un sang-froid à toute épreuve, sans compter que votre résistance aux maladies est à son niveau maximal. Excellent mois pour mettre le nez dehors plus souvent, pour faire de l'exercice ou du sport.

SENTIMENTS – D'ici le 16, l'indépendance de votre partenaire, que vous interprétez parfois comme de la froideur, vous laisse perplexe. Cette courte période d'insatisfaction fait vite place à un cycle plus romantique. En attendant, un ami qui traverse pourtant des choses difficiles de son côté se révèle de bon conseil. Les invitations arrivent de tous les côtés; on s'arrache votre présence.

AFFAIRES – Vous traversez actuellement un cycle fortuné. De bonnes nouvelles concernant votre carrière et votre situation financière vous font sauter de joie; vous avez aussi de la veine dans les tirages. Les revers d'un compétiteur ou d'un collègue jouent en votre faveur; au début vous vous en sentez coupable, même si vous n'avez rien à voir avec ce qui lui arrive. Ne laissez pas filer la chance...

Mai

D	L	M	M	J	V	S
1F	2F	3D	4D	5	6	7
8●	9	10	11	12	13	14
15	16	17D	18D	19F	20F	21
22	23○	24	25	26	27	28F
29F	30D	31D				

○	Pleine lune	●	Nouvelle lune
F	Jour favorable	D	Jour difficile

SANTÉ – L'arrivée de la planète Mars au carré de votre signe coïncide avec un temps de fragilité. Votre santé risque de ne pas être aussi florissante que le mois dernier si vous abusez de vos forces morales et physiques ou si vous commettez des abus. Ajoutons qu'une imprudence ou de mauvais réflexes pourraient vous valoir une blessure. Faites attention à vous.

SENTIMENTS – Certains membres de la famille ont un comportement agressif, ce qui vous blesse; mais les grandes joies que vous connaissez en amour et sur le plan social, entre le 10 et le 31, vous font oublier ces désagréments. De belles rencontres vous font vibrer; d'ailleurs les célibataires pourraient avoir le coup de foudre pour quelqu'un de bien séduisant.

AFFAIRES – Ne vous laissez surtout pas démolir par les pépins et les retards qui sont susceptibles de se produire. Retroussez vos manches et montrez à tous de quelle trempe vous êtes. Au lieu de voir tout ça comme une série d'empêchements définitifs, abordez la situation en vous disant qu'il ne s'agit que de défis à relever. En jouant des coudes, vous devriez triompher sur toute la ligne. Et puis, si ça peut vous consoler, vous avez de belles chances au jeu.

Juin

D	L	M	M	J	V	S
			1	2	3	4
5	6●	7	8	9	10	11
12	13D	14D	15D	16F	17F	18
19	20	21○	22	23	24F	25F
26D	27D	28	29	30		

○	Pleine lune	●	Nouvelle lune
F	Jour favorable	D	Jour difficile

SANTÉ – Dès le 12, vous êtes libéré de la quadrature de Mars. Vous vous sentez infiniment plus solide, tant moralement que physiquement; vous donnez même l'impression de rajeunir. D'ici là, continuez d'être prudent, restez dans les limites du gros bon sens et gardez l'œil ouvert pour ne pas vous blesser.

SENTIMENTS – Bien que votre popularité batte des records tout au long du mois, c'est la deuxième semaine qui offre les possibilités les plus intéressantes sur le plan intime. Les tracas familiaux se règlent; vous mettez les choses au clair avec les personnes concernées et pouvez ainsi profiter à plein de la vie. Bon mois pour élargir votre cercle de relations, pour faire de nouvelles connaissances.

AFFAIRES – Le mois commence de travers; vous avez l'impression que tout cloche et que ça ne finira jamais. Pourtant, en cours de route, l'ambiance devrait changer. Des portes que vous aviez cru fermées à tout jamais pourraient s'ouvrir, tandis qu'un projet ambitieux commence à prendre forme. Vos finances cessent de vous inquiéter, bref, vous repartez du bon pied.

Juillet

D	L	M	M	J	V	S
					1	2
3	4	5	6●	7	8	9
10D	11D	12D	13F	14F	15	16
17	18	19	20	21○	22F	23F
24D/31	25D	26	27	28	29	30

○	Pleine lune	●	Nouvelle lune
F	Jour favorable	D	Jour difficile

SANTÉ – Le temps gris est bel et bien terminé. Vous avez le vent dans les voiles; rien ne semble pouvoir freiner vos élans. Bon temps pour vous remettre en forme, pour recharger vos batteries et mettre de l'ordre dans vos idées. Le grand air vous fait du bien; vous avez une mine resplendissante.

SENTIMENTS – Les trois premières semaines devraient être douces et agréables. Vos amis, anciens et nouveaux, vous procurent de grandes satisfactions. Partout, on apprécie votre sens de l'humour, votre aisance à communiquer ainsi que votre vivacité d'esprit. Ajoutons que vous traversez un cycle de chance sur le plan amoureux — tous les espoirs sont permis. Réconciliations, déclarations et rencontres sont au programme.

AFFAIRES – Enfin un mois parfaitement constructif durant lequel tout marche comme sur des roulettes! Vous n'avez qu'à toucher à quelque chose pour que ça fonctionne. Un vent de renouveau souffle sur votre carrière, ce qui sert à merveille vos intérêts. La conjoncture favorise les déplacements, les démarches, les signatures de contrat et les négociations. Possibilités de prix secondaire au jeu.

Août

D	L	M	M	J	V	S
	1	2	3	4●	5	6
7D	8D	9F	10F	11F	12	13
14	15	16	17	18F	19○F	20D
21D	22	23	24	25	26	27
28	29	30	31			

○	Pleine lune	●	Nouvelle lune
F	Jour favorable	D	Jour difficile

SANTÉ – Un minimum d'effort vous gardera à l'abri des contretemps. Vous vous maîtrisez parfaitement et gérez vos ressources à merveille. Seule la gourmandise risque de vous donner un peu de fil à retordre dans la première quinzaine. Votre flair aiguisé et votre intuition hors du commun en impressionnent plusieurs.

SENTIMENTS – Entre le 1er et le 17, votre partenaire ou l'un de vos proches fait la tête. Vous avez beau vous interroger, vous ne comprenez rien à son comportement. Inutile de vous mettre martel en tête, ses états d'âme n'ont rien à voir avec vous, encore moins avec l'affection qu'il vous porte. De toute façon, il reviendra à de meilleurs sentiments par la suite. Grande chance en amour pour les solitaires, à partir du 18.

AFFAIRES – Vous menez toutes vos activités avec habileté, voire avec grand art. Par-dessus le marché, vous avez des talents évidents de communicateur; vous vendez facilement vos idées. Pas étonnant que vous cumuliez les succès. Les astres appuient encore les démarches et les déplacements tout au long du mois, alors qu'au jeu, la seconde quinzaine pourrait vous réserver une surprise.

Septembre

D	L	M	M	J	V	S
				1	2	3 ● D
4 D	5 F	6 F	7 F	8	9	10
11	12	13	14 F	15 F	16 D	17 ○ D
18	19	20	21	22	23	24
25	26	27	28	29	30 D	

○	Pleine lune	●	Nouvelle lune
F	Jour favorable	D	Jour difficile

SANTÉ – Du 5 au 21, vous remettez tout en question, à un point tel que cela menace de vous faire perdre de vue l'essentiel. Au lieu de vous en faire avec des peut-être ou des «j'aurais donc dû», essayez de savourer le moment présent. Toutes ces interrogations inutiles vont finir par vous donner mal à la tête ou par perturber votre digestion. Cessez de vous isoler, voyez du monde; on ne demande pas mieux.

SENTIMENTS – Les célibataires profitent encore d'une chance inouïe pour trouver l'âme sœur d'ici le 12; quant aux autres, ils voient leur couple se solidifier. Bon mois pour la vie sociale, même si vous semblez un peu taciturne. Vous avez moins envie de prendre la vedette que d'écouter les autres, ce qui est tout à fait correct.

AFFAIRES – La première et la dernière semaine sont fameuses; vous continuez de gravir d'importants échelons, sans compter que vos finances se portent à merveille. Entre les deux, on remarque une espèce de creux de vague; rien de menaçant, tout simplement l'occasion de reprendre votre souffle et de mieux planifier l'avenir. Possibilités aux jeux de hasard du 1er au 12, puis du 21 au 30.

Octobre

D	L	M	M	J	V	S
						1D
2D	3●F	4F	5	6	7	8
9	10	11	12F	13F	14D	15D
16	17○	18	19	20	21	22
23/30F	24/31F	25	26	27D	28D	29D

○ Pleine lune et éclipse lunaire partielle   ● Nouvelle lune et éclipse solaire annulaire
F   Jour favorable   D   Jour difficile

SANTÉ – La première éclipse n'a aucun effet négatif sur vous; toutefois vous pourriez vous sentir mal en point au courant de la seconde quinzaine. Afin de demeurer imperméable aux perturbations planétaires, proscrivez les abus et ménagez votre dos. L'anxiété pourrait vous jouer des tours; il est donc important de vous changer les idées et de miser sur le positif.

SENTIMENTS – La première semaine est fantastique: votre grand sens de la communication rallie tout le monde à votre cause et pourrait même vous permettre de séduire quelqu'un qui vous intéressait depuis quelque temps. Par après, vous avez un peu trop tendance à chercher la bête noire, au grand désespoir de votre entourage. Au lieu de vous attarder aux petits manquements de ceux qui vous adorent, demeurez sensible à leurs belles qualités, entre autres, leur loyauté.

AFFAIRES – La chance vous accompagne jusqu'au 9; tout ce que vous entreprenez fonctionne au-delà de vos espérances. De bonnes nouvelles et le dénouement positif de plusieurs situations vous enchantent. Durant le reste du mois, c'est plus routinier, mais pas vilain du tout. Un conseil cependant: le magasinage menace de faire un gros trou dans votre budget.

Novembre

D	L	M	M	J	V	S
		1●	2	3	4	5
6	7	8F	9F	10D	11D	12
13	14	15○	16	17	18	19
20	21	22	23D	24D	25F	26F
27F	28	29	30			

○	Pleine lune	●	Nouvelle lune
F	Jour favorable	D	Jour difficile

SANTÉ – Vous avez du mal à vous relaxer et à canaliser votre énergie. À certains moments, vous en faites trop et, par la suite, vous vous retrouvez sur le carreau. Il est encore temps de mettre un peu d'ordre làdedans. En étant davantage à l'écoute de vous-même, vous réussirez à mieux gérer vos activités et ainsi à abaisser significativement votre niveau de stress.

SENTIMENTS – Une fois la première semaine écoulée, vous serez mieux disposé envers vos proches, et ceci allégera considérablement l'atmosphère. Les discussions seront plus saines; ensemble vous trouverez des compromis, voire des solutions ingénieuses. La vie domestique se déroule donc beaucoup plus agréablement, et ça tombe bien, car vous êtes plus casanier qu'au cours des derniers mois.

AFFAIRES – Vous devez faire de plus grands efforts pour atteindre votre but. Les défis sont nombreux et la pression augmente; si bien qu'à certains moments, vous ne savez plus où donner de la tête. Prenez les problèmes un par un, demeurez branché sur vos priorités et, même si c'est dans votre nature, ne menez pas trop d'affaires de front, du moins pour le moment.

Décembre

D	L	M	M	J	V	S
				1●	2	3
4	5F	6F	7D	8D	9	10
11	12	13	14	15○	16	17
18	19	20	21D	22D	23D	24F
25F	26	27	28	29	30●	31

○ Pleine lune		●	Nouvelle lune
F Jour favorable		D	Jour difficile

SANTÉ – Encore quelques tensions au cours de la première quinzaine; vous connaissez des hauts et des bas, puis tout s'arrange par la suite. En effet, vous retrouvez votre bonne humeur et votre jovialité, sans compter que vous vous sentez bien plus énergique. Excellente période pour les remises en beauté, de même que pour les traitements de toutes sortes.

SENTIMENTS – Il y a quelques risques d'affrontement avec un proche d'ici le 16; attention aux mots que vous prononcez, aux gestes que vous esquissez. Le reste du mois devrait se dérouler dans la plus grande harmonie. Vous vous ouvrez davantage aux autres, vous ne voulez plus rester encabané, ce qui a un effet très positif sur votre qualité de vie. Vos amours sont de nouveau à la hauteur de vos attentes. Une sortie improvisée pourrait transformer la destinée des solitaires.

AFFAIRES – Le climat s'allège graduellement, et vous devriez avoir la voie complètement libre à partir du milieu du mois. Vous serez alors en position de force; vous pourrez même rallier de farouches adversaires à votre cause. Une rentrée d'argent imprévue, une prime ou un gain dans un tirage vous permet de terminer l'année sur une note très optimiste.

Cancer

du 22 juin au 23 juillet

C omme l'indique la carapace de votre signe, représenté par un crabe, vous êtes un être solide, doux et tendre à l'intérieur. En fait, il y en a peu comme vous dans le zodiaque. Pour cette raison, vous êtes un excellent parent, c'est dans votre nature.

La Lune exerce une véritable influence sur votre signe; ses cycles et ses lunaisons se font sentir davantage dans votre cas. Toute votre vie est marquée au sceau des rayons lunaires, même votre humeur. Cela est si évident que certaines personnes vous qualifient de lunatique, car vous changez au fil de l'influence lunaire.

Votre imagination est si fertile qu'il n'est pas rare que vous soyez dans la lune, à vous laisser porter par vos rêveries.

Néanmoins, lorsqu'il est question de votre famille, de vos enfants, de votre entourage, vous êtes quelqu'un d'excessivement terre à terre, peut-être trop parfois. Vous êtes toujours prêt à dorloter, à gâter, à aider vos proches, mais surtout vos chers petits. Avec ces derniers, vous aurez tendance à vous montrer surprotecteur. Vous cherchez avant tout à les rendre heureux et vous vous inquiétez, bien souvent sans raison. Même lorsqu'ils seront adultes, ou vieux, vos enfants resteront vos enfants, et vous vous en ferez toujours pour leur bien-être, quitte parfois à les étouffer avec vos cajoleries.

Les Cancer sont les mamans poules et les papas gâteau par excellence. S'ils n'ont pas d'enfants, les Cancer jetteront leur dévolu sur ceux des autres, car pour eux une vie sans enfants n'est pas pensable. Les Cancer attirent les enfants, qui savent bien qu'il y a toujours une petite friandise à croquer dans leur garde-manger, un mot gentil ou un conseil désintéressé et sincère à recevoir.

Le drame du Cancer est qu'il a si peur de faire de la peine, de déplaire qu'il aura du mal à dire non, à trancher, à se décider. Cela est probablement dû à l'aspect féminin de ce signe, car même les hommes Cancer, persuadés de la supériorité du mâle, ont du mal à refuser quelque chose lorsqu'on sait les prendre.

Le Cancer a besoin de son cocon pour se sentir bien. Son logis devient alors un refuge, une forteresse, une carapace où il se sait en sécurité et heureux. Il n'est guère facile de le faire sortir de son antre. Le Cancer hésite, remet au lendemain, et il faut vraiment insister pour le forcer à bouger. Il trouve toujours un bon prétexte pour rester tranquillement dans son petit nid.

Par contre, si on le brusque, si on insiste, le Cancer finit par s'amuser et prendre plaisir aux activités qu'on l'a obligé à faire. Il restera réticent à mettre le nez dehors, même en sachant pertinemment ce qui l'attend et qu'il appréciera ce que vous lui proposerez. Par contre, si c'est son enfant qui a besoin de lui, alors le Cancer se précipitera pour lui apporter son aide; une armée entière ne saurait l'arrêter.

La vie du Cancer est rythmée par les repas. Savoureux, invitants, les petits plats qu'il propose enchantent les palais les plus fins. Il a toujours une nouveauté à faire goûter, un petit délice à proposer. Être invité chez un Cancer, c'est être convié à un banquet d'odeurs, de saveurs et de mets délectables. Bien sûr, la restauration, l'hôtellerie, l'alimentation sont des domaines qui lui conviennent tout à fait. D'ailleurs, même si vous n'en faites pas votre métier, manger est si important dans votre vie que vous trouverez toujours le moyen de concocter un petit plat pour vos amis… ou pour vous-même! Ce n'est pas un Cancer qui se laissera mourir de faim.

En plus de bien soigner son estomac, le Cancer sait également s'occuper de son esprit, et il ne manque pas d'inspiration. Le matin est la période idéale pour vous laisser aller à la rêverie. Vous n'arrivez pas à démarrer votre journée sans avoir pris le temps nécessaire pour vous réveiller.

Une fois que vous commencez votre journée toutefois, vous débordez d'énergie. L'influence de la Lune se fait encore une fois sentir, car vous êtes capable de durer et de durer encore. On se demande si vous avez besoin de dormir autant, ou si c'est pour rêver que vous paressez au lit le matin.

On l'a dit, vous n'hésitez jamais à venir à la rescousse de vos proches. Vous avez un cœur d'or. Votre conjoint, vos enfants, vos amis l'admettent. Pourtant, on vous reproche d'en faire un peu trop parfois. Vous êtes si dévoué que vos proches passent avant tout. Vous les chouchoutez jusqu'à saturation. Et vous vous rongez les sangs lorsqu'ils sont au loin: on ne sait jamais… si quelque chose leur arrivait! L'éventail de vos soucis, quand il s'agit de votre entourage, est vraiment très large. Vous vous en faites pour une bosse au front, un retard devient un accident dans votre imagination ou mille et une inquiétudes vous accaparent soudainement l'esprit pour un oui ou pour un non. Vos proches en rient... mais parfois jaune, car ils vous trouvent un peu exaspérant.

Vous dorlotez ceux que vous aimez jusqu'à ce qu'ils n'en puissent plus. Vous les enfermez, les couvez, les nourrissez, les suralimentez jusqu'à épuisement. Ils se plaignent de ne pas pouvoir respirer. Pourtant, dans le fond, ils aiment bien ça, car une maman, un papa, un conjoint ou un ami Cancer, c'est la félicité. Il prend souvent les tracas quotidiens sur ses épaules et facilite la vie de tous au maximum.

Comment se comporter avec un Cancer?

L e mieux est de le laisser s'occuper de vous. Il veillera à ce que vous ne manquiez de rien: «As-tu faim? T'as pas un petit creux?» Il sera toujours disposé à vous prêter une oreille attentive et s'il pense que vous lui cachez vos tracas, il s'imaginera le pire. Dans ces conditions, il vaut mieux vous confier pour éviter qu'il ne s'en fasse avec des riens.

La pure logique n'est guère son fort; il préférera s'en remettre à ses émotions, même lorsqu'il discute avec vous. Intuitif, il peut rapidement déceler que quelque chose vous pose problème. Vous aurez beau tenter de lui prouver par A plus B qu'il s'en fait pour rien, il se fiera davantage à son intuition qu'à vos arguments.

Le Cancer est rongé par l'insécurité, il a besoin d'être constamment rassuré, et il faut lui donner confiance en lui, car sur ce plan, le déficit est grand. Il apprécie la moindre de vos petites attentions; il est donc primordial qu'il se sente aimé et épaulé. Faites-lui savoir que vous l'aimez.

Si vous ne parvenez pas à le convaincre d'entreprendre telle ou telle activité ou de vous accompagner pour telle ou telle visite, il suffit de lui dire que sa présence fera plaisir aux enfants, et vous le verrez vite enfiler sa plus belle tenue pour vous suivre sans plus poser de questions. Ça marche presque à tous les coups.

Pour éviter qu'il ne pense qu'à ses soucis, réels ou imaginaires, il faut l'inciter à sortir, à voir des gens, à pratiquer des activités à l'extérieur. Il ne le fera pas de lui-même. Insistez: il ne sait pas dire non, et vous pourrez l'emmener où vous voudrez. Par la suite, il vous remerciera.

Ses goûts

C hez le Cancer, les plaisirs de la table priment. C'est au milieu de son petit monde qu'il est le plus heureux. Il vous offrira un repas copieux et délicieux. Le Cancer savoure sa nourriture comme d'autres savourent la vie; pour lui, les deux sont intimement liées. Il a le sens de l'hospitalité, et vous pouvez frapper à sa porte, de jour comme de nuit, elle est toujours ouverte pour ses amis, sa famille et surtout ses enfants. Évidemment, une bonne assiette les y attend.

Son antre est un nid chaleureux, rempli d'objets aux formes invitantes et de souvenirs. On s'y sent bien et on a l'impression que les ennuis quotidiens y sont absents. Lui-même apprécie son repaire, voilà pourquoi il ne veut pas en sortir. Souvent, le Cancer est propriétaire de sa petite maison, car elle fait partie de sa carapace; c'est son élément de protection, l'endroit où il aime se retrouver.

Si votre vieille voisine court derrière les petits enfants de la rue pour leur offrir les biscuits qu'elle vient de faire, c'est certainement une belle grand-maman Cancer.

Son potentiel

L e Cancer est d'un altruisme exacerbé. C'est dans sa nature. Il n'est donc pas rare de le voir œuvrer comme infirmière ou responsable du service à la clientèle de son entreprise.

Sa nature gourmande sera également bien servie dans l'alimentation, l'épicerie, la restauration (quel cordon-bleu!) et l'hôtellerie. Il aime également la psychologie, les soins à autrui, l'éducation, les services de garderie et la comptabilité.

Son côté protecteur le pousse souvent à gagner sa vie dans un domaine où il pourra laisser libre cours à son désir d'aider l'humanité tout entière. S'il a choisi un métier moins lié au service au public, il demeurera néanmoins attentif au bien-être d'un collègue, d'un confrère ou d'un employé qui a des problèmes. Il ne peut s'empêcher de s'inquiéter pour les autres.

Ses loisirs

L e Cancer a besoin de sentir tout son petit monde autour de lui pour être vraiment bien. Il préférera donc avoir des activités familiales plutôt que des sorties dans les boîtes de nuit à la mode... Si vous avez besoin de son aide pour garder le petit dernier, pour préparer un repas alors que vous êtes alité, appelez-le, il arrivera en moins de temps qu'il n'en faut pour le dire.

D'ailleurs, notre Cancer aime bien cuisiner. Il est gourmand, d'accord, mais c'est aussi pour lui un bon moyen de réunir autour de lui tous ceux qu'il aime. Il n'hésitera pas à passer des heures dans la cuisine pour vous concocter des petits plats. Et si vous discutez recettes avec lui, alors ce super cordon-bleu vous éblouira par ses talents et ses connaissances culinaires.

Son esprit de famille est très développé et, pour cette raison, l'histoire et la généalogie sauront l'attirer. Très attaché aux souvenirs, aux objets anciens ou aux bricolages des enfants, il pourrait même devenir collectionneur.

Si vous décidez de l'emmener au cinéma ou de lui acheter un roman, n'hésitez pas à cultiver son côté fleur bleue. Les grandes histoires de tendresse et de romantisme sauront le ravir, surtout si la fin consiste en une envolée lyrique sur fond de retrouvailles, de mariage ou d'amour passionné.

Sa décoration

On sait que le Cancer aime bien se protéger sous sa carapace et offrir un refuge aux membres de sa famille. Son intérieur sera donc confortable, chaleureux et douillet. Son petit nid lui permet de se retrancher d'un monde qui va trop vite et qui se fait trop stressant. Chez lui, vous vous sentirez en sécurité, protégé et choyé.

Sa décoration peut sembler hétéroclite, car il aime les objets et il en a accumulé au fil des ans. Il y en a partout. Cet adepte du cocooning s'est créé un cocon douillet où l'histoire de sa petite famille peut se lire au moyen des nombreux souvenirs qui y sont exposés: des photos, le premier soulier de l'aîné, les trophées sportifs du benjamin, un beau dessin de sa cadette, qui aura bientôt 50 ans... mais qu'à cela ne tienne, le Cancer a tout conservé. Si un membre de sa famille cherche un document familial, il est à peu près assuré de le retrouver dans les nombreux souvenirs entreposés chez lui.

La Lune gouverne son signe. Le Cancer aura donc tendance à s'entourer de rondeur. On constate cela en examinant les meubles anciens qu'il aime: les sièges profonds, les consoles et les commodes aux formes rebondies. Chez lui, aucune arête; tout accentue le sentiment de douceur et de bien-être, qui frappe dès qu'on arrive chez lui. On se sent tellement bien chez lui qu'il est souvent bien difficile de s'en aller... les enfants le savent bien.

Son budget

L e Cancer est un être sage. On pourrait même le qualifier de peureux. Il ne risquera pas ses économies sur un coup de tête.

Avec lui, le mot modération a tout son sens. Il pèse sans cesse le pour et le contre avant de délier les cordons de sa bourse. Si une dépense peut attendre, s'il n'est pas sûr, il y réfléchira deux fois. Et s'il se sent pressé de prendre une décision, il se rebellera et se renferma bien vite dans sa carapace.

Ce n'est pas un être pingre, mais il connaît bien la valeur des choses. Il mise sur la qualité plutôt que la quantité. Sa voiture, même chère, durera longtemps et lui assurera la sécurité qu'il recherche. Sa maison sera solide et située dans un quartier où sa valeur augmentera avec les années.

Il sait investir dans des obligations ou des actions stables; ce n'est pas lui qui courra un risque à la Bourse. Il préfère y aller d'un train pépère, mais arriver à bon port. D'ailleurs, il se décide lentement, mais ne se trompe pas. Son avenir est planifié, et sa retraite, bien préparée. C'est un être sage qui ne mettra pas sa sécurité en péril.

Pour dépanner un être cher, voilà quelqu'un sur qui on peut compter. Il accourra, et souvent avec les bras chargés d'une multitude de solutions... quand ce ne sera pas de présents.

Quel cadeau lui offrir?

I l est relativement facile de faire plaisir à un Cancer. Puisque son intérieur a tellement d'importance à ses yeux, un petit quelque chose pour sa maison, un bibelot, un souvenir ou un objet sera grandement apprécié, surtout si cela ajoute encore un peu de rondeur à son environnement.

Puisque la cuisine est sa passion, n'hésitez pas à lui offrir des livres de recettes, des ustensiles, de la vaisselle, des accessoires pour sa table, ou un grand gueuleton dans un bon restaurant.

En fait, c'est plus le geste en lui-même qui comptera à ses yeux, donc vous n'aurez pas besoin de vous ruiner pour lui faire plaisir. Par exemple, un objet fait de vos mains, ou mieux encore par un enfant, le ravira.

Un dessin, une poterie, une peinture, un coussin au crochet, un pull tricoté de vos mains, une vieille photographie de vos ancêtres communs agrandie et encadrée, voilà ce qu'il appréciera. Et n'ayez crainte, votre cadeau occupera une place de choix parmi ses plus chers souvenirs.

Les enfants Cancer

Un bébé Cancer est un bébé facile. On ne l'entend jamais, il fait ses nuits, dort beaucoup et ne pleurniche pas, à moins justement qu'on l'ait empêché de faire un gros dodo.

Ce sera aussi un petit glouton qui aimera bien le sein de sa maman, plus que le biberon d'ailleurs.

Affectueux, sensible et obéissant, ce formidable bout de chou cherchera toujours à faire plaisir. Les petits garçons sont très attachés à leur maman et le resteront toute leur vie. Il faut donc leur apprendre à voler de leurs propres ailes et ne pas trop les couver, car ils pourraient s'accrocher à vous et ne pas prendre leur envol.

L'enfant Cancer gardera toute sa vie un indéfectible souvenir de la maison de son enfance et de sa famille. Il faudra le pousser hors du nid lorsque le temps sera venu, sinon il pourrait bien continuer à y trouver refuge à la moindre inquiétude. En fait, il reviendra souvent vers vous pour chercher sa dose de tendresse.

L'enfant Cancer a un cœur d'or; il pourrait donner tout ce qu'il a à ses petits camarades moins bien lotis. Il devra apprendre à être plus réaliste, à ne pas trop dépendre des autres, à ne pas trop chercher à surprotéger ses frères ou ses sœurs pour s'épanouir dans la vie.

L'ado Cancer

En tant que signe d'eau, le jeune Cancer a une sensibilité à fleur de peau. Tu ressens l'influence de ton milieu familial, et ta mère occupe une place prépondérante dans ta vie, parfois même à ton insu.

Affectueux, tranquille et plutôt réservé, tu as une imagination très féconde qui te porte à la rêverie. Le plus important pour toi est de te sentir aimé, et tu te montres prévenant et aimable avec tous ceux qui t'entourent, allant même parfois au-devant de leurs désirs, avant qu'ils les aient exprimés. Lorsque quelqu'un se montre intransigeant avec toi, ou si tu penses qu'on s'en prend à un membre de ta famille, tu deviens dur et tu ne te laisses pas faire.

Ta sensibilité te rend un peu timide; tu ne donnes pas ta confiance facilement et, dans un nouveau groupe, tu as tendance à rester à l'écart. Pourtant, lorsque tu es entouré de ceux qui t'aiment, tu t'ouvres: tu te sens vraiment à l'aise.

À l'instar de la Lune qui gouverne ton signe, tu es quelqu'un de changeant. On te trouve parfois capricieux, voire girouette. La raison de ta versatilité est que ta vie émotive guide tes états d'âme. L'avenir t'inquiète un peu, mais tu dois apprendre à apprécier tout ce que la vie met de bon sur ton chemin, sans trop t'arrêter à ses aspects les moins jolis!

Tu es profondément humaniste et généreux, tu as un très grand cœur, un sens profond de la famille. La fidélité et la loyauté ne sont pas les moindres de tes qualités. Tu attends le grand amour, car tu accordes beaucoup de valeur aux sentiments. Tu rêves même d'une petite famille bien à toi, que tu pourras aimer, protéger et gâter.

Tes études

Pour que tu donnes un bon rendement, il te faut un environnement d'étude chaleureux. Les polyvalentes géantes et les cégeps impersonnels t'effraient. Malgré tout, comme tu es doué et travailleur, tu réussis à te débrouiller. Décider de ton orientation est par contre un véritable casse-tête. Que choisir? Tu as tellement d'aptitudes et de talents. Mais tu es un peu lent. Tu veux être sûr de faire le bon choix, de ne pas te lancer à l'aveuglette dans un domaine qui ne te plaira pas à 100 %. Prends ton temps, fais confiance à tes capacités et à tes qualités, et tout ira bien. Une fois que ton choix sera fait, ce sera sans aucun doute le bon.

Ton orientation

Musique, écriture et poésie, peinture, tous les arts te plaisent. Tes talents artistiques sont variés et immenses. Même si tu décides de ne pas les utiliser pour en faire ta carrière, il te faut les développer car ils seront une bonne base de ressourcement. Tu as une imagination fertile et si tu sais bien l'utiliser, elle te permettra de mieux canaliser ton émotivité. L'alimentation ou le travail avec les enfants sont d'autres secteurs qui pourraient te plaire. Les techniques de garderie, l'enseignement, l'histoire, la géographie, la diététique, la restauration, l'hôtellerie, les services de traiteur, le cinéma, les soins infirmiers, la médecine, la gestion, la décoration, le jardinage, l'immobilier, la plomberie, le commerce, les antiquités sont autant de domaines qui te permettront d'exprimer tes capacités. Tu vois: tu as le choix.

Tes rapports avec les autres

Tu pressens les événements et les situations. Si un de tes proches est en difficulté, ton intuition te préviendra. Tu as du flair, mais tu ne t'y fies pas assez. Très sensible à l'opinion de tes amis, tu seras ton plus dur critique. Bien sûr, tu es le meilleur juge, mais ne te laisse pas influencer, forge-toi ta propre opinion sans te ranger à celle du voisin par commodité.

Tu es un ami formidable; ta générosité, tes attentions et ta gentillesse font de toi une personne très recherchée. Et en plus, on te sait très fidèle en amitié comme en amour. Il est à peu près sûr que tu as gardé tes meilleurs amis depuis l'école maternelle ou primaire.

Meryl Streep, Jean-Pierre Ferland, Robert Charlebois, Garou, George Michael, Claire Lamarche, Sylvie Tremblay, Charles Biddle jr, Renée Claude, Sylvester Stallone, Ringo Starr, Nathalie Simard, Tom Hanks, Michel Louvain, Yves Corbeil, Carlos Santana, Marie-Josée Taillefer, Michel Tremblay, Tom Cruise, Isabelle Adjani, Joanne Prince.

Pensée positive pour le Cancer

Je vais de l'avant en toute confiance. Je suis libéré de mon passé et je deviens réceptif à tout ce que la vie et les autres veulent me donner de bon.

Pensée positive spéciale pour 2005

J'accepte avec sérénité les transformations qui se produisent. Dans mon for intérieur, je sais parfaitement que c'est pour le mieux.

Le subconscient nous dirige toujours selon nos pensées. En répétant le plus souvent possible ces pensées conçues tout spécialement pour vous, vous vous attirerez plein de belles choses.

Signe: Cancer

Élément: Eau

Catégorie: Cardinal

Symbole: ♋

Points sensibles: Appareil digestif, foie, estomac, rate, pancréas, seins, glandes mammaires. Dyspepsie, digestion lente, besoin de beaucoup de sommeil.

Planète maîtresse: La Lune, qui représente l'émotivité.

Pierres précieuses: Perle, onyx, pierre de lune

Couleurs: Blanc, gris, argent, toutes les couleurs pastels.

Fleurs: Rose blanche, lys, nénuphar.

Chiffres chanceux: 3-8-11-15-23-29-33-35-46-48

Qualités: Sensible, esprit de famille, dévoué, hospitalier, bienveillant, tenace, très maternelle.

Défauts: Indécis, peureux, rêveur, lent à démarrer, accroché à sa mère, dépressif, vit dans ses souvenirs et dans le passé.

Ce qu'il pense en lui-même: Qu'est-ce que je pourrais faire pour faire plaisir aux enfants?

Ce que les autres disent de lui: Les enfants d'abord, les autres ensuite.

Prédictions annuelles

De puissantes influences planétaires continuent de s'exercer dans votre ciel. Vous êtes à la croisée des chemins, vous ne pouvez plus remettre à plus tard les importantes décisions qui s'imposent depuis un certain temps déjà. À force d'être ballotté par les événements et, avouons-le, par les autres, vous atteignez un point de non-retour. Il faut que ça change, et c'est cette année que ça se produira. Votre vision de la vie évolue. Vous êtes en plein cycle de recherche d'identité, et cela apporte des transformations; à certains moments, vous ne vous reconnaissez même pas. Cet état de crise existentielle dure jusqu'à votre anniversaire. Par la suite, vous amorcez une phase de libération. Le cheminement des dernières années n'aura pas toujours été facile, mais il vous aura mis sur la voie de l'épanouissement et de la réalisation.

SANTÉ – Avec la lourdeur des différents transits actuels, il faut vous surveiller de près. Si vous faites davantage attention à vous, si vous respectez les règles d'une saine hygiène et si vous proscrivez le laisser-aller, vous resterez à l'abri des ennuis. Ceux qui choisiront de se prendre en main auront des résultats positifs et durables. Redoublez de prudence dans vos déplacements et lorsque vous utilisez des objets avec lesquels vous pourriez vous blesser. Finalement, cessez d'abuser de vos forces: apprenez à dire non et ne laissez plus les autres gruger votre énergie.

SENTIMENTS – Pourquoi vous sentir constamment coupable? Il n'y a aucun mal à remettre à leur place ceux qui ambitionnent ou qui vous manquent de respect. Ça fait trop longtemps que votre entourage déverse ses problèmes sur vous. À trop couver vos proches, à régler leurs difficultés à leur place, vous entretenez une relation malsaine et, en plus, vous ne leur rendez pas vraiment service. Misez davantage sur vous, reprenez votre place et laissez faire les jérémiades des égoïstes. Ce sentiment de solitude que vous éprouvez depuis quelque temps pourrait se dissiper en faisant un peu d'effort pour socialiser; arrêtez de vous isoler et de tout garder à l'intérieur. L'automne s'annonce très prometteur et viendra mettre du piquant dans votre vie.

AFFAIRES – Vous n'avez pas encore le plein contrôle de la situation; il faut, jusqu'en juillet, continuer de vous plier à la volonté des autres et composer avec tous les changements que la vie vous réserve. Par après, vous entamez une phase de redressement durant laquelle vous parvenez à reprendre les choses en main. La deuxième moitié de l'année promet d'être bien plus positive. Votre coefficient de chance va en augmentant, si bien que, durant les 10 dernières semaines, vous pourriez même remporter un beau prix lors d'un tirage. Cette ère de prospérité continuera tout au long de 2006. D'ici là, ne courez aucun risque avec votre argent, et protégez-vous contre les voleurs et les profiteurs.

Janvier

D	L	M	M	J	V	S
						1
2	3D	4D	5F	6F	7	8
9	10●	11	12	13F	14F	15D
16D	17D	18	19	20	21	22
23/30D	24/31D	25○	26	27	28	29

○	Pleine lune	●	Nouvelle lune
F	Jour favorable	D	Jour difficile

SANTÉ – Tout se déroule plutôt bien jusqu'au 10. Par après, l'opposition Mercure-Saturne dans l'axe de votre signe risque à la fois de vous énerver et de vous prédisposer à des ennuis psychosomatiques. C'est simple: essayez de vous changer les idées et apprenez à vous détendre. En agissant de la sorte, vous éviterez de vous retrouver sur le carreau.

SENTIMENTS – La même chose se produit ici: vos relations interpersonnelles se portent bien au cours de la première dizaine, mais vous devez vous armer de patience le reste du mois. Votre entourage n'est pas toujours bien disposé; vous devez vous dévouer pour un parent ou un enfant qui traverse des moments difficiles. Attention à vos paroles; on risque de faire une montagne avec des riens.

AFFAIRES – Même si ça ne fonctionne pas du premier coup, je vous encourage à persister. La ténacité combinée à votre souplesse naturelle sont assurément vos meilleurs atouts en ce début d'année. Un conseil: ne signez rien sur un coup de tête et méfiez-vous des achats impulsifs; dans un cas comme dans l'autre, cela jouerait contre vous et vous finiriez par le regretter.

Février

D	L	M	M	J	V	S
		1F	2F	3F	4	5
6	7	8●	9	10F	11F	12D
13D	14	15	16	17	18	19
20	21	22	23○	24	25	26D
27D	28D					

○	Pleine lune	●	Nouvelle lune
F	Jour favorable	D	Jour difficile

SANTÉ – Les aspects planétaires deviennent plus contrariants une fois la première semaine écoulée, voilà pourquoi vous devez faire preuve d'une attitude encore plus vigilante. En étant prudent et cohérent, vous pourrez éviter tout aussi bien les blessures que les défaillances physiques. Moralement, par contre, on assiste à un beau revirement, si bien qu'à partir du 17, vous devriez être animé d'une joie de vivre peu commune.

SENTIMENTS – Entre le 7 et le 28, certains membres de votre entourage risquent de traverser des moments pénibles, vous pourriez être obligé d'intervenir. Votre conjoint aussi file un mauvais coton; pas facile de savoir ce qui le chicote. Au moins, quelqu'un d'autre vous fait part d'une bonne nouvelle dans la seconde quinzaine, et cela vous surprend agréablement.

AFFAIRES – Au boulot, c'est la première semaine qui offre le meilleur potentiel. Par la suite, délais et contretemps risquent de s'accumuler. En ce mois, mieux vaut vous protéger contre les malfaiteurs et les escrocs. Même si elles se révèlent plus laborieuses que prévu, les démarches effectuées entre le 16 et le 28 finiront néanmoins par donner des résultats encourageants.

Mars

D	L	M	M	J	V	S
		1F	2F	3	4	5
6	7	8	9F	10●F	11D	12D
13	14	15	16	17	18	19
20	21	22	23	24	25○D	26D
27D	28F	29F	30	31		

○	Pleine lune	●	Nouvelle lune
F	Jour favorable	D	Jour difficile

SANTÉ – L'opposition Mars-Saturne dans l'axe de votre signe risque à la fois de vous fragiliser et de vous prédisposer aux accidents, et ce, jusqu'au 21. Prenez les précautions qui s'imposent sans oublier de vous garder du temps pour décompresser. En agissant de la sorte, vous éviterez de vous retrouver sur le carreau. Vous sentez vos forces revenir par la suite; vous devenez plus résistant, sans compter que vous avez davantage d'énergie.

SENTIMENTS – Drôle de mois en perspective. Avec certains, c'est la félicité totale, avec d'autres, ça accroche sérieusement. Misez sur les relations qui vont bien et ne laissez pas les autres vous empêcher de profiter de votre bonheur. Un membre de la famille se retrouve encore dans de beaux draps. Les célibataires pourraient faire une agréable rencontre d'ici le 23; même si la passion n'est pas très présente au début, elle pourrait certainement s'enflammer en cours de route.

AFFAIRES – C'est vrai que la pression est grande et que les choses sont loin de marcher à votre goût, mais sachez qu'à compter du 21, le climat devrait s'alléger considérablement. En attendant, continuez de bien verrouiller vos portes, refusez de prêter un sou et restez loin des aventures hasardeuses qui pourraient vous coûter cher. Au fait, une aide providentielle peut vous sortir d'une situation embarrassante.

Avril

D	L	M	M	J	V	S
					1	2
3	4	5F	6F	7D	8●D	9D
10	11	12	13	14	15	16
17	18	19	20	21	22D	23D
24○F	25F	26	27	28	29	30

○	Pleine lune et éclipse lunaire annulaire	●	Nouvelle lune et éclipse solaire annulaire totale
F	Jour favorable	D	Jour difficile

SANTÉ – Bien que les éclipses occasionnent un certain stress, c'est peu de chose comparé aux mauvais aspects planétaires subis lors des dernières semaines. Un minimum de discernement devrait donc aisément vous garder à l'abri des ennuis. À vrai dire, votre point sensible demeure votre trop grande émotivité: vous vous en faites pour des riens, vous broyez du noir inutilement et vous appréhendez trop l'avenir.

SENTIMENTS – Ce n'est pas toujours évident de faire régner l'harmonie autour de vous, il se trouve toujours quelqu'un pour chercher la bête noire. Peut-être le temps serait-il venu de clouer le bec à ceux qui empoisonnent sans cesse l'atmosphère? Entre le 16 et le 30, vous éprouvez plusieurs joies auprès de vos amis et de votre chéri.

AFFAIRES – En ce mois, vous devez apprendre à composer avec l'imprévu. Servez-vous de votre flair lorsque les chambardements surviennent, vous tirerez ainsi brillamment votre épingle du jeu. Au cours de la seconde quinzaine, on pourrait vous donner de judicieux conseils, voire faciliter l'atteinte d'un de vos objectifs. Excellente période pour trouver une solution ingénieuse à un problème qui perdure.

Mai

D	L	M	M	J	V	S
1	2	3F	4F	5D	6D	7
8●	9	10	11	12	13	14
15	16	17	18	19D	20D	21F
22F	23○F	24	25	26	27	28
29	30F	31F				

○	Pleine lune	●	Nouvelle lune
F	Jour favorable	D	Jour difficile

SANTÉ – On dirait que vous renaissez. En effet, il y a longtemps que vous ne vous êtes senti aussi bien. Finis la fatigue et le manque de ressort! Votre vitalité fraîchement retrouvée se traduit par une mine radieuse, un teint éclatant et une présence que tous remarquent. Même le moral remonte et, à partir du 12, plus rien ne risque de le miner.

SENTIMENTS – Vous entreprenez un cycle très heureux qui devrait durer jusqu'à la fin du mois prochain. En plus de régler les différends, de trouver des réponses à vos questions et de solutionner vos problèmes, vous affichez un charisme hors du commun. Magnifique période pour renouer avec vos amis, pour vous en faire de nouveaux et même pour mettre du romantisme dans votre vie. Ça redémarre, bravo!

AFFAIRES – Ici aussi, les influences sont plus encourageantes. Des changements positifs vous permettent de repartir du bon pied. Un nouvel emploi, l'obtention d'un contrat ou tout simplement une plus grande marge de manœuvre vous donne des ailes. Bon temps pour assainir vos finances et pour vous débarrasser de certaines dettes. Entre le 12 et le 28, vos démarches pourraient finalement aboutir.

Juin

D	L	M	M	J	V	S
			1D	2D	3	4
5	6●	7	8	9	10	11
12	13	14	15	16D	17D	18F
19F	20	21○	22	23	24	25
26F	27F	28D	29D	30		

○	Pleine lune	●	Nouvelle lune
F	Jour favorable	D	Jour difficile

SANTÉ – On peut dire que les astres vous choient jusqu'au 12; vous avez tout ce qu'il faut pour profiter à fond de la vie. Bon temps pour faire le plein d'énergie. Le reste du mois exige davantage de précautions afin d'éviter un accident ou un malaise. Ce serait dommage de vous retrouver à plat, surtout que vous serez réellement en beauté du 4 au 28.

SENTIMENTS – Avec le passage de Vénus dans votre signe, vous traversez un cycle particulièrement significatif pour vos amours. Certains prennent d'importantes décisions quant à l'avenir de leur couple, d'autres font une rencontre susceptible de transformer radicalement leur existence. Votre popularité est à la hausse; on recherche constamment votre présence.

AFFAIRES – Agissez sans tarder afin que tout marche comme sur des roulettes: en effet, la première quinzaine est nettement supérieure à la seconde. Votre carrière connaît un bel essor tandis que vos entreprises prospèrent, tout comme vos finances d'ailleurs. Par la suite, vous devez ralentir et vous contenter de ce qui s'offre à vous, même si ce n'est pas votre premier choix.

Juillet

D	L	M	M	J	V	S
					1	2
3	4	5	6●	7	8	9
10	11	12	13D	14D	15F	16F
17	18	19	20	21○	22	23
24F/31	25F	26D	27D	28	29	30

○	Pleine lune	●	Nouvelle lune
F	Jour favorable	D	Jour difficile

SANTÉ – La tension nerveuse diminue, malheureusement les dangers de vous blesser ou de subir quelque ennui de santé perdurent jusqu'au 28. Je compte sur vous pour prendre toutes les précautions d'usage. La négligence et les abus jouent contre vous, mais il n'est pas trop tard pour vous ressaisir. Ne seriez-vous pas un peu trop sédentaire?

SENTIMENTS – Des frictions sont possibles avec l'entourage, mais vous savez trouver la bonne attitude et les bons mots pour que cela s'arrange. Les trois premières semaines risquent d'être difficiles pour un proche; vous devrez encore une fois vous dévouer. Merveilleuse période pour vos amours entre le 22 juillet et le 18 septembre: réconciliations, rencontres ou déclarations sont au menu.

AFFAIRES – Vous devez sans cesse vous battre pour arriver à vos fins, rien ne vous tombe tout cuit dans le bec. Votre acharnement et votre grande détermination viendront à bout de tout. De toute façon, vous êtes sur le point de commencer un cycle plus fortuné. Un vol, un dégât à la maison ou une escroquerie pourra être évité à condition de redoubler de prudence.

Août

D	L	M	M	J	V	S
	1	2	3	4●	5	6
7	8	9D	10D	11D	12F	13F
14	15	16	17	18	19○	20F
21F	22D	23D	24	25	26	27
28	29	30	31			

○	Pleine lune	●	Nouvelle lune
F	Jour favorable	D	Jour difficile

SANTÉ – Le ciel se dégage! Ce n'est pas trop tôt, j'en conviens. Vous voici désormais dans une phase plus harmonieuse durant laquelle vous pourrez aisément vous débarrasser de ce qui vous dérangeait et repartir du bon pied. Pourquoi ne pas commencer dès aujourd'hui? Le mois est parfait pour mettre de l'ordre dans votre vie ainsi que dans vos idées ou pour consulter un professionnel de la santé.

SENTIMENTS – N'oubliez pas que Vénus, planète du bonheur amoureux, vous sourit jusqu'au 18 et que, grâce à elle, vous pourriez combler le vide de votre existence. Si vous avez déjà quelqu'un qui vous accompagne, celui-ci fera de gros efforts pour se rapprocher de vous. À la même période, un frère, une sœur ou un enfant pourrait vous confier une bonne nouvelle. Plusieurs occasions de sortir en vue, n'allez surtout pas refuser!

AFFAIRES – Première bonne nouvelle: Saturne a quitté votre signe et n'y reviendra pas de sitôt. Vous pouvez dire adieu aux pertes, aux déceptions et aux attentes qui n'en finissent plus. Le moment est venu d'aller de l'avant, de foncer. Autre fait intéressant, la planète Mars, à l'origine de ces nombreux conflits qui sévissaient depuis plusieurs semaines, est elle aussi partie embêter quelqu'un d'autre.

Septembre

D	L	M	M	J	V	S
				1	2	3●
4	5D	6D	7D	8F	9F	10
11	12	13	14	15	16F	17○F
18D	19D	20	21	22	23	24
25	26	27	28	29	30	

○	Pleine lune	●	Nouvelle lune
F	Jour favorable	D	Jour difficile

SANTÉ – Vous disposez d'une énergie à toute épreuve. En plus de remonter la pente à vue d'œil, vous avez un moral du tonnerre. Le seul problème, c'est de résister à la gourmandise, particulièrement forte dans la première quinzaine. Le reste du mois serait tout à fait approprié pour une remise en beauté ou pour un régime amaigrissant.

SENTIMENTS – Entre le 12 septembre et le 8 octobre, vous bénéficiez d'un transit fort avantageux de Vénus. Une vie sociale particulièrement emballante vous permet de vous lier avec des gens formidables. Elle pourrait même offrir aux solitaires l'occasion de trouver l'âme sœur. Quant à ceux qui sont déjà en couple, ils peuvent resserrer les liens qui les unissent à leur partenaire.

AFFAIRES – Les trois premières semaines offrent le plus de potentiel. Vos démarches en vue d'améliorer votre situation financière ou professionnelle donnent des résultats rapides et concrets. Votre verve vous permet de rallier tout le monde à votre cause, y compris les plus récalcitrants. Avouons qu'il n'y a pas que vos talents de communicateur qui opèrent, votre charme y est pour beaucoup lui aussi.

Octobre

D	L	M	M	J	V	S
						1
2	3●D	4D	5F	6F	7	8
9	10	11	12	13	14F	15F
16D	17○D	18	19	20	21	22
23/30D	24/31D	25	26	27	28	29

○ Pleine lune et éclipse lunaire partielle   ● Nouvelle lune et éclipse solaire annulaire
F   Jour favorable   D   Jour difficile

SANTÉ – Peu de choses à redouter des éclipses de ce mois, si ce n'est que vous semblez plus tendu, plus stressé durant les 10 premiers jours; si vous éprouvez quelques dérangements, n'en cherchez pas la cause trop loin. Par la suite, vous êtes détendu et souriant. Votre belle énergie peut alors s'exprimer à souhait.

SENTIMENTS – Je vous rappelle que Vénus continue à vous faire de l'œil jusqu'au 8 et que, par conséquent, vous avez les atouts nécessaires pour transformer votre vie affective en conte de fées. Rien à redouter du reste du mois; c'est un peu plus tranquille, mais vos amours continuent sur une belle lancée et votre cote de popularité reste haute. Plusieurs bonnes nouvelles en provenance de vos proches surviennent après le 9.

AFFAIRES – Entre le 10 et le 31, une succession d'influences positives vous aide à donner un nouvel élan à votre carrière. Un poste à la hauteur de vos aspirations, une promotion, la permanence ou une augmentation de salaire vient couronner vos efforts. Bonne période pour les déplacements d'affaires ou de plaisance. Ajoutons qu'une surprise sur le plan financier vous attend vers la fin du mois.

Novembre

D	L	M	M	J	V	S
		1●F	2F	3F	4	5
6	7	8	9	10F	11F	12D
13D	14	15○	16	17	18	19
20	21	22	23	24	25	26D
27D	28D	29F	30F			

○	Pleine lune	●	Nouvelle lune
F	Jour favorable	D	Jour difficile

SANTÉ – Une seule planète fait obstacle à votre signe, et son influence est mineure. C'est donc dire qu'avec un minimum d'efforts, vous triompherez haut la main. Vous disposez toujours d'une vitalité hors pair, vous résistez parfaitement bien à la maladie et aux infections. De fait, seule votre tendance à ressasser le passé, ou votre manie à vous en faire pour des riens, risque de ralentir votre course. Vite, changez-vous les idées!

SENTIMENTS – Avec tout le charisme que vous avez, pas étonnant que vous soyez tellement en demande! Les invitations et les propositions excitantes arrivent de tous les côtés. Le seul auquel cela plaît moins, c'est votre conjoint, qui trouve que vous le négligez. C'est vrai que l'on ne vous reconnaît plus: vous, d'habitude si casanier, êtes désormais constamment sur la trotte. Entre vous et moi, vous faites bien de vous gâter et de profiter de ce qui passe.

AFFAIRES – Le mois s'annonce passablement occupé. Il y une montagne de besogne à abattre mais, comme vous êtes à la fois très motivé et très organisé, vous menez tout ça de main de maître. Les finances sont en pleine remontée; par ailleurs, les magasins regorgent de tentations. Une rentrée d'argent imprévue, possiblement dans un tirage, pourrait vous permettre de vous offrir un petit luxe.

Décembre

D	L	M	M	J	V	S
				1●	2	3
4	5	6	7F	8F	9D	10D
11D	12	13	14	15○	16	17
18	19	20	21	22	23	24D
25D	26F	27F	28	29	30●	31

○	Pleine lune	●	Nouvelle lune
F	Jour favorable	D	Jour difficile

SANTÉ – Tout va pour le mieux dans le meilleur des mondes. À partir de la seconde quinzaine, votre ciel est parfaitement dégagé et vous trouvez un remède à tous vos petits bobos. Le moral est plus solide que le mois dernier; vous avez parfaitement raison de faire davantage confiance à la vie. Avec quelques efforts, vous allez repartir du bon pied et recouvrer votre potentiel.

SENTIMENTS – Votre partenaire fait encore un peu la tête durant la première quinzaine, mais son sourire réapparaît par la suite. Si vous êtes seul, gardez l'œil ouvert, il y a du changement dans l'air. Les occasions de vous divertir demeurent nombreuses. À la maison, un proche arrive avec des nouvelles encourageantes.

AFFAIRES – Bien que tout le mois soit constructif, il y a quelque chose de magique d'ici le 13. Vos entreprises fonctionnent presque par enchantement; vous avez un sens du *timing* extraordinaire, sans compter que vous pourriez rafler un prix à la loterie ou dans un concours. Bref, vous terminez l'année sur une note favorable. Tous les espoirs sont permis pour 2006.

Lion

♌

du 24 juillet au 23 août

E n bon Lion que vous êtes, vous régnez sur votre petit monde, et cela se voit. Vous êtes la vedette de votre cercle amical ou familial, et vous appréciez que les têtes se tournent sur votre passage. On vous remarque, et tout en vous contribue à cela: vos vêtements, vos attitudes, votre démarche, bref votre allure générale est féline et ne passe pas inaperçue.

Vous voulez être à la tête de la meute, partout et dans tout. Votre intérieur doit être le mieux tenu, votre carrière doit atteindre des sommets, vous devez remporter le plus important trophée sportif, vous devez diriger une multinationale, bref que ce soit pour récurer les chaudrons ou pour diriger une banque, vous ne jouerez jamais les seconds violons.

On ne peut pas dire que vous soyez mauvais perdant; vous êtes plutôt un gagnant qui a du panache et qui sait se montrer débonnaire et généreux avec autrui. La victoire vous va bien, il n'y a pas de doute là-dessus. Et souvent, vous la méritez. Énergique, ambitieux, ayant du cœur à l'ouvrage, vous vous donnez à 100 % ou, plutôt, à 200 %. Vous vous concentrez sur votre but, et votre ardeur est remarquable. Rien ne semble trop difficile à vos yeux, quitte à redoubler d'efforts pour atteindre votre but. Qu'il s'agisse d'un poste de direction, de l'aménagement de votre demeure, de vos cours de piano, tout est mis en œuvre pour contribuer à votre triomphe. Le résultat est remarquable et remarqué, et c'est le but que vous vous étiez fixé. Vous ne supportez pas l'indifférence.

Et bien sûr, quand on ne laisse pas indifférent, certains admirateurs nous soutiennent et d'autres nous envient. Vous serez donc souvent l'objet de jalousie et de critiques acerbes. Vous occupez toute la scène, et certains vous reprocheront de jouer à la star; ne vous en faites pas avec ces mesquineries, car dans le fond ces gens vous envient et vous admirent. En fait, tout vous réussit si bien qu'on pourrait croire que vous parvenez à votre but sans effort, que tout vous tombe du ciel, et pourtant, vous travaillez d'arrache-pied pour obtenir tout ce que vous possédez… Vous savez si bien cacher vos efforts qu'on dirait que votre succès va de soi, vous avez tellement l'air d'être au-dessus de vos affaires.

Il en va de même sur le plan personnel. Vous dissimulez vos soucis, vos inquiétudes et votre chagrin; vous dites que tout va bien, même lorsque vous êtes désemparé. Vous êtes tellement habile pour cacher vos tracas que même vos proches n'y voient que du feu… et vous vous sentez bien seul dans ces moments-là.

Vous régnez sur votre entourage, certes, mais vous n'êtes ni un être arrogant ni un avare. Vous êtes un roi qui veille attentivement sur ses sujets et vous savez vous montrer très généreux.

Démonstratif et ardent comme vous l'êtes, vous vivez vos amours sous le signe de la passion, et vous recherchez un partenaire qui vous fera honneur. Si en plus cette personne se montre indifférente ou est inaccessible, le défi n'en est que plus attirant pour le Lion, qui se lancera alors dans une véritable chasse.

En tant que maître du monde, vous avez un sens de la justice très élevé. Vous êtes une personne entière, honnête et droite, et vous demandez la même chose de votre entourage. Hélas! tout le monde ne vous ressemble pas. Ainsi, si vous vous associez, cette union sera profitable… à vos partenaires, car vous mettrez tout votre cœur et beaucoup de passion à votre travail, ce qui rapportera beaucoup à ceux qui en feront moins et qui vous laisseront agir. Vous donnez de bon cœur, mais vous ne pardonnez pas de sitôt la duperie et le mensonge. Dans ces cas-là, le Lion en vous se réveille et gronde.

Comme leurs homologues des savanes, les femmes Lion seront souvent reines de leur foyer et pourront mener sans problème une carrière parallèle à leur vie domestique. Elles vont «chasser» pour rapporter de la nourriture.

Votre signe est celui du commandement, de la gestion, et, même si vous commencez au bas de l'échelle, vous finirez par obtenir un poste de direction. Vous avez un goût inné pour l'autorité; vous aimez décider de tout, choisir le film que votre conjoint veut voir, organiser les activités des enfants et jusqu'à donner votre avis sur la maison que votre sœur veut acquérir.

Vous êtes là pour tout organiser, tout diriger, et il ne faut certainement pas que les autres viennent se mêler de vos affaires et vous dire quoi faire!

Votre point faible serait sûrement votre petit côté orgueilleux et vaniteux. Vous aimez la flatterie, et cela peut vous jouer de vilains tours. Tout semble facile pour vous, et on a souvent tendance à croire que tout vous arrive sans effort alors que avez certainement travaillé très dur pour en arriver là et pour surmonter de nombreux obstacles. Mais une fois que vous avez réussi, avouez quand même que vous gonflez votre crinière d'orgueil!

Comment se comporter avec un Lion?

L e meilleur moyen de s'entendre avec un Lion est de ne pas s'opposer à lui. Il n'appréciera pas que vous le remettiez en question et pourrait en faire une affaire personnelle. Que vous vous mettiez en colère, que vous criiez, que vous tempêtiez n'y changera rien; au contraire, il s'entêtera. Par contre, le Lion n'est pas insensible à la logique et au bon sens; c'est donc la carte qu'il faut jouer pour le convaincre. Pour obtenir ce que vous désirez, vous pouvez aussi faire appel à ses émotions, à ses bons sentiments. C'est un être généreux qui ne vous tournera pas le dos en cas de besoin. Exposez-lui la situation et laissez-lui le plaisir de proposer son aide. Il aura l'impression que ça vient vraiment de lui et sera d'autant plus heureux de vous donner un bon coup de main.

Le Lion a une haute opinion de lui-même; il aime bien qu'on fasse attention à lui. Au restaurant, à la maison ou en société, n'hésitez pas à lui laisser prendre la première place; il vous en sera reconnaissant… De toute façon, il la prendra, alors autant la lui laisser rapidement pour éviter les heurts. Le Lion aime s'afficher, se faire remarquer. Il aime les activités qui lui permettront de se montrer en public. Invitez-le au théâtre, dans des premières et des lancements officiels. Par contre, vous devrez l'accompagner, car il a besoin de sa petite cour et déteste être seul.

Si vous avez des reproches à lui faire, attendez un tête-à-tête. Ne le faites jamais, au grand jamais, devant une tierce personne ou pire — quel outrage! — en public. Humilié, notre Lion ne vous le pardonnerait jamais. Et même s'il a tort, ne le contredisez pas devant les autres: soutenez-le, quitte à rétablir les choses en privé, lorsqu'il sera mieux disposé à vous écouter. Si vos propos sont sensés et logiques, ou s'il pense vous faire plaisir, il rentrera ses crocs et, en bon gros minet généreux, il se laissera convaincre.

Le Lion soigne particulièrement son image publique; donc, ne lui faites jamais un affront devant les autres, car son âme de fauve saura vous le faire payer cher. Si vous réussissez à lui faire croire que vos idées sont les siennes, si vous ne le prenez pas à rebrousse-poil mais plutôt en jouant la carte de la douce caresse, le félin rugissant deviendra le plus gentil des chats et vous mangera dans la main… Ceci reste entre nous, bien entendu!

Ses goûts

Évidemment, le Lion a des goûts royaux. Il apprécie tout ce qui contribue à le mettre en valeur. Ses vêtements sont élégants, généralement griffés, un peu voyants mais classiques, souvent de teintes claires, beiges ou dorées. Il affiche des bijoux de prix, des pierres véritables, des fourrures bien choisies. Sa maison se remplit de beaux objets, généralement précieux, de dorures et surtout de miroirs qui reflètent ses atours. Il aimera un décor lumineux et luxueux.

À table, la mise en scène l'attire: l'argenterie, un chandelier, une table bien dressée. Dans la nature, le lion est un carnassier. Notre Lion aime aussi les viandes et les sauces raffinées. Il déguste avec élégance, se soucie du décorum et a de belles manières. Ce n'est pas lui qui vous fera honte à table, au contraire, sa présence rehaussera vos repas.

Son potentiel

Ce personnage royal ne se contentera sûrement pas d'un poste de subalterne. Le Lion veut toujours faire mieux que les autres; il consacre donc beaucoup de temps et d'énergie à sa carrière. L'avancement et les promotions, voilà ce qu'il recherche. Par contre, il n'hésitera jamais à commencer en bas de l'échelle, car il sait que son ardeur, ses talents et ses efforts le mèneront rapidement vers les plus hauts sommets de son entreprise. Le balayeur deviendra président de la compagnie.

Le Lion excellera dans les postes de commandement, l'administration, la gestion, la politique, le gouvernement, la finance, les affaires, la haute fonction publique, les postes de responsabilité, les grades les plus élevés de l'armée. Quoi qu'il fasse, il obtiendra un poste clé en peu de temps. D'ailleurs, les Lion sont d'excellents entrepreneurs et démarrent souvent leur propre entreprise ou travaillent à leur compte. Ils aiment dominer mais surtout pas se faire dominer.

Comme ils aiment se mettre en avant pour étaler leur allure féline, leur petit côté théâtral sera bien servi s'ils décident de monter sur les planches; il n'est pas rare de constater que bon nombre d'artistes, notamment des acteurs, soient du signe du Lion. Ce sont des stars dans l'âme.

Ses loisirs

Même si c'est parfois à son insu, le Lion choisit des activités où il pourra briller. Ce n'est pas lui qui passera son temps le nez dans un moteur automobile; il risquerait de s'y salir. Par contre, demandez-lui de conduire une voiture de course, et il sera heureux d'afficher ses qualités. Le Lion aime les sports nobles: le golf, l'équitation, le tennis, le polo ou ceux qui donnent du prestige, comme la formule 1. La victoire leur va très bien. Alors si en plus ils réussissent à devancer leurs adversaires, ils seront les plus heureux du monde.

Le Lion aime déployer ses talents, surtout devant un public. Le théâtre, qu'il a dans le sang, et le chant lui conviennent tout à fait. Sous les feux de la rampe, il s'illumine; c'est une vraie vedette. Il aime aussi assister et se montrer à des spectacles haut de gamme.

Il a une vie mondaine brillante et n'hésite jamais à se faire remarquer. Si un photographe de presse est dans le coin, il s'arrangera pour figurer en bonne place sur les clichés. Et si par hasard, il se retrouve à la une des journaux, il ne se tiendra plus de joie.

En fait, le Lion évolue toujours comme si les caméras de télévision étaient braquées sur lui en permanence. Quoi qu'il fasse, cuisiner, planter un clou ou passer l'aspirateur dans le salon, il le fera sourire aux lèvres. Même ses vêtements de travail seront impeccables. Tout lui réussit, et le voir évoluer avec autant de brio fait les délices de ses admirateurs.

Sa décoration

Le Lion, en bon roi, n'habite pas une maison comme vous et moi, mais plutôt un palais. Il a des goûts grandioses; ce qu'il y a de mieux et de plus luxueux trouve toujours place dans son intérieur, et la dépense ne lui fait pas peur.

Des tapis épais et moelleux, probablement très pâles, blancs ou ivoire, vous accueillent à l'entrée de son antre. Ce qui frappe au premier coup d'œil, ce sont les miroirs: ils sont magnifiques et disposés de manière à refléter les bibelots précieux, les dorures, les objets de cristal. Des meubles très chers et des tentures imposantes viennent compléter une décoration riche et luxueuse. Le Lion possède un goût inné pour le beau. Il sait choisir les plus belles matières, le meilleur bois, les tissus les plus luxueux; il aime l'opulence, et ça se voit. C'est d'ailleurs l'effet recherché.

Il se passionne pour les œuvres d'art, les meubles ayant beaucoup de style, les objets luxueux et n'hésite pas à s'en procurer, même à prix faramineux... Heureusement, malgré un décor chargé, il choisit des couleurs claires: crème, blanc ivoire, jaune doré, or brillant, ce qui crée un ensemble lumineux et impressionnant sans être oppressant. Le Lion adore aussi les mises en scène; s'il vous invite pour un petit goûter à l'improviste, les porcelaines, les dentelles délicates, les vases de cristal seront tout naturellement de la partie. Ce n'est pas la demeure de n'importe qui, et ça se voit.

Son budget

Avec un tel goût pour le luxe, on pourrait croire que le Lion se moque de son budget et pourrait allégrement se ruiner pour un bel objet. C'est vrai qu'il ne regarde pas à la dépense et qu'il aime les belles choses, mais c'est aussi un excellent administrateur qui sait planifier ses achats. Il sait comment se procurer ce dont il a envie, sans pour cela mettre en péril ses finances. Tout un art!

Ses revenus sont aussi bien gérés que son intérieur. Ses placements sont judicieux, et s'il vous donne des conseils financiers, soyez assuré qu'il sait de quoi il parle. Il n'est pas du genre à mettre tous ses œufs dans le même panier et il diversifie fort bien ses investissements: les valeurs mobilières et immobilières, la Bourse n'ont guère de secrets pour lui. Même avec un budget minuscule, il fera des merveilles et réussira à économiser tout en s'offrant de petits luxes, un véritable tour de force qui en impressionne plus d'un.

Les natifs du Lion ont un sens de la gestion bien aiguisé et ils aiment être leur propre maître. Donc, plutôt que de travailler pour autrui, la plupart décideront de se lancer en affaires, ce qui leur permettra d'exploiter plusieurs talents, sans avoir de comptes à rendre. Ils travaillent très fort pour parvenir au succès. Pourtant, tout semble si facile pour eux que plusieurs les envient.

Quel cadeau lui offrir?

Le Lion est un amateur de beaux objets. Tout le monde n'a pas les moyens de lui offrir un voyage autour du monde en paquebot de luxe ou une Ferrari, mais en respectant une petite règle toute simple, on peut lui faire un plaisir incommensurable, même si on ne lui offre qu'un t-shirt ou un bibelot: n'achetez que des articles de première qualité. Choisissez ce qu'il y a de mieux: une veste griffée, un vase de cristal, des fleurs de première qualité. Il appréciera davantage cela qu'une multitude de cadeaux sans valeur.

Le Lion aime qu'on fasse attention à lui; donc, votre présent sera considéré comme un hommage que vous lui rendez. Ne lui offrez donc pas d'argent; il en serait offensé. Notre Lion n'est pas à vendre! Il aura l'impression qu'il n'a pas d'importance à vos yeux; il appréciera plus un cadeau choisi avec amour qu'un chèque lui permettant d'acheter lui-même ce qui lui plaît.

Le cadeau idéal est un bijou: les diamants sont toujours appréciés. Mais si votre budget ne vous le permet pas, des parfums importés, des objets de luxe ou rares, des vêtements élégants (et préférablement griffés) ou des billets pour un spectacle couru sauront lui plaire. Quoi que vous décidiez de lui offrir, soignez particulièrement la présentation de votre cadeau (du papier de soie, un emballage élégant, un ruban doré), car son plaisir en sera décuplé.

Les enfants Lion

Dans un groupe d'enfants, le plus photogénique sera un petit Lion. Même s'il ne sait pas encore dire deux mots, dès que vous sortez un appareil photo, il affiche son plus beau sourire, prêt à vous charmer.

Même lorsqu'il est un bout de chou, le petit Lion fait des mimiques, prend des poses, sourit aux anges. Il a déjà du magnétisme et sait comment être le centre d'intérêt de son entourage. Ce n'est pas un enfant qui s'amuse seul dans son coin; il a besoin d'un public. À la garderie, à l'école, dans la ruelle avec ses copains, il continuera de voler la vedette. Il a besoin de briller et demande beaucoup d'attention. C'est un chef de groupe qui sait se faire respecter.

Avec un enfant Lion, il faut être présent. Vous devez lui manifester de l'affection, même quand il se trompe ou lorsqu'il perd. Vous devez alors lui expliquer que d'autres aussi peuvent gagner et qu'un échec ne signifie nullement qu'il n'est bon à rien. Il doit comprendre qu'il ne peut pas être le premier partout, qu'il n'est pas nécessaire d'être toujours parfait en toute chose. Dites-lui que, malgré ses échecs occasionnels, vous l'aimez tout autant. Les enfants Lion sont brillants, intelligents, travailleurs; vous serez très fier d'eux.

L'ado Lion

Ton signe fait honneur au roi des animaux. Comme lui, tu te fais remarquer, et cela te plaît énormément. Tu as tendance à gonfler ta crinière, à te pavaner un peu, sans méchanceté. Tu ne supportes pas d'être le deuxième; tu dois absolument être le premier en tout. Tu as une nature noble et généreuse, et tu es né pour diriger. Dans ton cercle d'amis, c'est probablement toi qui mènes, et lorsque ce n'est pas le cas, tu peux sortir tes griffes de fauve.

Tu t'exprimes facilement, tu donnes ton point de vue, parfois même lorsqu'on ne t'a pas demandé ton avis. En fait, tu as une assez haute estime de toi.

Quand tu ne te sens pas en forme, tu t'isoles dans ton coin jusqu'à ce que ça aille mieux; tu penses sûrement que c'est mieux pour ton image. Tu n'es pas du genre à raconter tes problèmes. Tu n'aimes pas te faire consoler; tu es bien trop indépendant pour cela. Tu cherches à préserver cette force de caractère que tu affiches en tout temps.

Par contre, lorsque ça va bien, tu n'hésites pas à te montrer et à briller de mille feux. Tu es intelligent, tu as bon cœur et tu es conscient de toutes tes capacités. Tu es fier aussi; si on te critique en public, si on te dénigre, cela te blesse profondément. L'opinion des autres compte beaucoup pour toi; tu cherches toujours à te mettre en valeur et à être au mieux de ta forme. Tu aimes les honneurs, mais reste sur tes gardes: ce monde est rempli de flatteurs qui pourraient te manipuler facilement.

Les beaux vêtements et le luxe sont ce que tu préfères, et tu réussis à te les offrir. Tu as des projets ambitieux et toute la volonté qu'il faut pour les réaliser. On dirait que tout vient aisément à toi, que tu n'as qu'à te pencher un peu pour récolter. Pourtant, on oublie tous les efforts que tu as faits pour parvenir à ton but. Tu mérites amplement ton succès, car tu travailles dur pour l'obtenir.

Tes études

Ton signe est fixe; lorsque ton choix est fait, la réussite te sourit. Les efforts ne te font pas peur, et tu es prêt à mettre toute l'énergie nécessaire pour atteindre tes objectifs qui, il faut bien le dire, sont assez grands. Tu aimes être le premier, et la compétition te stimule. Les concours, les examens ne te troublent pas outre mesure; tu les prends comme de nouveaux défis. En équipe, tu dois apprendre à laisser un peu de place aux autres et à leur accorder le mérite de leurs bonnes idées. Cette façon de faire te permettra de diriger le groupe tout en sachant motiver tes troupes pour atteindre le succès.

Ton orientation

L'ambition est probablement ce qui te caractérise le plus. Tu as mille et un projets. Ils sont parfois bien farfelus aux yeux des autres, mais laisse-les sourire et poursuis ta route sans te retourner. Tu connais tes capacités, tu peux juger de tes limites et tu es déterminé. Donc, rien ne peut te résister lorsque tu te mets en tête d'atteindre tes objectifs. Tu es un chef-né, un leader. Choisis une sphère d'activité où tu pourras t'épanouir. L'administration, la gestion, la finance, la politique, le génie, les relations publiques, les arts, le cinéma, le droit et la fonction publique sont des domaines où tu pourrais exprimer toutes tes qualités. Tu peux réussir dans n'importe quoi, si tu sens que tu peux montrer qui est le meilleur, c'est-à-dire toi. Un Lion ne peut se contenter d'un emploi subalterne et il est rare qu'il demeure un employé toute sa vie. Il commence parfois au bas de l'échelle, mais à force de travail, il finira par être au sommet de la hiérarchie. Les Lion pensent souvent à créer leur entreprise, peut-être est-ce déjà dans tes plans d'avenir?

Tes rapports avec les autres

Tu agis souvent comme le «chef de la bande», et tes amis occupent une place prépondérante dans ta vie sociale. Tu aimes rencontrer de nouveaux visages, surtout quand ils te permettent de te faire valoir. Par contre, tu es très attaché à tes amis; tu les aides, tu les défends et si tu sais t'imposer, tu sais aussi les protéger. Tu as une sainte horreur du mensonge et lorsque tu retires ta confiance à quelqu'un, il devra travailler fort pour la regagner. L'élément le plus faible chez toi, c'est que tu n'oses pas demander. Quémander n'est pas dans ta nature. Si ça ne va pas dans ta vie, tu préfères t'isoler et faire croire que tout va bien plutôt que de demander de l'aide. Tu es foncièrement honnête et tu t'attends à ce que tout le monde qui t'entoure le soit aussi.

Claude Barzotti, Mick Jagger, Sandra Bullock, Pascale Montpetit, Charles Lafortune, Martha Stewart, Arnold Schwartzenegger, Yvon Deschamps, Félix Leclerc, André Gagnon, Marjolaine Morin, Maurice Richard, Carole Laure, Julie Snyder, Dustin Hoffman, Bruno Pelletier, Whitney Houston, Louise Forestier, Judy Richards, Michel Jasmin, Napoléon, Madonna, Marc Messier, Sean Penn, Laurence Jalbert, Luce Dufault, Lynda Lemay, Martin Drainville.

Pensée positive pour le Lion

Je rayonne sur les autres, et les nombreux bienfaits que je leur offre me sont rendus au centuple. Je suis un soleil bienfaisant.

Pensée positive spéciale pour 2005

Je crois en moi et en mes ressources. En toute situation, je prends la bonne décision et je m'en félicite.

Le subconscient nous dirige toujours selon nos pensées. En répétant le plus souvent possible ces pensées conçues tout spécialement pour vous, vous vous attirerez plein de belles choses.

Signe: Lion

Élément: Feu

Catégorie: Fixe

Symbole: ♌

Points sensibles: Cœur, système cardiovasculaire, taux de cholestérol, tension artérielle, infarctus, colonne vertébrale, maux de dos.

Planète maîtresse: Le Soleil, source de la vie.

Pierres précieuses: Diamant, brillant, rubis.

Couleurs: Les nuances du soleil et de l'or, jaune, beige.

Fleurs: Rose rouge, pensée, coqueliquot.

Chiffres chanceux: 5-9-10-14-25-26-30-35-41-46.

Qualités: Noble, fier, généreux, énergique, doué de magnétisme, vedette, juste.

Défauts: Orgueilleux, autoritaire, goût exagéré du luxe, vaniteux, en impose aux autres.

Ce qu'il pense en lui-même: Il faut absolument que je fasse mieux que les autres.

Ce que les autres disent de lui: Voilà notre vedette qui arrive!

Prédictions annuelles

L'année se divise en deux parties distinctes. Jusqu'à votre anniversaire, vous conservez la parfaite maîtrise de votre destinée. Comme vous êtes en pays de connaissance, il est tout à fait normal que vous avanciez sans trop vous interroger. La chance vous sourit souvent, et vous tirez profit des occasions qui se présentent. Par après, il y aura certainement plus d'action. L'arrivée de Saturne dans votre signe vous fait remettre bien des choses en question. Pour certains, c'est le manque de défis qui est le déclencheur de cette période de transition. Pour d'autres, ça se produit de façon plus abrupte; la vie pourrait en effet vous faire affronter des réalités que vous n'aviez pas prévues.

SANTÉ – Jusqu'à la fin de juillet, vous pouvez agir à votre guise. Votre puissante résistance ainsi que votre inépuisable énergie se maintiennent. Vous auriez cependant tort de vous croire invincible pendant le reste de l'année. Saturne exige qu'on lui rende des comptes. Cette planète récompense largement ceux qui font preuve de sagesse et de discernement, mais elle peut tout aussi bien rappeler à l'ordre ceux qui se laissent aller. À vous de choisir votre camp!

SENTIMENTS – Les bons aspects de Jupiter vous assurent d'une année sous le thème de la popularité. Vous êtes grandement apprécié par ceux qui vous entourent, ce qui ne vous empêche pas de vous lier à de nouvelles gens susceptibles de beaucoup vous apporter. Partout, on a beaucoup d'égards pour vous, ce qui devrait vous faire sourire plus souvent qu'à votre tour. Vous qui aimez jaser et voir du monde êtes servi à souhait, puisque les occasions de sortir abondent. Entre le 20 juillet et le 31 août, la santé d'un proche risque de se détériorer; mieux vaut y voir sans tarder.

AFFAIRES – Rappelons que d'ici votre fête tout se déroule comme vous l'avez prévu, et s'il y a des changements, c'est bien parce que vous le voulez. D'heureux concours de circonstances jouent en votre faveur; l'argent rentre aisément. Par la suite, vous vous interrogez sur votre orientation et êtes appelé à vous demander ce que vous souhaitez vraiment. Les choses ne viennent pas à vous aussi facilement; vous devez davantage jouer des coudes pour arriver à vos buts. Avouez néanmoins que vous aimez bien les défis. Des bouleversements peuvent survenir, vous forçant à réviser votre tir. Heureusement, vous êtes protégé et finirez certes par en sortir gagnant.

Janvier

D	L	M	M	J	V	S
						1
2	3	4	5D	6D	7F	8F
9	10●	11	12	13	14	15F
16F	17F	18D	19D	20	21	22
23/30	24/31	25○	26	27	28	29

○ Pleine lune		●	Nouvelle lune
F Jour favorable		D	Jour difficile

SANTÉ – Vous commencez l'année dans une forme resplendissante. Vous avez de l'énergie à revendre et, le plus beau, c'est que vous la gérez fort adéquatement. Bon mois pour faire de l'exercice, du sport ou de la danse. Entre le 10 et le 30, votre trop grande sensibilité risque de vous faire prendre au tragique des choses sans aucune importance.

SENTIMENTS – Les 10 premiers jours sont magnifiques. Votre vie sociale demeure enivrante, sans compter que les solitaires pourraient faire une rencontre importante lors d'une sortie. Quant aux autres, ils auront le bonheur de resserrer les liens qui les unissent à leur partenaire. Si vous souhaitez que le reste du mois se déroule sur la même note, évitez d'être trop critique ou trop exigeant.

AFFAIRES – Vous traversez un cycle fort constructif. Mois idéal pour entreprendre des démarches, lancer de nouveaux projets et vous faire valoir au travail. Vous vous donnez corps et âme à votre boulot; les bénéfices d'un tel engagement ne tardent pas à se faire sentir. Un voyage vous fait envie? Le moment serait propice, mais arriverez-vous à trouver du temps? Avec un horaire aussi chargé, c'est loin d'être évident...

Février

D	L	M	M	J	V	S
		1D	2D	3D	4F	5F
6	7	8●	9	10	11	12F
13F	14D	15D	16	17	18	19
20	21	22	23○	24	25	26
27	28					

○	Pleine lune	●	Nouvelle lune
F	Jour favorable	D	Jour difficile

SANTÉ – La première semaine est fantastique; rien ne semble freiner vos élans ni venir à bout de votre résistance. Par la suite, vous risquez cependant de vous sentir plus fatigué, plus abattu. Cessez de brûler la chandelle par les deux bouts, prenez un peu de repos, alimentez-vous correctement, et tout devrait se tasser. L'anxiété cesse de vous incommoder après le 18.

SENTIMENTS – Vous entretenez des rapports privilégiés avec vos proches, ce qui ne vous empêche pas de faire de nouvelles connaissances. On dirait que tout le monde vous estime et cherche à vous faire plaisir. N'oubliez pas de prendre quelques instants pour savourer la veine que vous avez et pour dire à vos proches que vous aussi vous les aimez.

AFFAIRES – Si vous désirez des résultats immédiats, agissez avant la nouvelle lune du 8. Par après, ce sera sans doute plus ardu d'arriver à vos fins. Ne craignez rien, l'échec ne vous guette point. Une réparation ou une dépense imprévue vous force à revoir votre budget. Encore là, rien de bien grave.

Mars

D	L	M	M	J	V	S
		1D	2D	3F	4F	5
6	7	8	9	10●	11F	12F
13D	14D	15D	16	17	18	19
20	21	22	23	24	25○	26
27	28D	29D	30F	31F		

○	Pleine lune	●	Nouvelle lune
F	Jour favorable	D	Jour difficile

SANTÉ – D'ici le 21, vous avez encore des hauts et des bas. En abusant de vos forces et en vous croyant tout permis, vous pourriez vous retrouver sur le carreau. Le moral est bon, mais vous avez tendance à être survolté. Trop d'idées vous trottent dans la tête; pas facile de faire le vide et de trouver la paix d'esprit. Mettez le nez dehors un peu plus souvent, ça vous aidera à décompresser.

SENTIMENTS – Les trois premières semaines s'annoncent douces et agréables. On continue de vous choyer. Vos proches sont adorables, ce qui tient parfois du tour de force car plusieurs d'entre eux éprouvent des difficultés personnelles. Avez-vous la même patience? À partir du 23 mars et jusqu'au 16 avril, vous traversez un cycle particulièrement favorable pour vos amours. Tous y trouveront leur compte, y compris les solitaires.

AFFAIRES – Ça joue dur au travail, mais vous arrivez à vous en sortir haut la main. Vous devez fournir de grands efforts pour arriver à vos fins. N'empêche que votre détermination, si ce n'est votre entêtement, finit par servir vos intérêts. Encore quelques dépenses imprévues: le budget vous cause quelques maux de tête; heureusement, ça se replace vers la fin du mois.

Avril

D	L	M	M	J	V	S
					1	2
3	4	5	6	7F	8●F	9F
10D	11D	12	13	14	15	16
17	18	19	20	21	22	23
24○D	25D	26F	27F	28	29	30

○ Pleine lune et éclipse lunaire annulaire   ● Nouvelle lune et éclipse solaire annulaire totale
F   Jour favorable   D   Jour difficile

SANTÉ – L'opposition de la planète Mars à votre signe vous prédispose aux accidents bêtes. Vous devez donc faire preuve de vigilance dans vos déplacements et lorsque vous utilisez des objets avec lesquels vous pourriez vous blesser. Psychologiquement, vous êtes habité par une joie de vivre extraordinaire, vous avez du flair, et ce ne sont certes pas ces quelques moments d'indécision qui risquent de vous perturber.

SENTIMENTS – Je vous rappelle que la phase de grand bonheur amoureux durera jusqu'au 16. Les couples se rapprochent, tandis que les célibataires arrivent à séduire quelqu'un de très intéressant. Bonne quinzaine également pour la vie sociale: les invitations et les propositions alléchantes fusent de toutes parts. Par la suite, essayez d'éviter une chicane avec votre partenaire ou un proche, ça n'en vaudrait pas la peine.

AFFAIRES – Vous avez des idées de génie, mais tout le monde ne les partage pas. Certains vous trouvent trop avant-gardiste, alors que d'autres craignent que vous preniez trop de risques. Comme vous vous exprimez avec une éloquence désarmante, vous ralliez les plus réticents à votre cause. Le plus beau, c'est que vous leur prouvez que vous aviez entièrement raison. Chapeau!

Mai

D	L	M	M	J	V	S
1	2	3	4	5F	6F	7D
8●D	9	10	11	12	13	14
15	16	17	18	19	20	21D
22D	23○D	24F	25F	26	27	28
29	30	31				

○	Pleine lune	●	Nouvelle lune
F	Jour favorable	D	Jour difficile

SANTÉ – Finie l'opposition de Mars! Vous pouvez désormais faire ce que bon vous semble sans avoir constamment à craindre de vous blesser. Votre énergie devient plus stable, vous cessez de passer d'un extrême à l'autre. Le moral est fantastique pendant les 12 premiers jours, mais vous risquez de vous sentir plus inquiet par la suite. Laissez le passé de côté, ça vous aidera grandement.

SENTIMENTS – Votre plus belle période s'étend du 10 au 31. Vous vivez alors toutes sortes de satisfactions tant sur le plan social qu'amical ou amoureux. En attendant, continuez de marcher sur des œufs afin d'éviter un affrontement avec un être cher. Parlant de confrontation, il y a un membre de la famille qui vous tombe royalement sur les nerfs en ce moment.

AFFAIRES – La première quinzaine est propice aux déplacements et aux démarches, surtout si ces dernières visent à transformer votre destinée professionnelle. Bonne période, donc, pour demander un transfert ou pour postuler un nouvel emploi. Des retards ainsi que des contretemps sont à prévoir par la suite, mais rien qui ne puisse véritablement vous empêcher d'atteindre vos objectifs.

Juin

D	L	M	M	J	V	S
			1F	2F	3D	4D
5D	6●	7	8	9	10	11
12	13	14	15	16	17	18D
19D	20F	21○F	22	23	24	25
26	27	28F	29F	30D		

○ Pleine lune		● Nouvelle lune	
F Jour favorable		D Jour difficile	

SANTÉ – À partir du 12, vous amorcez un cycle particulièrement bénéfique, au cours duquel vous pourrez non seulement vous débarrasser de vos problèmes de santé, mais également augmenter votre vitalité. Bon temps pour chercher de l'aide ou tout simplement pour vous reprendre en main. Ajoutons que le stress a également beaucoup moins d'emprise sur vous.

SENTIMENTS – Tout le mois est positif. C'est comme si les gens se relayaient autour de vous: il y a toujours quelqu'un pour vous chouchouter, pour vous distraire ou pour vous écouter quand vous avez besoin de parler. Les copains, la marmaille et bien entendu votre partenaire se sont donné le mot: on vous dorlote.

AFFAIRES – Votre meilleure période commence, ici encore, le 12. Vous êtes alors en pleine phase de chance, que ce soit sur le plan professionnel ou financier. Au fait, vous pourriez même décrocher un prix secondaire dans un tirage. Bon temps pour voyager, pour chercher un nouveau logis ou pour faire des rénovations. Votre flair aiguisé vous permettra de saisir au vol une excellente occasion.

Juillet

D	L	M	M	J	V	S
					1D	2D
3	4	5	6●	7	8	9
10	11	12	13	14	15D	16D
17F	18F	19F	20	21○	22	23
24/31	25	26F	27F	28D	29D	30

○	Pleine lune	●	Nouvelle lune
F	Jour favorable	D	Jour difficile

SANTÉ – Voici le moment idéal pour vous remettre en forme tout en vous amusant; optez pour le sport, le yoga, la danse ou tout simplement la randonnée pédestre. Vous en retirerez énormément de satisfaction et de bien-être. Ajoutons que vous avez des nerfs d'acier et demeurez imperturbable en toute situation.

SENTIMENTS – La douce Vénus se balade dans votre signe, et son action positive est amplifiée par plusieurs autres planètes. Voilà plus qu'il n'en faut pour permettre aux solitaires d'entreprendre une relation durable et aux autres de consolider leur vie de couple. En société, vous avez toujours la vedette; vos anciens et nouveaux amis sont en pâmoison devant votre brillante personnalité.

AFFAIRES – Vous avez le vent dans les voiles. Votre instinct se révèle un précieux guide, et même vos projets les plus ambitieux semblent voués à la réussite. La conjoncture favorise encore les démarches, les recherches d'emploi ainsi que les négociations. Intéressantes possibilités d'empocher une somme que vous n'aviez pas prévue – au fait, vous ne vous débrouillez pas mal du tout au jeu.

Août

D	L	M	M	J	V	S
	1	2	3	4●	5	6
7	8	9	10	11	12D	13D
14F	15F	16	17	18	19○	20
21	22F	23F	24D	25D	26	27
28	29	30	31			

○	Pleine lune	●	Nouvelle lune
F	Jour favorable	D	Jour difficile

SANTÉ – Mars et Saturne vous ont à l'œil. Par conséquent, vous devez faire davantage preuve de discernement. Une distraction, une imprudence ou une étourderie risque de vous valoir une blessure. Comme vous n'êtes pas non plus à l'abri de certaines défaillances, mieux vaut demeurer à l'écoute de vos vrais besoins et bannir toute forme d'excès.

SENTIMENTS – Un parent ou un enfant éprouve des difficultés, ce qui vous affecte par ricochet. Vous êtes parfois maladroit et vos propos ne traduisent pas nécessairement ce que vous voulez dire. Expliquez-vous sans tarder, sinon ce malentendu pourrait prendre des proportions décevantes. Au besoin, n'hésitez pas à vous excuser. Côté cœur, de bien beaux moments vous attendent dans la seconde quinzaine.

AFFAIRES – Vous avez du mal à canaliser votre énergie, vous vous éparpillez. Vous entreprenez trop de choses à la fois, ce qui vous fait perdre le fil conducteur. Au lieu de courir dans tous les sens, définissez vos priorités et laissez tomber les projets dont l'issue semble incertaine. En ce mois, tout est dans la planification. Une dépense superflue, une perte ou un dégât fait un trou dans votre budget.

Septembre

D	L	M	M	J	V	S
				1	2	3●
4	5	6	7	8D	9D	10F
11F	12	13	14	15	16	17○
18F	19F	20D	21D	22D	23	24
25	26	27	28	29	30	

○	Pleine lune	●	Nouvelle lune
F	Jour favorable	D	Jour difficile

SANTÉ – La tension intérieure devrait s'amenuiser à partir du 5; vous vous sentirez infiniment plus détendu et davantage centré sur vous-même. Malheureusement, les menaces d'accident et de malaise perdurent; à vous de prendre les précautions nécessaires. Les 12 premiers jours sont propices aux remises en beauté, de même qu'aux régimes amaigrissants.

SENTIMENTS – La première quinzaine offre plein de possibilités sur le plan intime. Une belle rencontre attend les solitaires, alors que les autres seront témoins de l'expression passionnée des sentiments de leur partenaire. Dans la famille, le climat s'allège grandement à partir du 3, et vous pouvez enfin souffler un peu.

AFFAIRES – Vous avez encore du mal à bien cibler ce qui est dans votre intérêt, pourtant, en vous arrêtant quelques instants et en écoutant votre voix intérieure, vous auriez tôt fait de trouver la bonne direction. Une transaction conclue entre le 5 et le 21 pourrait se révéler très avantageuse; ne ratez pas cette occasion.

Octobre

D	L	M	M	J	V	S
						1
2	3●	4	5D	6D	7F	8F
9F	10	11	12	13	14	15
16F	17○F	18D	19D	20	21	22
23/30	24/31	25	26	27	28	29

○ Pleine lune et éclipse lunaire partielle   ● Nouvelle lune et éclipse solaire annulaire
F   Jour favorable   D   Jour difficile

SANTÉ – Les éclipses et les différents mouvements planétaires risquent de jouer contre vous si vous n'y prenez garde. Afin de passer outre, demeurez prudent dans vos déplacements et lorsque vous manipulez des substances ou objets potentiellement dangereux. Votre résistance semble amoindrie; voilà pourquoi vous devez respecter à la lettre les règles d'une saine hygiène de vie.

SENTIMENTS – Entre le 8 octobre et le 5 novembre, vous jouissez d'un transit exceptionnel de Vénus qui devrait mettre du piquant dans votre vie amoureuse. Vous redécouvrez votre partenaire, qui est ravi de l'intérêt que vous lui portez et qui vous le rend fort bien. Les célibataires pourraient avoir un coup de cœur pour quelqu'un de très compatible. Seule ombre au tableau: les inquiétudes que vous éprouvez concernant un proche.

AFFAIRES – Misez sur les 10 premiers jours pour mettre vos plans à exécution, pour négocier ou pour présenter vos requêtes; car après, ça risque d'être passablement plus laborieux. Verrouillez bien vos portes, ne prêtez pas un sou et sachez dire non si l'on cherche à vous impliquer dans une aventure périlleuse, spécialement entre le 10 et le 31.

Novembre

D	L	M	M	J	V	S
		1●D	2D	3D	4F	5F
6	7	8	9	10	11	12F
13F	14D	15○D	16D	17	18	19
20	21	22	23	24	25	26
27	28	29D	30D			

○	Pleine lune	●	Nouvelle lune
F	Jour favorable	D	Jour difficile

SANTÉ – Le moral se porte beaucoup mieux. Vous semblez également plus motivé à vous occuper de vous, ce qui devrait donner des résultats probants. Comme la planète Mars est toujours dans le décor, je vous invite à continuer de redoubler de précautions pour ne pas vous faire mal. Votre dos et vos extrémités paraissent particulièrement vulnérables. Mal à la tête? Pensez à votre colonne vertébrale.

SENTIMENTS – Vénus vous fait encore de l'œil durant les cinq premiers jours; plusieurs satisfactions sur le plan intime sont dans l'air. Par après, vos amours ne devraient pas du tout vous torturer. Vous pourriez même étirer ce climat de romantisme en faisant quelques efforts pour vous ouvrir davantage. De fait, la communication se révèle un outil presque magique dans toutes vos relations interpersonnelles.

AFFAIRES – Heureusement que vous avez du sang-froid car, avec toute la pression que vous subissez au boulot, peu de monde tiendrait le coup. Par ailleurs, vos talents d'organisateur vous servent à merveille. Bref, la situation demeure difficile, mais vous avez davantage de ressources qu'au cours des dernières semaines.

Décembre

D	L	M	M	J	V	S
				1●F	2F	3
4	5	6	7	8	9F	10F
11F	12D	13D	14	15○	16	17
18	19	20	21	22	23	24
25	26D	27D	28F	29F	30●	31

○	Pleine lune	●	Nouvelle lune
F	Jour favorable	D	Jour difficile

SANTÉ – Retour de la fébrilité et de l'anxiété au courant de la première quinzaine, puis tout rentre dans l'ordre rapidement. Les risques d'accidents demeurent présents; attendez donc avant de relâcher votre vigilance. Même chose pour la forme qui est parfois vacillante, d'autant plus que la gourmandise vous tenaille. On ne peut pas tout avoir; il faut faire quelques sacrifices...

SENTIMENTS – Jusqu'au 13, vous pourriez vous sentir négligé, voire abandonné par votre entourage. Or, il n'en est rien; vous en aurez la preuve par la suite. Un enfant pourrait même arriver avec quelque chose d'excitant. Une mauvaise nouvelle trouble un souper de famille; heureusement que vous êtes là pour prendre les choses en main.

AFFAIRES – Les frustrations et les inquiétudes continuent de s'accumuler jusqu'à la pleine lune, soit le 15. Pendant le reste du mois, vous avez toutefois des éclairs de génie qui vous permettent de trouver la solution à certains problèmes. Au besoin, on pourrait même vous offrir une aide tangible. Gare à vous toutefois si vous magasinez entre le 16 et le 31: ça pourrait vous coûter pas mal cher!

Vierge

♍

du 24 août au 23 septembre

Si vous recherchez la perfection jusque dans les plus petits détails, alors il faut confier votre travail à un natif de la Vierge. Vous ne serez pas déçu.

La Vierge a un grand sens pratique. C'est un être travailleur, attentif, minutieux, parfois un peu lent à cause justement de sa grande conscience professionnelle qui l'incite à fignoler le moindre travail. La Vierge ne peut se dépêcher. Elle est méticuleuse et a en horreur le mot brouillon. Quand une Vierge se met à la tâche, vous pouvez être sûr qu'elle s'appliquera, ce qui évidemment demande du temps. Mais n'ayez crainte, le résultat sera parfait. Ce n'est pas du travail, c'est une œuvre d'art.

Évidemment, si vous mettez des heures à nettoyer votre poignée de porte avant de sortir, vous n'aurez plus le temps d'aller bien loin. Mais votre poignée sera la plus brillante en ville!

La Vierge manque parfois de confiance, et, le plus surprenant, de confiance dans la vie; elle est de tempérament craintif. Elle redoute par-dessus tout la maladie, la contamination, les guerres, la pollution et même de manquer de travail, d'argent… Bref, tout est source de craintes pour elle.

Sur le plan financier, la Vierge est sage et économe. Les coups de tête dans les magasins, très peu pour elle. Elle préfère faire des placements sûrs, contribuer chaque année à son REÉR, et les dépenses non planifiées ne sont décidément pas à son programme.

Pour caricaturer sa prévoyance: une Vierge ira jusqu'à comptabiliser le prix d'un litre de lait dans un petit calepin pour être sûre de se conformer à son budget. Vos amis et même votre famille vous traitent de Séraphin. Pourtant, ils sont les premiers à faire la queue devant votre porte pour vous emprunter quelques dollars lorsque leur compte en banque frise l'apoplexie.

En toute chose, la Vierge essaie d'atteindre la perfection; les détails sont fignolés, rien n'est laissé au hasard. Une secrétaire Vierge pourra passer des heures à trouver le bon endroit pour placer une virgule dans un texte. Un comptable Vierge ne réussira pas à dormir s'il s'est glissé une erreur de 2 ¢ dans les comptes de la société qui l'emploie, il voudra trouver à tout prix l'origine de cette perte de capitaux. Une maman Vierge fera des kilomètres pour retrouver un ruban tombé des cheveux de la petite, deux jours plus tôt au parc... Bref, une Vierge aurait tout intérêt à se faire payer à l'heure et pas au contrat ou à la pièce: c'est à son avantage!

L'esprit de la Vierge est à son image, d'une logique purement cartésienne. Les concepts abstraits ne lui font pas peur, et on la voit évoluer à l'aise dans les sciences pures, les mathématiques. Malheureusement, sa timidité l'empêche souvent de tirer le meilleur parti de ses coups d'éclat. Souvent quelqu'un d'autre tirera profit de ses efforts, parce qu'elle hésite à se mettre au premier plan pour revendiquer ses réussites.

La Vierge accorde une importance parfois exagérée au moindre problème de santé. Elle y pense énormément et fait des montagnes de tout petits riens; pourtant, elle n'a pas de quoi s'en faire. Elle se nourrit bien, mène une vie calme et rangée, prend soin de son hygiène et de sa santé, mais malgré tout un petit malaise l'inquiète. Avec elle, un rhume devient une pleurésie avec complications et un comédon le symptôme d'un cancer de la peau. Le pharmacien du coin la connaît bien.

La Vierge peut sembler un personnage froid, austère. En fait, elle extériorise peu ses sentiments. Mais c'est quelqu'un sur qui on peut compter, car elle est dévouée et ressent le besoin d'aider son prochain. Il n'est pas rare de rencontrer une Vierge dans les organismes humanitaires. Tout ce qui demande un dévouement sans limites est fait pour elle, du moment qu'il s'agit d'une bonne cause. Si elle en fait plus que ce qu'on lui demande, elle reste par contre dans l'ombre, car elle n'aime pas se retrouver sous les feux de la rampe. Elle a un caractère timide, mais elle contribue beaucoup au bien-être de ses semblables, satisfaisant en cela son âme de missionnaire. La Vierge agit pour les autres et non pas pour la gloire qu'elle pourrait en tirer.

D'ailleurs, la Vierge vit beaucoup en fonction des autres et de leurs besoins. Elle est toujours prête à sauver le monde, un frère dans le besoin, une sœur malheureuse, un parent débordé. Toutefois, peu à peu, elle se rend compte que la majorité des gens qu'elle aide sont plutôt égoïstes, et cela la force à penser un peu plus à elle-même plutôt qu'aux autres. Vous changerez surtout dans la seconde partie de votre vie, et ceux qui justement vous conseillent de faire plus attention à vous viendront se plaindre que vous faites moins attention à eux... Ils ne réussissent plus à vous manipuler, et cela les irrite. Tant pis pour eux. Vous avez dépassé le stade de la culpabilité, et c'est tant mieux pour vous!

Comment se comporter avec une Vierge?

La Vierge est une personne facile d'accès et accommodante. Toutefois, elle a généralement la tête dure et défend ses idées point par point. Pour réussir à la convaincre, vous devrez développer une argumentation logique, avec des textes, des photos, de la vidéo, des citations ou une source de référence solide pour appuyer vos propos. Armez-vous de patience, car même en lui faisant la preuve par 10 que vous avez raison, elle mettra du temps à l'admettre… et encore, l'admettra-t-elle vraiment?

En fait, il ne faudra pas vous surprendre si quelques semaines plus tard, vous l'entendez affirmer le contraire de ce que vous aviez eu tant de mal à lui faire comprendre plus tôt. Et si vous le lui faites remarquer, elle vous soumettra d'autres références qui appuient ses arguments. Bref, elle aura toujours le dernier mot.

Si vous tenez à ce qu'un natif de la Vierge fasse quelque chose pour vous, le mieux est de le prendre par les sentiments. Son sens du devoir et la crainte de décevoir sont ses points faibles. En tenant compte de cela, vous réussirez à lui faire faire n'importe quoi de raisonnable. Si vous voulez l'entraîner dans des activités loufoques, oubliez ça tout de suite; peu importent vos arguments, vous n'arriverez à rien avec elle.

La Vierge est d'un caractère un peu taciturne, renfermé, et il faut aller au-devant d'elle pour réussir à établir un contact. Elle ne communique pas facilement et peut même sembler froide, mais surtout dure et intransigeante avec elle-même. Elle ne se permet aucune erreur, ne s'en pardonne aucune non plus, et l'idée que les autres se font d'elle est très importante à ses yeux… Son incroyable crainte de déplaire à autrui refait toujours surface.

La Vierge est minutieuse et prend tout son temps. Il faut donc lui mettre des balises, des délais à respecter, sinon rien n'avance. Quand elle fait le ménage, elle ira dénicher la moindre poussière dans le plus petit interstice, alors il n'est pas étonnant si cela lui prend la journée… et tant qu'à faire, elle se mettra à laver les rayonnages du vaisselier et à replacer les petits plats dans les grands, les couteaux et les fourchettes en ordre de grandeur…

La Vierge ne supporte pas tellement la pression, mais un échéancier lui permettra de mieux gérer son travail; celui-ci sera remis à temps et souvent mieux fait que celui des autres.

Les natifs de ce signe ont un besoin constant d'être sécurisés. Il faut leur dire que vous appréciez leur travail; cela leur donnera confiance et ils en seront tout heureux. Une Vierge demande beaucoup de réconfort et de soutien. En la réconfortant, vous vous gagnez sa confiance et sa reconnaissance éternelles.

Ses goûts

Les goûts de la Vierge sont à son image… raisonnables. Les teintes sobres, neutres, les couleurs de terre notamment ont sa préférence. Ses tenues sont plutôt classiques (les mauvaises langues disent démodées) et faites de fibres naturelles. Si vous visitez sa penderie, vous y trouverez des vêtements qui datent de plusieurs années; elle les garde très longtemps et dans un très bon état. La Vierge n'accueille pas facilement les visiteurs. Si elle vous reçoit, soyez conscient que c'est un privilège. Son décor est dépouillé, et l'esthétique n'est pas dans ses priorités. Elle se concentre surtout sur le côté pratique des objets et des meubles… même l'éclairage est strictement fonctionnel. Ce qui frappe surtout, c'est la propreté… pas un grain de poussière à l'horizon!

Si vous voulez lui faire plaisir, optez plutôt pour des objets pratiques dont elle a besoin, car la frivolité n'est pas dans ses goûts. Recevoir une cafetière, un couvre-couette ou un bon et solide poêlon antiadhésif fera son bonheur.

Le natif de la Vierge fait attention à tout, même au nombre de calories contenues dans le plus succulent des mets. En fait, avant de s'exclamer sur la beauté du plat, sur les saveurs et les couleurs, elle analysera le contenu pour en déterminer le taux de gras ou de sucre, avant de l'avaler. La Vierge se classe première au palmarès des adeptes de régimes amaigrissants. Avant de l'inviter à passer à votre table, essayez de savoir si elle n'est pas dans une de ses périodes de restriction.

Son potentiel

La Vierge se trouve souvent sous les ordres de patrons qui recherchent un employé modèle… qui acceptera un salaire de crève-la-faim et fera en plus le travail de plusieurs personnes.

Minutieux, méthodique et silencieux, le natif de la Vierge excelle dans le classement, la paperasse, les chiffres, les mathématiques, la recherche en laboratoire ou les travaux en solitaire. Dans le service au public, c'est la perle rare! En fait, elle doit absolument mettre son sens de la minutie en action pour s'épanouir.

Logique et consciencieuse, la Vierge peut abattre une montagne de travail sans jamais se plaindre ou laisser échapper un mot de découragement. Après la trentaine par contre, elle commence à se rendre compte que certains abusent d'elle et elle tente de mieux définir sa place dans la société, sans toutefois que son zèle, son efficacité et son perfectionnisme en souffrent.

Ses loisirs

L a Vierge ne s'amuse pas sans but. Il lui faut des loisirs qui rapportent, que ce soit de l'argent ou des connaissances. Ses loisirs ont toujours un but précis, car elle n'aime pas gaspiller son temps.

Parmi ses loisirs de prédilection, il y a évidemment la lecture, notamment d'ouvrages techniques, qui l'aideront dans son travail et lui permettront de prendre de l'avance dans ses études ou de poursuivre son cheminement personnel. Les biographies, les livres de référence sont souvent ses livres de chevet. À la télévision, elle choisira de s'installer devant le petit écran pour voir des documentaires ou des émissions éducatives.

La Vierge n'est pas une grande joueuse. Mais si son esprit, ses connaissances ou son intelligence sont mis à contribution, elle appréciera énormément les jeux de société, par exemple Quelques arpents de pièges, le Scrabble, Docte Rat. Du côté stratégie, elle choisira le Risk ou les échecs.

Si vous envisagez une sortie avec une Vierge, il n'est pas nécessaire de vous précipiter sur le plus récent film, car il ne l'intéressera peut-être pas. Une conférence ou les documentaires des *Grands Explorateurs* ont plus de chance d'attirer son attention et de la captiver.

Les natifs de Vierge sont placés sous le signe du bénévolat. Beaucoup d'entre eux consacrent quelques heures chaque semaine à une œuvre qui leur tient à cœur. Ils s'occupent de personnes âgées ou d'enfants en difficulté, par exemple.

Sa décoration

N otre Vierge a des goûts simples où le pratico-pratique est en vedette. Pour elle, le superflu est vraiment superflu. Avec de telles dispositions d'esprit, elle choisira un mobilier adapté à ses besoins. Les effets esthétiques, très peu pour elle.

Les teintes de son intérieur sont plutôt sages et neutres. Le gris, le grège, le beige et le blanc lui plaisent… la couleur du bois naturel l'attire. Ses meubles sont fonctionnels avant tout. Sans hésiter, elle optera pour ceux qui sont le plus susceptibles de se conformer à ses besoins au détriment de ceux qui sont plus beaux et à la mode. La Vierge aime le dépouillement. Si elle vit seule, il y a de fortes chances de ne trouver qu'une seule chaise dans la cuisine, qu'un seul fauteuil dans le salon. Après tout, on ne peut pas s'asseoir sur deux chaises à la fois!

L'esthétique de la décoration n'est pas sa priorité. Un mur vide demeurera dénudé. Tableaux, laminages, encadrements ne sont pas utiles, donc elle s'en passe très bien. Son intérieur étant d'une propreté inpeccable, on pourrait manger sur le plancher.

Son budget

L e mot préféré de notre sage Vierge est prévoyance. Courir des risques avec son argent, jamais au grand jamais! Les spéculations et les placements hasardeux, la Bourse, ce n'est certes pas sa tasse de thé. Les investissements sûrs, qui rapporteront peut-être moins mais qui n'engloutiront pas ses économies, voilà de quoi conforter notre Vierge dans ses décisions et la rassurer.

La Vierge n'achète jamais sur un coup de tête; elle ne succombe pas aux coups de foudre. Lorsqu'elle délie les cordons de sa bourse, c'est parce qu'elle sait exactement ce qu'elle veut et la valeur de ce qu'elle achète. Peu importent ses revenus, même modestes, un natif de la Vierge réussit toujours à mettre de côté une partie de son argent, en cas de besoin. Anxieux de nature, il veille à tout prévoir: une maladie, une dépense soudaine, sa retraite. Ses raisons d'économiser sont nombreuses et toujours justifiées.

Toute sa vie, la Vierge aura peur de manquer d'argent, ce qui ne se produira sans doute jamais, car elle est si sérieuse, si sage, si prévoyante… mais elle s'inquiète; c'est dans sa nature.

Quel cadeau lui offrir?

N otre Vierge est résolument attirée par le côté pratique des objets; il est donc inutile de vouloir l'éblouir avec des babioles sans utilité ou des articles de luxe. Le mieux est de vous renseigner sur les objets utiles qui lui manquent encore, par exemple dans la cuisine ou pour son travail. Ce n'est pas la peine de lui offrir une assiette de collection en porcelaine si son aspirateur est en panne. Non seulement la superficialité de votre cadeau lui sautera aux yeux, mais en plus elle sera rongée de culpabilité en songeant à l'argent que vous avez dépensé pour un objet dont elle ne saura que faire.

Si vous envisagez lui offrir un livre, vous rejoignez ses goûts, mais assurez-vous de lui donner une biographie, un recueil de trucs santé, un guide pratique, un livre de référence utile pour la maison ou le travail. Ne sombrez pas dans la frivolité.

Un petit appareil ménager, par exemple un presse-agrumes, une centrifugeuse, un mélangeur, un ouvre-boîtes électrique, un appareil pour sceller les sachets comblera une Vierge, alors qu'un collier de perles a toutes les chances de finir oublié dans le fond d'un tiroir.

Du côté des vêtements, évitez les extravagances de la mode. Choisissez plutôt une veste en fibres naturelles: lin, coton ou laine. Ses goûts sont classiques, sobres même. Le beige, le café au lait, le gris et le noir lui plaisent beaucoup, et vous serez assuré que votre veste sera portée, soigneusement entretenue et qu'elle la gardera longtemps.

Les enfants Vierge

S ouvent chétifs à la naissance, les bébés Vierge demandent des soins constants de leurs parents durant leurs premières années d'existence. Tout ce qui passe, ils l'attrapent. Il faudra donc veiller à bien les protéger des maladies. Par ailleurs, ce sont des enfants obéissants, dociles, sages; ils ne sont pas bruyants, ne font pas de mauvais coups et peuvent s'amuser tout seuls dans un coin.

En fait, ils ont les défauts de leurs qualités: ce sont des timides. Les parents devront donc veiller à leur faire rencontrer d'autres enfants, à les emmener souvent dans des endroits qui ne leur sont pas familiers. Les enfants Vierge développent des petites phobies; il faut donc savoir les apprivoiser et les rassurer. Pour eux, prendre l'ascenseur, dormir dans le noir, s'approcher d'une chenille ou rencontrer les nouveaux petits voisins de l'autre côté de la rue peut se révéler une montagne à gravir. Vous devrez renforcer leur confiance en eux. Une autre de leur qualité, qui peut rapidement devenir un défaut, est leur grand perfectionnisme, qui a tendance à les ralentir. Entraînez-les à fonctionner un peu plus rapidement ou fixez-leur des délais; vous verrez qu'ils les respecteront sans problème.

Les enfants Vierge ont d'énormes qualités et un fabuleux potentiel, qu'ils ignorent bien souvent. C'est à leur entourage de leur ouvrir les yeux et de les guider.

L'ado Vierge

T u es timide et réservé. Te faire remarquer sans raison n'est vraiment pas dans ta personnalité. Cela te met très mal à l'aise, surtout lorsque tu dois rencontrer des gens que tu ne connais pas. Tu préfères rester à l'écart. C'est dommage, car les autres ne voient pas toujours ton potentiel et tes qualités.

Toi, tu préfères observer le monde de loin, tu as un sens critique très développé, et lorsque tu ouvres la bouche, ce n'est certes pas pour dire n'importe quoi. Tu sais de quoi tu parles et tu peux en dire beaucoup sur les sujets qui t'intéressent.

Tu as beaucoup de qualités que certains voient comme des défauts. En fait, tu accordes beaucoup d'importance à l'ordre et à la propreté, ce qui pourrait devenir une véritable obsession si tu n'y prends pas garde. Tu es perfectionniste, et ton esprit d'analyse est très développé. Tu te fais ta propre idée sur beaucoup de sujets. Ton opinion est toujours bien fondée; tu as tous les arguments en main pour prouver que tu as raison. Malheureusement, tu as aussi tendance à voir les bibites des autres et à négliger leurs qualités.

Tu agis presque toujours par logique, ce qui peut te faire paraître froid à première vue. Tu réfléchis énormément et tu ne laisses guère de place à l'impulsivité, aux coups de tête… Cette façon de faire t'évite bien des ennuis: tu sais où tu t'en vas. Malgré les délais ou les embûches, tu t'arranges toujours pour parvenir à bon port. Tu es travailleur et tu as développé une méthode et une façon de fonctionner qui t'assurent de toujours réussir ce que tu entreprends.

Ton point faible, sur lequel tu dois travailler, c'est ta crainte de tous et de tout. Tu as tendance à te ronger les sangs pour un oui ou pour un non, et même quand tu n'es pas directement impliqué. Ainsi, si tu te tracasses pour ton avenir et ta santé, tu penses aussi à la planète, à l'environnement qui se détériore sans cesse, tu t'inquiètes même de l'opinion que les autres ont de toi… bref, un rien te fait craindre le pire.

Mais finalement, ton défaut principal est celui de ne pas reconnaître ton potentiel. Tu sous-estimes tes capacités. Tu es souvent encore plus intransigeant et sévère avec toi que tu ne l'es avec les autres, ce qui te porte à toujours voir le côté noir des choses et des situations. N'oublie jamais que rien n'est tout noir ou tout blanc. Ouvre tes yeux, fais-toi confiance, et tu verras que ta vie s'améliorera grandement.

Tes études

Puisque tu brilles d'intelligence, ton esprit intellectuel sera souvent mis à contribution. Tu te montres appliqué, studieux, voire zélé dans tes études. Tu as aussi un solide sens critique qui te permet de bien analyser les événements et les situations, mais ton immense talent ne compense pas tes hésitations. Tu t'attardes tellement aux moindres détails que tes coéquipiers, lorsque tu travailles en groupe, ne peuvent s'empêcher de te taquiner à ce propos. Par contre, tu leur permets d'obtenir de très bons résultats, alors on recherche ta compagnie et ta collaboration. D'ailleurs, tu as souvent l'impression qu'on te laisse faire les travaux tout seul, ce qui ne te déplaît pas. Par contre, lorsqu'on annonce les résultats, tout le groupe est présent. N'oublie pas de prendre le mérite qui te revient, car les autres pourraient s'attribuer tout ton travail sans t'en accorder le bénéfice.

Ton orientation

Tu penses souvent à ton avenir… avec inquiétude. Tu connais tes points forts et tu n'as pas peur d'effectuer des stages ou d'entreprendre de longues années d'études pour réussir à atteindre tes objectifs. Tu n'as pas peur de travailler seul ou de fournir beaucoup d'efforts, car tu es très appliqué et minutieux. Les domaines de la recherche scientifique, la médecine, les sciences de la santé, la diététique, les médecines douces, les services sociaux, l'alimentation, la pharmacie, la chimie, la fonction publique, le secrétariat, l'édition, l'éducation et la comptabilité te conviennent parfaitement. Il ne te reste qu'à faire un choix.

Tes rapports avec les autres

Tu es une personne généreuse, toujours prête à aider les autres, à dépanner ceux qui sont moins bien lotis que toi. Par contre, lorsque c'est à ton tour d'avoir besoin d'un petit coup de main, tu te rends compte que tu es bien seul. Souvent, les gens te tiennent pour acquis et t'apprécient parce que tu fais beaucoup de choses pour eux; il va falloir que tu apprennes à renverser cette tendance et que tu t'entoures de gens qui t'apprécient, toi, et non ce que tu peux faire pour eux. En fait, les personnes à problèmes se tourneront facilement vers toi, car tu es sensible et tu as peur de blesser les autres en leur disant non. Le sentiment d'insécurité qui t'habite en est la cause: tu ne veux pas décevoir.

Avec tes amis, c'est la même chose, tu leur laisses occuper toute l'avant-scène, pendant que toi, tu travailles dur. Parfois, ce sont eux qui récoltent les lauriers de la gloire à ta place. Tu ne dis pas toujours ce que tu penses; c'est dommage, car tu gagnerais à t'entourer de gens qui te stimulent et t'aiment vraiment.

Geneviève Brouillette, Claudia Schiffer, Louise Marleau, Normand Brathwaite, Michael Jackson, France Castel, Gilles Latulippe, Mitsou, Gloria Estefan, Nicole Leblanc, Guy A. Lepage, France Beaudoin, Claude Meunier, Paul Piché, Frenchie Jarraud, Joe Bocan, Patrick Norman, Brian De Palma, Michel Drucker, Agatha Christie, David Copperfield, Stéphane Rousseau, Greta Garbo, Lise Dion, Andrée Boucher, Johanne Blouin, Stephen King, Paul Houde.

Pensée positive pour la Vierge

J'ai confiance en mes merveilleuses possibilités. Je suis sur la terre pour apprendre la joie et la cultiver. Enfin, je suis récompensé.

Pensée positive spéciale pour 2005

Je cultive la joie et la confiance. À mesure que mes pensées s'améliorent, ma vie s'embellit.

Le subconscient nous dirige toujours selon nos pensées. En répétant le plus souvent possible ces pensées conçues tout spécialement pour vous, vous vous attirerez plein de belles choses.

Signe: Vierge

Élément: Terre

Catégorie: Mutable

Symbole: ♍

Points sensibles: Intestins, phobies, appendicite, dépression, constipation, maladies psychosomatiques, angoisses.

Planète maîtresse: Mercure, planète de l'intelligence.

Pierres précieuses: Agate, marcassite, aigue-marine.

Couleurs: Beige, brun, marine, les teintes de terre.

Fleurs: Pétunia, lavande, belle-de-jour.

Chiffres chanceux: 4-8-11-17-23-28-30-35-40-44.

Qualités: Sage, sérieux, prudent, minutieux, ordonné, propre, discret, économe, travailleur.

Défauts: Peureux, manque de sécurité, timide, refoulé, angoissé, nerveux, manque de confiance.

Ce qu'il pense en lui-même: Qu'est-ce que les autres vont penser de moi?

Ce que les autres disent de lui: Pour une mission impossible, c'est lui qu'il faut demander: il fait des miracles!

Prédictions annuelles

Bien que la planète Jupiter, la grande bénéfique, ne soit plus à proprement parler dans votre signe, vous continuez à en ressentir les effets favorables jusqu'à votre prochain anniversaire. Vous avez donc toutes les cartes en main pour améliorer sensiblement votre existence. Il suffit de le vouloir sincèrement, d'appliquer les mesures nécessaires, pour que vos rêves prennent forme. Cessez de vous dire que vous ne méritez pas de meilleures conditions de vie, débarrassez-vous de vos peurs et foncez, c'est le temps ou jamais. L'automne n'annonce rien de vilain; c'est tout simplement que vous devrez compter sur vos propres moyens plutôt que sur la chance pure pour obtenir ce que vous voulez.

SANTÉ – Vous surestimez trop souvent vos capacités; vous êtes bien trop exigeant envers vous-même. À la longue, ça risque de vous épuiser et de vous rendre vulnérable. La perfection n'existe pas, vous le savez. Cette année, il faudrait agir en conséquence et cesser de vous demander l'impossible. Vos habitudes alimentaires auraient probablement besoin d'être révisées; en mettant un peu d'ordre dans votre diète, vous devriez mieux vous sentir et éviter de gagner ce surplus de poids qui vous guette. Moralement, vous continuez à faire d'énormes progrès.

SENTIMENTS – Le cycle de popularité se poursuit de plus belle et, comme vous êtes moins craintif, ça promet. Vous avez maintes fois l'occasion de côtoyer des gens on ne peut plus charmants. Au fait, si vous êtes seul, ce n'est certainement pas pour bien longtemps, car vous pourriez enfin rencontrer l'âme sœur. Quant aux couples déjà établis, tout baigne dans l'huile pour eux. Vous êtes bien entouré: vos proches font plein d'efforts pour vous faciliter la vie, vos vieilles connaissances comme vos nouveaux amis sont super gentils, votre progéniture est à la hauteur de vos attentes. Jetez un coup d'œil autour de vous; vous constaterez à quel point vous êtes choyé. Savourez-le... et exprimez votre gratitude.

AFFAIRES – Vous êtes sur une excellente lancée et, si jamais survient un pépin ou un imprévu, ce sera tout simplement pour quelque chose de meilleur. Un nouveau travail, une promotion, la permanence que vous convoitiez depuis longtemps, une augmentation de salaire et même des surprises dans les jeux de hasard contribueront à votre prospérité. On pourrait vous faire des propositions alléchantes et d'autres un peu plus risquées; pesez bien le pour et le contre avant de vous embarquer. Bonne année pour les voyages, les nouveaux départs, les déménagements, les investissements, les transactions.

Janvier

D	L	M	M	J	V	S
						1
2	3	4	5	6	7D	8D
9F	10●F	11	12	13	14	15
16	17	18F	19F	20D	21D	22
23/30	24/31	25○	26	27	28	29

○	Pleine lune	●	Nouvelle lune
F	Jour favorable	D	Jour difficile

SANTÉ – Ce mois comporte différents risques: un accident, une indisposition ou une infection sont possibles. À vous de prendre les moyens nécessaires pour les éviter. Sur le plan psychologique, vous commencez l'année anxieux et inquiet. Toutefois, à partir du 10, vous devriez retrouver tout votre aplomb. Vous gérerez alors beaucoup mieux le stress, vous adopterez une attitude plus positive.

SENTIMENTS – La tension semble assez forte avec un membre de la famille, vous feriez bien d'éviter les affrontements inutiles. En amour, vous vivez une période idyllique entre le 10 janvier et le 3 février. Votre partenaire déborde de romantisme. Si vous êtes seul, les probabilités de rencontre sont élevées. Bonne période également pour la vie sociale.

AFFAIRES – Les choses ne vont pas comme vous le voudriez, mais si vous savez faire preuve de souplesse, vous allez en venir à bout, particulièrement durant la seconde quinzaine. Un bris, un dégât, à moins que ce ne soit une dépense pour un caprice, pourrait faire un trou dans votre budget. Heureusement, ce ne sera que temporaire.

Février

D	L	M	M	J	V	S
		1	2	3	4D	5D
6F	7F	8●	9	10	11	12
13	14F	15F	16D	17D	18D	19
20	21	22	23○	24	25	26
27	28					

○	Pleine lune	●	Nouvelle lune
F	Jour favorable	D	Jour difficile

SANTÉ – Les aspects planétaires susceptibles d'entraîner blessures et malaises disparaissent le 7. D'ici là, il faut demeurer sur le qui-vive. Une fois la première semaine écoulée, vous entrez dans un cycle favorable pour vous remettre en forme et pour régler ce qui accrochait. Moralement, c'est la première quinzaine qui est la meilleure, vous conservez votre stoïcisme; par la suite, vous avez du mal à vous brancher, et cela risque de jouer sur vos nerfs.

SENTIMENTS – Les tracas d'ordre familial perdurent encore quelques jours, puis tout finit par s'arranger; vous en êtes soulagé. Du 8 au 28, vous êtes très en demande, vous avez également la chance de rencontrer des gens fort intéressants. À la maison, c'est vous qui menez; personne n'ose vous contredire!

AFFAIRES – Ici, c'est pareil; la première semaine risque d'être décevante, mais elle est suivie par une période beaucoup plus constructive. Vos démarches sont fructueuses, vous avez une plus grande marge de manœuvre et l'on reconnaît vos mérites. Bon temps pour faire des négociations ou chercher de l'emploi. Une petite surprise au jeu n'est pas impossible.

Mars

D	L	M	M	J	V	S
		1	2	3D	4D	5F
6F	7	8	9	10●	11	12
13F	14F	15F	16D	17D	18	19
20	21	22	23	24	25○	26
27	28	29	30D	31D		

○	Pleine lune	●	Nouvelle lune
F	Jour favorable	D	Jour difficile

SANTÉ – Vous conservez une vitalité exceptionnelle durant les trois premières semaines. La conjoncture demeure propice au rétablissement et à la remise en forme. C'est le temps où jamais de chercher des solutions à vos problèmes, de prendre de sages résolutions. Vous avez le goût de vous occuper de vous; je vous en félicite.

SENTIMENTS – Avec l'opposition de Vénus à votre signe, votre vie de couple semble plus houleuse. Ça ne prend pas grand-chose pour que le ton monte; même chose avec la marmaille. Pourtant, en vous montrant conciliant, vous obtiendrez des résultats spectaculaires. Socialement, ça demeure emballant; vous avez toujours la cote d'amour, et les occasions de rencontrer du nouveau monde ne manquent pas.

AFFAIRES – Malgré toute la cohue qui vous entoure, vous vous débrouillez à merveille. Votre intervention dans une situation de crise vous met en vedette et consolide votre position. Attention cependant aux achats impulsifs ainsi qu'aux investissements irréfléchis. Encore quelques chances dans les tirages d'ici le 21.

Avril

D	L	M	M	J	V	S
					1F	2F
3	4	5	6	7	8●	9
10F	11F	12D	13D	14	15	16
17	18	19	20	21	22	23
24○	25	26D	27D	28F	29F	30

○ Pleine lune et éclipse lunaire annulaire	● Nouvelle lune et éclipse solaire annulaire totale
F Jour favorable	D Jour difficile

SANTÉ – Vous vous portez plutôt bien. À vrai dire, il n'y a que votre manie de la perfection et vos pensées circulaires qui risquent de vous jouer des tours. Essayez de vous ressaisir: en plus d'affaiblir votre résistance nerveuse, ces attitudes négatives pourraient vous rendre plus vulnérable physiquement. La seconde quinzaine est excellente pour vous refaire une beauté ou rafraîchir votre image.

SENTIMENTS – Entre le 16 avril et le 10 mai, vous recevez l'appui de Vénus, planète du bonheur amoureux. Les choses devraient être beaucoup plus coulantes avec votre partenaire; vous vivrez même une douce période de rapprochement. Les célibataires, quant à eux, pourraient dénicher un être parfaitement compatible. Une autre période exquise pour la vie sociale, pour renouer avec les copains ou pour vous faire de nouveaux amis.

AFFAIRES – La routine ne devrait pas vous incommoder, bien au contraire; vous devriez profiter de cette accalmie pour mettre un peu d'ordre dans vos affaires, voire pour concevoir de nouvelles stratégies. Votre sens de l'analyse allié au flair dont vous faites preuve depuis quelque temps pourraient vous permettre d'élaborer un nouveau plan d'action pour l'avenir. C'est prometteur.

Mai

D	L	M	M	J	V	S
1	2	3	4	5	6	7F
8●F	9D	10D	11D	12	13	14
15	16	17	18	19	20	21
22	23○	24D	25D	26F	27F	28
29	30	31				

○ Pleine lune		● Nouvelle lune	
F Jour favorable		D Jour difficile	

SANTÉ – Ne vous demandez pas pourquoi vous vous sentez tout à l'envers: c'est que la planète Mars s'oppose à votre signe. En plus de vous fragiliser, ce transit prédispose aux accidents bêtes. Une saine hygiène de vie ainsi qu'une attitude préventive devraient vous garder à l'abri des contretemps. Au moins, le moral tient le coup.

SENTIMENTS – N'oubliez pas que vous êtes avantagé par Vénus jusqu'au 10 et que, par conséquent, vous avez tout ce qu'il faut pour mettre du piquant dans vos amours. Tout au long du mois, on continue de rechercher votre présence; il y a plusieurs invitations et sorties excitantes en perspective. Un enfant vous fait plaisir entre le 12 et le 28.

AFFAIRES – Voici un autre secteur où vous ressentez les effets de Mars. Des affrontements surviennent dans votre milieu de travail, sans compter que vous devez constamment composer avec des délais brefs et un manque d'organisation flagrant. Tenez le coup; dès le milieu du mois prochain, vous pourrez à nouveau agir à votre guise et reprendre enfin le contrôle de la situation.

Juin

D	L	M	M	J	V	S
			1	2	3F	4F
5F	6 ● D	7D	8	9	10	11
12	13	14	15	16	17	18
19	20D	21 ○ D	22F	23F	24	25
26	27	28	29	30F		

○	Pleine lune	●	Nouvelle lune
F	Jour favorable	D	Jour difficile

SANTÉ – L'opposition de Mars tire à sa fin et, dès le 12, vous en êtes débarrassé. D'ici là, l'imprudence et le laisser-aller sont à proscrire. Psychologiquement, c'est pareil: vous éprouvez une tension assez vive jusqu'au 11, puis tout bascule, vous devenez presque nonchalant. Bon mois pour vous refaire une beauté ou vous laisser tenter par les dernières tendances mode.

SENTIMENTS – Entre le 4 et le 28, vous bénéficiez d'un transit fortuné de Vénus, qui vous permet d'améliorer vos relations avec le conjoint et les copains. Un beau climat de camaraderie s'installe même avec la marmaille. Si vous êtes seul, une amitié amoureuse pourrait complètement transformer votre vie. On vous invite à gauche et à droite, bref, il y a énormément de plaisir à l'horizon!

AFFAIRES – À partir du 13, vous sentez la pression diminuer. Les contrariétés disparaissent et vous pouvez enfin reprendre votre vitesse de croisière. C'est une excellente période pour mettre un terme aux situations embrouillées ou qui ne débouchaient sur rien de concret. Vous avez envie de renouveau, et le timing s'y prête tout à fait.

Juillet

D	L	M	M	J	V	S
					1F	2F
3D	4D	5	6●	7	8	9
10	11	12	13	14	15	16
17D	18D	19D	20F	21○F	22	23
24/31D	25	26	27	28F	29F	30D

○	Pleine lune	●	Nouvelle lune
F	Jour favorable	D	Jour difficile

SANTÉ – Rien de très important à signaler en ce mois. Vous vous sentez en forme, et avec raison. Pour être au sommet de votre forme, évitez de ressasser de vieux souvenirs et diminuez un peu vos portions aux repas. Je ne sais pas si c'est parce que vous avez le cœur plus léger qu'au cours des dernières semaines, mais vous avez tendance à trop manger. Votre intuition ne ment pas, c'est un vrai radar!

SENTIMENTS – Les trois premières semaines se dessinent bien. La vie suit son cours, et vous n'avez pas de véritable raison de vous inquiéter. Parfois, vous trouvez que c'est trop tranquille mais, à bien y penser, mieux vaut le petit train-train quotidien qu'une existence mouvementée et remplie de pépins. De toute façon, le 22 vous commencez un cycle absolument féerique.

AFFAIRES – Vous éprouvez encore un puissant besoin de changement. Vos démarches pourraient se mettre à donner des résultats concrets dès le mois prochain. Ne laissez toutefois pas un coup de tête ou un investissement précipité mettre votre situation en danger. Même chose si l'on veut vous emprunter de l'argent; il faut dire non.

Août

D	L	M	M	J	V	S
	1D	2	3	4●	5	6
7	8	9	10	11	12	13
14D	15D	16F	17F	18	19○	20
21	22	23	24F	25F	26D	27D
28D	29	30	31			

○ Pleine lune		● Nouvelle lune	
F Jour favorable		D Jour difficile	

SANTÉ – Vous voici dans une forme resplendissante. Si jamais vous traîniez de la patte, vous pouvez trouver une solution adéquate à vos bobos. Magnifique mois pour vous prendre en main, pour entreprendre un programme d'exercices ou pour mettre de l'ordre dans vos habitudes alimentaires. Vous trouvez votre équilibre psychologique. Génial!

SENTIMENTS – Votre vie sociale redémarre, et ceux qui se sont ennuyés le mois dernier n'auront plus à se plaindre. Contacts hyper agréables avec vos amis et nouvelles rencontres stimulantes sont au programme. Au fait, tous les espoirs sont permis pour les solitaires d'ici le 27. Quant aux autres, ils seront en mesure de célébrer le retour du romantisme, voire de la passion.

AFFAIRES – Le moment est venu de foncer, car vous entamez un cycle de chance. Vos espoirs de transfert, d'emploi mieux rémunéré ou plus stable ont désormais de fortes possibilités de se concrétiser. Bon temps pour voyager, pour conclure des transactions ou tout simplement brasser des affaires. Au jeu, vous pourriez vous voir attribuer un prix secondaire.

Septembre

D	L	M	M	J	V	S
				1	2	3●
4	5	6	7	8	9	10D
11D	12F	13F	14	15	16	17○
18	19	20F	21F	22F	23D	24D
25	26	27	28	29	30	

○	Pleine lune	●	Nouvelle lune
F	Jour favorable	D	Jour difficile

SANTÉ – Tout continue d'aller pour le mieux. Vos réserves d'énergie semblent inépuisables; mais le plus beau, c'est que vous gérez toute cette vitalité avec énormément d'adresse. Les efforts et les démarches que vous faites en vue d'améliorer votre état donnent encore des résultats exceptionnels. Grâce à votre flair, vous trouvez la personne la mieux placée pour vous aider.

SENTIMENTS – Vous communiquez plus aisément avec votre entourage; on n'a plus à vous tirer les vers du nez. Mieux encore, vous devenez plus sensible aux qualités qu'aux défauts de vos proches: vous misez sur le positif, ce qui donne une nouvelle couleur à toutes vos relations interpersonnelles. Entre le 12 et le 30, vous vivez des moments particulièrement satisfaisants sur le plan amoureux.

AFFAIRES – Votre charme, votre facilité à vous exprimer, vos idées géniales et votre sens de l'organisation contribuent à votre éclatante réussite. La chance vous accompagne encore dans toutes vos entreprises; les démarches et les déplacements continuent de vous avantager. Vous gravissez d'importants échelons. Quant à vos finances, elles sont à la hausse, et l'on décèle encore quelques chances au jeu.

Octobre

D	L	M	M	J	V	S
						1
2	3●	4	5	6	7D	8D
9D	10F	11F	12	13	14	15
16	17○	18F	19F	20D	21D	22
23/30	24/31	25	26	27	28	29

○ Pleine lune et éclipse lunaire partielle	● Nouvelle lune et éclipse solaire annulaire
F Jour favorable	D Jour difficile

SANTÉ – Un autre mois fort constructif où même les éclipses n'arrivent pas à vous perturber. Vous débordez de vitalité, vous avez le goût de profiter pleinement de la vie. Plusieurs envient votre bien-être tant physique que moral, alors que d'autres se pâment devant votre mine épanouie. À vrai dire, vous rajeunissez à vue d'œil.

SENTIMENTS – Les satisfactions en amour se poursuivent de plus belle jusqu'au 8. Par après, vous devez mettre un peu d'eau dans votre vin si vous souhaitez préserver ce climat idyllique. Socialement, c'est extra du début à la fin. Vous n'établissez pas nécessairement des liens profonds avec toutes les personnes que vous rencontrez mais, une chose est sûre, vous passez des moments fort divertissants.

AFFAIRES – Vous avez vraiment le tour de vous mettre en valeur. Partout on apprécie votre talent, votre savoir-faire. Dans les discussions ou les pourparlers, vous avez réponse à tout et impressionnez vos interlocuteurs. Un certain climat d'instabilité semble prévaloir au boulot, mais il ne vous menace en rien. Une contravention ou une petite malchance n'a guère d'impact sur votre budget.

Novembre

D	L	M	M	J	V	S
		1●	2	3	4D	5D
6F	7F	8	9	10	11	12
13	14F	15○F	16F	17D	18D	19
20	21	22	23	24	25	26
27	28	29	30			

○ Pleine lune		●	Nouvelle lune
F Jour favorable		D	Jour difficile

SANTÉ – La tension nerveuse refait surface. Vous êtes plus agité, vous dormez moins bien. Vite, changez-vous les idées et cessez de vous inquiéter avec des problèmes qui ne surviendront jamais. Vous dramatisez; ce qui se passe dans votre petite tête est bien pire que ce qui pourrait arriver en réalité. Prenez quelques précautions afin de rester à l'abri d'un rhume ou d'une indigestion.

SENTIMENTS – Entre le 5 novembre et le 16 décembre, vous êtes particulièrement choyé par Vénus. Presque toutes les facettes de votre vie affective en bénéficient. L'amour est au rendez-vous, y compris pour les célibataires; vos amis se montrent charmants, alors qu'en société vous volez la vedette. Seule ombre au tableau: la relation compliquée que vous risquez d'avoir avec un proche ou un enfant d'ici le 26.

AFFAIRES – Une vieille affaire ou un problème que vous aviez cru réglé pour de bon refait surface. Sur le coup, vous êtes désemparé, mais vous finissez par en venir à bout. Quelques retards et contretemps sont possibles au cours des trois premières semaines, mais rien ne menace vraiment de vous faire perdre ce que vous avez acquis.

Décembre

D	L	M	M	J	V	S
				1●D	2D	3F
4F	5	6	7	8	9	10
11	12F	13F	14D	15○D	16	17
18	19	20	21	22	23	24
25	26	27	28D	29D	30●F	31F

○	Pleine lune	●	Nouvelle lune
F	Jour favorable	D	Jour difficile

SANTÉ – Un mois en dents de scie. Psychologiquement, vous êtes en meilleure forme jusqu'au 13, mais vous risquez d'être à nouveau sur les nerfs par après, d'où l'importance de garder du temps pour vous relaxer. Même scénario sur le plan physique: vous commencez le mois en lion, cependant vous semblez plus fragile durant la seconde quinzaine. Attention aux abus et aux microbes.

SENTIMENTS – N'oubliez pas que Vénus vous favorise en amour, en amitié et en société jusqu'au 16. Rien de vilain à signaler par la suite; il se pourrait même que les tracas que vous éprouviez à propos d'un proche se dissipent enfin. Vous revoyez des gens qui s'étaient faits plus rares depuis quelque temps. Vous rencontrez aussi de nouvelles personnes; l'une d'elles, entre autres, vous fascine.

AFFAIRES – Essayez d'agir avant la pleine lune du 15, puisque c'est à ce moment que vous êtes le plus avantagé. Démarches et pourparlers donnent des résultats concrets. Au travail, vous menez toutes vos activités de main de maître, sans rencontrer aucun obstacle. Par après, vous pourrez vous la couler douce; vous ne l'aurez certainement pas volé!

Balance

du 24 septembre au 23 octobre

I l n'y a pas de doute lorsqu'on vous voit tergiverser avant de prendre une décision, on sait à qui on a affaire: une vraie Balance. Votre recherche de l'harmonie, de la beauté, de la justice est telle qu'il vous est souvent difficile de trancher. Prendre une heure pour choisir entre deux types de pain à la boulangerie, c'est vraiment vous! Et ça, c'est quand vous ne changez pas d'idée juste avant de passer la porte pour sortir.

Vous recherchez le parfait équilibre entre toutes choses. Vivre dans une ambiance harmonieuse où la bonne entente et la cordialité règnent, voilà ce qui vous motive. On remarque votre courtoisie avec tous, que vous vous adressiez à un président de compagnie, à la vieille dame d'en face, au clochard qui hante votre quartier ou au serveur de votre restaurant favori. Un mot gentil ou une attention délicate vient souvent ponctuer vos relations avec les autres. Votre politesse est exquise, ce qui est fort rare et apprécié.

Vous êtes un être sociable qui reçoit toujours des invitations pour un dîner, une sortie, une première, un lancement, un cocktail, ou même pour une balade entre amis. Avouez que vous adorez être l'objet de tant d'attentions. Votre bonne humeur, votre amabilité et votre optimiste sont contagieux, c'est la raison pour laquelle vous êtes si populaire auprès des gens. Quant à votre charme légendaire, il en fait craquer plus d'un.

Le point central de votre vie est l'amour; toute votre existence gravite autour de cet élément. Encore une fois, puisque vous recherchez ce qu'il y a de mieux, le grand amour, le partenaire parfait, ce n'est pas toujours facile. Alors, vous prenez votre temps, convaincu que la félicité vient à point à qui sait attendre.

Vous appréciez également la beauté; vous êtes un hédoniste et vous le revendiquez. Votre plaisir et votre satisfaction vous sont apportés par la beauté: un parterre de fleurs, le dessin du petit dernier. Votre auto-mobile, votre intérieur, tout reflète votre surprenante recherche de l'esthétique. Vous êtes toujours tiré à quatre épingles, vous voulez être à la mode, très chic. On ne peut rien vous reprocher sur votre tenue vestimentaire. Vous y mettez beaucoup d'efforts et, bien entendu, les compliments pleuvent, ce qui ne manque pas vous plaire, avouez-le!

Votre sens de la justice et de l'équité est une autre de vos principales caractéristiques: ne représente-t-on pas la Justice par une femme aux yeux bandés portant un glaive et une balance? Qu'il s'agisse des affaires de l'État ou d'une querelle entre les enfants, d'une mésentente au bureau ou des conflits au Moyen-Orient, vous voudriez que la justice règne partout. Vous vous révoltez en pensant que les droits les plus élémentaires des individus sont bafoués partout dans le monde.

En toute circonstance, vous cherchez la paix et l'harmonie. La violence et l'agressivité vous répugnent. Lorsqu'un climat orageux tend à s'installer à l'endroit où vous êtes, vous préférez souvent partir plutôt que d'assister à des prises de bec. Pourtant, la solitude vous pèse. et vous ne restez jamais éloigné des autres trop longtemps. Mais vous savez choisir votre entourage, car la vulgarité vous blesse.

Votre humeur est remarquable, vous débordez d'optimisme et trouvez toujours le côté positif d'un événement ou d'une situation. Votre frère a perdu son emploi? Tant mieux, c'est l'élément déclencheur qu'il lui fallait pour réorienter sa carrière. Votre meilleure amie est malade? Eh bien, elle pourra ainsi se reposer, elle qui n'avait jamais le temps de souffler. Vous avez toujours le bon mot, mais surtout l'attitude appropriée, pour aider vos proches à surmonter leurs difficultés. Cette façon d'agir vous vaudra de nombreux compliments et plusieurs amitiés.

Ce que l'on remarque au premier regard, c'est votre douceur et l'harmonie de votre silhouette. Vos gestes sont élégants, votre démarche, sensuelle, et vous avez de petits tics tout à fait charmants, comme pencher la tête lorsque vous réfléchissez ou balancer la jambe quand vous êtes assis…

Évidemment, une telle recherche de la perfection et de la beauté en toutes choses ne vous permet pas de vous décider au quart de tour, et c'est là que le bât blesse parfois; vos compagnes de magasinage trépignent d'impatience, vos collègues ragent… mais ça prendra le temps qu'il faudra, vous voulez être sûr de faire le meilleur choix possible.

Comment se comporter avec une Balance?

La Balance est un être tout à fait charmant et d'abords agréables. Discuter avec un natif de ce signe est un charme, du moment qu'il a tous les éléments en main: le pour, le contre, les circonstances. Avant de rendre un verdict, il a souvent besoin de connaître le «qui-du-pour-quoi-du-comment». Son processus pourra vous sembler bien long, car il se rappelle qu'il n'a pas pris tel élément en considération et que tel autre mériterait aussi qu'on s'y attarde. Bref, tous les aspects d'un problème sont mis dans la balance.

Qu'il siège à l'ONU ou qu'il compare les ingrédients de deux sauces tomate, c'est long! Son interlocuteur doit bien souvent s'armer de patience.

Dans un dilemme, proposant deux solutions opposées, il suggérera des compromis pour accommoder toutes les parties. La Balance ne se fâche que très rarement, en fait, elle se sert plutôt de la douceur pour convaincre et tempérer ses contradicteurs. Si vous voulez faire sortir une Balance de ses gonds, il faudra vraiment que vous y mettiez le paquet, et encore, c'est peut-être vous qui sortirez de vos gonds avant elle. Lorsqu'on discute avec un natif de ce signe, la courtoisie et le sang-froid sont de mise. Exposez calmement vos doléances ou votre point de vue, et n'ayez crainte, une de ses légendaires idées ingénieuses l'aidera à dénicher une solution équitable pour tous.

Pour cohabiter harmonieusement avec une Balance, il faut lui créer un environnement calme et paisible. Les chicanes continuelles et les discussions orageuses pour un rien ne contribuent certes pas à une ambiance qu'il appréciera. De toute façon, vous n'arriverez à rien avec un natif de la Balance en utilisant l'agressivité, les cris et les larmes; la douceur, le charme et la gentillesse vous permettront de tout obtenir sans difficulté.

La Balance est un tantinet lente, donc si vous voulez absolument qu'elle ne manque pas votre rendez-vous, fixez le moment de la rencontre une heure plus tôt que prévu, ainsi vous serez assuré qu'elle sera là à temps.

Une Balance est systématiquement en retard, car elle prend trop de temps à se décider: des chaussures bleues ou noires, une robe moulante ou un pantalon ample, une cravate ou un polo à col ouvert... bref, elle tergiverse des heures devant la porte de la garde-robe. Et, bien entendu, lorsqu'elle se montre enfin le nez, vous pouvez être sûr que ses raisons seront bonnes, et ses excuses, adorables. Une Balance à l'heure, c'est vraiment un hasard!

Ses goûts

Pour la Balance, ce qui compte, c'est le beau. Un natif de ce signe est très sensible à la beauté, à l'harmonie. Ses vêtements sont choisis avec beaucoup de goût, de raffinement. Il est d'une élégance peu commune: généralement, couleurs, textures, accessoires sont assortis, des sous-vêtements au parapluie, rien n'est laissé au hasard et la recherche est parfaite. Il ne faut donc pas s'étonner de voir une Balance fouiller dans tous les recoins d'un magasin pour dénicher le portefeuille, la ceinture, les boucles d'oreilles qui s'agencent parfaitement à ses tenues.

Pour les couleurs, une Balance s'en tient surtout aux teintes douces et tendres qui reflètent bien sa personnalité. Les textures, pour leur part, sont souvent soyeuses, fluides, confortables.

Si la Balance s'habille avec un profond souci du détail, que dire de sa demeure. Dans son petit nid, tout est recherché et étudié. Plantes, papier peint, peintures, bibelots, éclairages, tentures, rien ne détonne… On se demande comment elle fait, tellement tout est à sa place…

Lorsqu'une Balance vous convie à sa table, vous pouvez être assuré que le plaisir des yeux tout autant que celui de la bouche sera comblé: chandelles, belles assiettes, nappes et serviettes de table faites à la main, ustensiles ciselés, sa présentation est étudiée et raffinée. Les mets, pour leur part, seront à son image: recherchés. Elle est un fin gourmet. Elle ne résiste pas devant un dessert bien présenté. Mais n'ayez crainte, si vous l'invitez, un natif de ce signe se montrera toujours charmant, élégant et reconnaissant, même si vous l'accueillez à la bonne franquette.

Son potentiel

Le natif de la Balance n'est pas un être impulsif, il préfère soupeser, étudier, voir le pour et le contre; il ne faut donc pas lui confier un poste où les décisions se prennent rapidement. Par contre, si vous cherchez quelqu'un qui saura analyser le moindre aspect d'une tâche ou d'une décision avant de rendre son verdict, c'est le candidat qu'il vous faut.

Ses préférences le poussent à opter pour des activités dans le domaine des arts. C'est un artiste remarquable, un fin artisan: la beauté n'a plus aucun secret pour lui, et il atteindra des sommets inégalés si on lui confie des contrats où l'harmonie est le trait essentiel de sa production. Par exemple, il sera un architecte talentueux, mais excellera également en horticulture, en esthétique, en décoration, en étalagisme, en mode, en coiffure et en orfèvrerie. Si par hasard ses pas le conduisent dans une autre voie, il œuvrera par exemple en tant qu'avocat, juge, procureur, coroner, ou notaire; des tâches qui demandent un solide esprit d'analyse, mais qui viendront également combler son esprit de justice. Il pourrait aussi se distinguer en relations publiques ou dans la diplomatie.

Ses loisirs

Si notre Balance n'a pas choisi un métier du domaine artistique, il leur consacrera sans aucun doute ses loisirs et il aura l'embarras du choix, car c'est un être doué d'un talent remarquable: peinture, aquarelle, céramique, poterie, couture, broderie, tricot, création de sites Web, design d'intérieur, aménagement paysager, toutes les portes lui sont ouvertes.

En fait, tout ce que touche une Balance devient une œuvre d'art: qu'il s'agisse de se maquiller ou d'assortir les couleurs des coussins du salon, elle le fait avec goût et élégance.

La Balance aime également la nature, et surtout les fleurs et les plantes. Son intérieur en est probablement rempli. Donnez-lui un lopin de terre, vous verrez ce qu'elle en fera. Pour un natif de ce signe, avoir le pouce vert n'est pas une expression dénuée de sens. S'il habite en ville, son balcon sera fleuri, et il s'occupera même des carrés d'arbres de sa rue.

La Balance est également une personne très sociable. La solitude lui pèse vite, et rester seule trop longtemps la conduira tout droit à l'ennui. Des sorties, des réunions entre amis, des dîners au restaurant, des spectacles sont des éléments essentiels à son équilibre mental. La Balance est une personne agréable qui sait séduire et enjôler; elle ne reste donc jamais seule très longtemps.

Sa décoration

Son cocon est si douillet et si harmonieux qu'on pourrait avoir l'impression d'entrer dans un monde de rêves lorsqu'on y pénètre. Le temps et l'énergie que notre Balance a consacrés à son intérieur sont incalculables. Chez elle, rien ne dépasse: le tapis et les tentures se marient harmonieusement avec les meubles, et le moindre bibelot occupe la place qui lui convient exactement.

Son intérieur est une symphonie de couleurs subtiles et de formes délicates où tout est parfait, en équilibre. Il faut dire que le moindre élément a été sélectionné avec soin; on pourrait se croire dans les pages d'un magazine de décoration.

En fait, la Balance a un don inné pour la décoration, un goût sûr qui fait de son intérieur un écrin d'élégance et de beauté. Si vous avez des conseils de décoration à demander à quelqu'un, tournez-vous vers une Balance; vous ne serez jamais déçu.

Son budget

Évidemment, toute cette beauté a un prix, et notre Balance doit avoir un porte-monnaie bien rempli pour se permettre toutes ces dépenses. Eh bien, même si un natif de ce signe ne roule pas sur l'or, n'ayez crainte, c'est un excellent comptable… et un très bon consommateur qui sait magasiner, même s'il se laisse tenter facilement et dépense généreusement. En fait, une Balance qui a un budget restreint connaîtra les bons endroits où se faire plaisir à peu de frais, tout en satisfaisant ses goûts pour la beauté et l'esthétique.

Par contre, si le natif de ce signe est un peu plus à l'aise financièrement, il voudra mettre un peu d'argent de côté. Mais si la tentation est assez grande, il succombera et remettra l'épargne à plus tard. Il est rare qu'une Balance songe à investir dans un REÉR alors que sa garde-robe du printemps doit être renouvelée… ou le mobilier du salon, changé pour qu'il s'harmonise aux nouveaux tapis et aux nouvelles peintures qu'elle vient d'appliquer sur les murs.

Bref, pour une Balance, l'argent est un moyen d'acquérir de belles choses; ce n'est pas fait pour dormir dans un coffre-fort, et encore moins pour être investi dans des portefeuilles boursiers qui sont à ses yeux des comptes tout à fait virtuels.

La Balance possède une nature résolument optimiste et ne s'inquiète pas outre mesure quand les factures arrivent… en toutes circonstances, elle garde son sourire charmeur et règle les problèmes lorsqu'ils se présentent, sans anticiper.

Quel cadeau lui offrir?

Faire plaisir à un natif de ce signe est probablement la chose la plus aisée qui soit: il est toujours content.

Puisque notre Balance aime les beaux objets, les vêtements à la mode, les bijoux précieux, les œuvres d'art, les créations haute couture ou d'artisans, vous aurez l'embarras du choix.

Du matériel d'artiste, peinture, pastel, fusain, verrerie et étain pour vitraux, tapisserie aux petits points lui permettront de mettre en valeur son immense talent. En tant que mélomane avertie, elle appréciera le plus récent disque de son artiste favori. Vous pouvez également arriver chez elle avec des plantes plein les bras, des fleurs ou des parfums qui embaument; vous ne vous tromperez pas.

D'ailleurs, quel que soit le cadeau que vous lui offrirez, il sera sans doute apprécié, car notre Balance adore recevoir. Un bel emballage, un joli ruban et une carte de vos bons vœux la rendront folle de joie.

Les enfants Balance

Quels adorables chérubins! Ils sont mignons, souriants, enjoués et de bonne humeur. Par contre, il faut leur trouver des compagnons de jeu, car ils détestent rester seuls. S'ils sont enfants uniques, ils seront constamment dans les jambes de leurs parents.

Ce sont aussi des enfants charmeurs qui savent séduire avant même d'avoir prononcé leurs premiers mots. Leur sourire est enjôleur, et personne ne peut y résister. Ainsi, ils obtiennent souvent tout ce qu'ils veulent par un simple gazouillis… Ils choisiront la méthode douce pour vous amadouer; avec eux, pas de pleurs ni de cris.

Aimable, gentil, disposé à faire plaisir, l'enfant Balance est un compagnon de jeu agréable, et ses petits amis ne se trompent pas, c'est un bambin populaire auprès des autres.

En classe, il sera sûrement le boute-en-train de l'école, car il adore jouer; par contre, pour les études, il aura besoin d'être constamment motivé, car il y a tellement de choses à explorer dans ce vaste monde que son esprit vagabondera souvent bien loin de ses devoirs et de ses leçons.

Ses parents devront lui apprendre à étudier, à se concentrer sur une tâche et à se décider. Il aura tendance à changer d'avis rapidement.

Une autre de ses petites faiblesses est son manque de ponctualité. Évidemment il n'arrive pas à se décider, il perd du temps; il faudra donc lui apprendre à mieux gérer son temps.

L'ado Balance

Tu as une belle personnalité que beaucoup de tes camarades t'envient: tu es sociable, tu t'intéresses aux autres et tu aimes faire plaisir. Tu es très charmeur, et peu de monde peut te résister. Tu sais d'ailleurs utiliser ce pouvoir pour parvenir à tes fins.

Tu aimes sortir, voir du monde, échanger, rencontrer de nouvelles personnes. La solitude, ce n'est décidément pas pour toi, car tu t'ennuies rapidement. Les arts, la musique te font vibrer, et tu es très sensible à la beauté sous toutes ses formes.

L'amour te donne des ailes et occupe une place très importante dans ta vie. Tout autour de toi et en toutes choses, tu recherches l'harmonie. Aussi bien dans ta famille que dans ton cercle d'amis, tu ne supportes pas les disputes; c'est souvent toi qui règles les petits différends entre ceux que tu côtoies.

Tu as un sens très aigu de la justice, tu ne supportes pas que quelqu'un soit maltraité devant toi. Par contre, avant de te lancer dans une entreprise, quelle qu'elle soit, tu pèses longuement le pour et le contre… et il t'est parfois difficile de te décider: tu hésites, tu balances, tu ne sais pas… Tes amis trouvent que tu «ne te branches pas».

Les deux petits défauts qu'on pourrait éventuellement te reprocher sont liés à l'une de tes grandes qualités: tu cherches constamment à faire plaisir et à te faire aimer. Mais voilà, cela peut te rendre superficiel aux yeux des autres. Tu dois aussi corriger ton manque de ponctualité; tu as tellement de mal à te décider que tu arrives en retard partout. Ce qui te distingue des autres cependant, c'est ton éternel optimisme; rien ne te démonte, tu es toujours capable de déceler le bon côté des choses, même dans les pires situations.

Tes études

Tu es brillant, tu as un bon jugement, tu es même capable d'assimiler deux formations très différentes à la fois. Le grand problème, c'est de savoir à laquelle accorder le plus d'importance; tu n'arrives pas à prendre une décision finale.

Comme tu apprécies la beauté et l'harmonie, tu excelles dans tes cours d'art plastique ou de musique. Le petit hic, c'est que tu t'intéresses plus à la vie sociale de l'école, aux sorties de groupe et aux réunions qu'à tes études. Avoue-le, tu es un peu paresseux de nature, et ces multiples occupations parascolaires sont pour toi de bonnes excuses pour ne pas trop travailler en classe.

Pourtant, tu es doué, et la réussite t'attend si tu parviens à mettre un peu de discipline dans ta vie… et si tu n'arrives pas en retard dans tes cours.

Ton orientation

Ce n'est pas facile pour toi de choisir un métier, car il y a tellement de domaines qui t'intéressent! En fait, le problème est que tu peux revenir sur ta décision, même lorsque tu jures que cette fois tu ne changeras plus d'idée.

Tes buts changent constamment; il est difficile de faire quelque chose de ta vie dans de telles conditions. Par contre, si tu te diriges vers des métiers artistiques (les arts, la décoration, l'esthétique, la coiffure, la mode, la joaillerie, la musique, la comédie, l'horticulture, l'architecture, la littérature, l'ébénisterie, la danse) tu parviendras sûrement à te tailler une place de choix. Les communications, la diplomatie, la justice, le droit, le commerce, l'éducation ou les relations publiques sont aussi des domaines où tu pourras briller.

Tes rapports avec les autres

Tes amis, ta famille occupent une place prépondérante dans ta vie, car tu ne supportes pas d'être seul. Même pour étudier, tu as besoin de monde autour de toi. Donc, tu seras meilleur dans les travaux scolaires en équipe. Tu as également besoin d'un environnement calme où règne la bonne entente; les cris et les disputes te perturbent énormément. Tu penses beaucoup aux autres, tu essaies de faire plaisir et tu as besoin de te sentir aimé pour bien fonctionner dans un groupe.

Tu es quelqu'un de très généreux, mais tu n'as pas besoin de dépenser de l'argent pour conquérir les autres; ton sourire te permet de te faire facilement des amis. Le plus important pour toi est cependant de bien les choisir.

Dominique Michel, Anne Rice, Sonia Benezra, Sean Connery, Brigitte Bardot, Diane Dufresne, Hélène Lauzon, Julien Clerc, André Robitaille, Susan Sarandon, Kate Winslet, Matt Damon, François Pérusse, Sigourney Weaver, John Lennon, Guylaine Tremblay, Daniel Lemire, Jean-Jacques Goldman, Chantal Fontaine, Danielle Proulx, Gilles Vigneault, Luck Mervil, Claude Léveillée, Claude Charron, Luciano Pavarotti, Éric Lapointe, Catherine Deneuve, Will Smith.

Pensée positive pour la Balance

Je capte toute l'harmonie de l'univers et la canalise dans ma vie. Je fais le bon choix en toute situation et j'avance vers l'amour.

Pensée positive spéciale pour 2005

Je m'accorde au rythme des événements, car je sais que ma vie se transforme pour le mieux.

Le subconscient nous dirige toujours selon nos pensées. En répétant le plus souvent possible ces pensées conçues tout spécialement pour vous, vous vous attirerez plein de belles choses.

Signe: Balance

Élément: Air

Catégorie: Cardinal

Symbole: ♎

Points sensibles: Reins, vessie, appareil urinaire, bas du dos, obésité, diabète, hypoglycémie. Attention au sucre!

Planète maîtresse: Vénus, planète de l'amour.

Pierres précieuses: Opale, jade, corail.

Couleurs: Les tons pastel et les couleurs tendres, rose, turquoise.

Fleurs: Violette, jonquille, rose thé... et toutes les autres.

Chiffres chanceux: 6-9-15-18-23-26-36-39-41-45.

Qualités: Doux, tendre, affectueux, amoureux de l'amour, juste, diplomate, charmeur.

Défauts: Indécis, instable, dépensier, retardataire, effrayé par la solitude.

Ce qu'il pense en lui-même: Je voudrais que tout soit si beau autour de moi.

Ce que les autres disent de lui: Il ne se branche pas... Mais on le lui pardonne; il est si adorable!

Prédictions annuelles

Avec Jupiter dans votre signe, il ne saurait être question d'une petite année tranquille qu'on a tôt fait d'oublier. Vous vivez quantité d'expériences inhabituelles, et votre immense faculté de vous adapter aux nouvelles situations sert parfaitement vos intérêts. Certains éléments qui vous satisfaisaient auparavant ne font plus votre affaire aujourd'hui; à vrai dire, vous avez envie de quelque chose de complètement différent. Avec Saturne dans le décor jusqu'au 16 juillet, vous continuez de tout remettre en question. Le temps du grand bilan se poursuit donc encore plusieurs mois.

SANTÉ – Les puissants courants planétaires qui marquent votre signe tout au long de l'année vous invitent à la sagesse. Si vous décidez de vous occuper de vous, de miser sur votre bien-être et d'écouter vos vrais besoins, vous ne pouvez que jouer gagnant. Par contre, si vous vous négligez, vous risquez d'être rappelé à l'ordre. À table, les excès sont assurément à proscrire, car ils menaceraient non seulement votre silhouette mais votre santé. Ménagez votre monture et n'abusez pas de vos forces. Moralement, Jupiter vous donne le goût de mordre dans la vie à belles dents, alors que Saturne vous rend parfois bien sérieux — peut-être même trop au dire de certains. Attention de ne pas verser dans la mélancolie.

SENTIMENTS – Année décisive en perspective! D'une part, vous traversez toujours un cycle de forte popularité et, socialement, votre destinée prend l'allure d'un tourbillon. Vous rencontrez plein de monde et nouez de solides amitiés. Il va sans dire qu'avec une telle conjoncture, les solitaires ne le seront plus pour longtemps. D'autre part, vous continuez à vous interroger sur le sens de certaines relations; vous ne tolérez plus que l'on profite de vous ou que l'on vous relègue sans cesse au second plan. Certains d'entre vous iront même jusqu'à prendre des décisions lourdes de sens; vous savez enfin ce qui est bon pour vous et, surtout, vous n'avez plus peur de faire face à la réalité. Un parent ou un être cher risque d'éprouver des difficultés d'ici votre anniversaire.

AFFAIRES – Le passage de Saturne coïncide avec la fin d'une étape. Sur le plan professionnel, il y aura donc du changement, que ce soit à partir d'une de vos initiatives ou parce que le sort en a décidé ainsi. Au début, vous risquez de vous sentir désemparé. Néanmoins, en cours de route, vous constaterez que tout ce remue-ménage sert fort bien vos intérêts. Votre situation financière pourrait connaître des hauts et des bas d'ici l'automne. À certains moments, l'argent coule à flots, et vous avez même d'intéressantes possibilités au jeu; à d'autres, c'est plus serré. Afin de ne pas envenimer les choses, restez loin des investissements risqués ainsi que des achats impulsifs et méfiez-vous des erreurs de jugement. Ne laissez pas non plus un voleur ou un escroc s'emparer de ce qui vous appartient. On entrevoit davantage de stabilité et de paix d'esprit à compter de l'automne. Bonne année pour voyager.

Janvier

D	L	M	M	J	V	S
						1
2	3	4	5	6	7	8
9D	10●D	11F	12F	13	14	15
16	17	18	19	20F	21F	22D
23D/30	24D/31	25○	26	27	28	29

○	Pleine lune	●	Nouvelle lune
F	Jour favorable	D	Jour difficile

SANTÉ – Excellent début d'année sur le plan physique; vous brillez par votre dynamisme et votre vitalité. Moralement, tout se passe bien jusqu'au 10. Par la suite, vous risquez cependant d'être passablement nerveux. Si vous mettez le nez dehors un peu plus souvent, ça vous permettra de ventiler votre stress et de conserver votre mine éclatante.

SENTIMENTS – Tout fonctionne à merveille au cours de la première quinzaine. Vous vous divertissez en compagnie de gens hyper sympathiques. Vos amours sont suaves; les marques d'affection arrivent de tous les côtés. Puis, tout bascule; vous vous heurtez à l'indifférence, voire à la froideur de plusieurs. Vous ne savez plus quoi penser. Le téléphone sonne moins souvent; vous risquez de vous ennuyer.

AFFAIRES – Vous avez tendance à vous éparpiller, à vous éloigner de votre plan d'action initial. Pourtant, il suffirait de vous ressaisir, de mieux structurer vos opérations pour que tout aille bien. Bon mois pour les déplacements. Entre le 10 et le 30, vous êtes d'humeur follement dépensière, ce qui menace l'équilibre de votre budget.

Février

D	L	M	M	J	V	S
		1	2	3	4	5
6D	7D	8● F	9F	10	11	12
13	14	15	16F	17F	18F	19D
20D	21	22	23○	24	25	26
27	28					

○	Pleine lune	●	Nouvelle lune
F	Jour favorable	D	Jour difficile

SANTÉ – La première semaine se déroule sans incident majeur. Par contre, le reste du mois exige davantage de doigté. Prenez vos précautions pour ne pas vous blesser et respectez les règles d'une saine hygiène de vie; ça gardera les virus et les malaises à distance. Les 17 premiers jours sont fameux sur le plan moral; vous débordez de joie de vivre.

SENTIMENTS – Entre le 3 et le 27, Vénus et Jupiter s'unissent pour vous apporter beaucoup d'amour, sans compter que les solitaires pourraient avoir une grosse surprise. Votre vie sociale recommence à bouger, bref, les occasions de vous amuser ne manquent pas. Seul un aîné ou un membre de la famille traverse une passe difficile, à moins qu'il ne vous irrite par son comportement.

AFFAIRES – Les coups d'éclat, les démarches et les négociations devraient se faire sans tarder car, à compter du 8, vous risquez de vous heurter à une série d'obstacles. Une réparation ou une perte pourrait vous obliger à débourser une somme que vous n'aviez pas prévue et, comme vous avez beaucoup dépensé, ça tombe plutôt mal.

Mars

D	L	M	M	J	V	S
		1	2	3	4	5D
6D	7F	8F	9	10●	11	12
13	14	15	16F	17F	18D	19D
20D	21	22	23	24	25○	26
27	28	29	30	31		

○	Pleine lune	●	Nouvelle lune
F	Jour favorable	D	Jour difficile

SANTÉ – Les aspects planétaires demeurent pénibles d'ici le 21, et c'est pour cette raison que vous devez continuer à faire preuve de prudence et de discernement. Ce n'est vraiment pas le temps de courir des risques, de jouer les casse-cou ni de vous laisser aller. La fin du mois s'annonce bien plus positive; vous remontez la pente à vive allure.

SENTIMENTS – Avec la famille et la marmaille, ça demeure compliqué pendant les trois premières semaines. Il vous faut faire des prouesses pour sauvegarder l'harmonie. Sur le plan interpersonnel, vous vous sentez négligé, vous avez l'impression qu'on ne fait pas assez attention à vous. Heureusement, tout se replace par la suite, et les 10 derniers jours s'annoncent délicieux.

AFFAIRES – Ici, c'est pareil, la confusion s'éternise jusqu'au 20. En plus, vous n'êtes pas à l'abri d'une erreur de jugement qui risque de vous coûter cher; ne prêtez pas d'argent et gardez sous clé ce qui vous appartient. À compter du 21, c'est le grand retour de la chance; vous pourriez même rafler un prix dans un tirage.

Avril

D	L	M	M	J	V	S
					1D	2D
3F	4F	5	6	7	8●	9
10	11	12F	13F	14D	15D	16D
17	18	19	20	21	22	23
24○	25	26	27	28D	29D	30F

○	Pleine lune et éclipse lunaire annulaire	●	Nouvelle lune et éclipse solaire annulaire totale
F	Jour favorable	D	Jour difficile

SANTÉ – Comme l'éclipse solaire se produit dans l'axe de votre signe, quelques recommandations vous garderont à l'abri des ennuis. Primo, apprenez à vous relaxer; vous pensez trop, et ça vous gruge de l'énergie. Secundo, en résistant à la gourmandise, vous éviterez tant le surplus de poids qu'une foule de petits dérangements. Cela en vaut la peine.

SENTIMENTS – La présence de la planète Mars dans votre cinquième secteur vous confère un charisme si puissant que les gens que vous rencontrez sont très impressionnés, souvent même séduits. C'est curieux, vous vous débrouillez mieux avec les nouvelles connaissances qu'à la maison, où la tension est palpable, spécialement durant la première quinzaine.

AFFAIRES – De grâce, ne mettez pas la charrue avant les bœufs! Vous allez trop vite, ce qui vous expose à des erreurs. Le potentiel de réussite du cycle que vous traversez est fort élevé, et ce serait dommage de ne pas en profiter. Alors c'est simple: planifiez, organisez, réfléchissez, et tout ira comme sur des roulettes. Vous vous féliciterez de vos nombreux progrès. La chance au jeu continue de vous accompagner.

Mai

D	L	M	M	J	V	S
1F	2F	3	4	5	6	7
8●	9F	10F	11F	12D	13D	14
15	16	17	18	19	20	21
22	23○	24	25	26D	27D	28F
29F	30	31				

○ Pleine lune		● Nouvelle lune	
F Jour favorable		D Jour difficile	

SANTÉ – Vous vous sentez plus solide et vous avez raison, car les influences planétaires sont nettement plus conciliantes. Sur le plan physique, vous affichez une vitalité remarquable, alors que sur le plan moral, vous devriez retrouver tout votre aplomb après le 11. Bon temps pour vous refaire une beauté, pour rafraîchir votre image.

SENTIMENTS – La communication avec vos proches accroche encore un brin durant les 12 premiers jours, aussi faut-il surveiller les mots que vous prononcez. Une période d'intense bonheur amoureux se dessine entre le 10 mai et le 4 juin. Les célibataires pourraient remédier à leur problème de solitude, et les autres pourraient assurément se rapprocher de leur conjoint. Au cours de la même période, vous recevez de nombreuses invitations.

AFFAIRES – Vous travaillez d'arrache-pied, mais les résultats se font attendre pendant que défile la première quinzaine. Par la suite s'amorce la saison de la récolte. Vos demandes reçoivent davantage d'attention, et vos efforts pour améliorer votre situation commencent à donner des fruits. Une surprise, un cadeau ou un coup de main au bon moment vous motive entre le 10 et le 31.

Juin

D	L	M	M	J	V	S
			1	2	3	4
5	6●F	7F	8D	9D	10D	11
12	13	14	15	16	17	18
19	20	21○	22D	23D	24F	25F
26	27	28	29	30		

○	Pleine lune	●	Nouvelle lune
F	Jour favorable	D	Jour difficile

SANTÉ – Jusqu'au 12, vous ne devriez éprouver aucune difficulté sérieuse. Par contre, durant le reste du mois, Mercure et Mars occupent des secteurs délicats de votre thème astrologique, vous prédisposant aux accidents et à différentes indispositions, y compris sur le plan nerveux. Faites attention à vous si vous souhaitez rester à l'abri.

SENTIMENTS – Les quatre premiers jours sont truffés de bonnes nouvelles et de marques d'affection. Par la suite, vous devez mettre des gants blancs avec vos proches, car ceux-ci ont tendance à être impatients, sinon susceptibles. Dans la seconde quinzaine, un parent risque de se trouver dans une situation pénible; votre intervention pourrait se révéler nécessaire.

AFFAIRES – Agissez sans perdre de temps. Vos chances de succès sont nettement meilleures pendant la première moitié du mois. Choisissez cette période pour entreprendre des démarches, pour négocier un contrat ou pour mettre vos projets en branle. Par la suite, le climat pourrait être plus tendu, voire hostile. Prenez les moyens qu'il faut pour éviter les bris, les vols et les contraventions.

Juillet

D	L	M	M	J	V	S
					1	2
3F	4F	5D	6●D	7D	8	9
10	11	12	13	14	15	16
17	18	19	20D	21○D	22F	23F
24/31F	25	26	27	28	29	30F

○	Pleine lune	●	Nouvelle lune
F	Jour favorable	D	Jour difficile

SANTÉ – Mercure cesse de vous embêter et devient même votre allié; vous avez les idées plus claires, vous faites plus facilement la part des choses. Malheureusement, la planète Mars demeure menaçante jusqu'au 28; vous devez à tout prix continuer à bannir les excès et à agir avec précaution afin de ne pas vous blesser. Prenez soin de vous; vous avez tout à gagner.

SENTIMENTS – Les trois premières semaines sont fort agréables en amitié. Vos copains ont une oreille attentive; ils pourraient même vous aider à décortiquer ce qui vous arrive. Ajoutons que vous avez l'occasion de rencontrer de nouvelles gens fort sympathiques. En amour, si vous jouez la carte de la complicité, tout ira à merveille. Par contre, vous risquez de tout gâcher en voulant imposer votre point de vue.

AFFAIRES – La menace d'une perte, d'un vol et de gaspillage plane toujours, soyez aux aguets. Vous faites davantage preuve de discernement malgré les obstacles qui jonchent votre route. Au lieu de vous laisser aveugler par les pépins qui se présentent, de vous décourager pour des riens, vous vous retroussez les manches et cherchez des solutions. Un éclair de génie vous permet justement de vous en sortir.

Août

D	L	M	M	J	V	S
	1F	2D	3D	4●	5	6
7	8	9	10	11	12	13
14	15	16D	17D	18F	19○F	20
21	22	23	24	25	26F	27F
28F	29	30D	31			

○	Pleine lune	●	Nouvelle lune
F	Jour favorable	D	Jour difficile

SANTÉ – Bonne nouvelle: les planètes Mars et Saturne sont sorties du décor. En plus d'être débarrassé du danger de vous faire mal, vous amorcez un cycle de remontée. Bon temps pour vous attaquer à ce qui vous dérangeait, ou pour consulter au besoin. Même le moral s'améliore; vous êtes plus solide, vous vous sentez renaître.

SENTIMENTS – Entre le 17 août et le 12 septembre, Vénus et Jupiter vous aident à améliorer votre vie intime. Finies les querelles d'amoureux, les situations obscures et les discussions qui tournent au vinaigre! Vous vivez un important rapprochement avec l'être cher. Si vous êtes seul, gardez les yeux ouverts, car la destinée s'apprête à mettre quelqu'un de formidable sur votre chemin. Ajoutons que toutes les contrariétés avec les proches s'estompent d'elles-mêmes.

AFFAIRES – Vous avez enfin une plus grande liberté d'action, et le moment est venu de repartir du bon pied. Un nouvel emploi ou une amélioration de vos conditions de travail met fin à vos inquiétudes. Bon mois pour aller de l'avant, pour négocier et pour voyager. Les finances remontent, vous pourriez même faire un coup d'argent au courant de la seconde quinzaine; prenez un billet de loterie, qui sait?

Septembre

D	L	M	M	J	V	S
				1	2	3●
4	5	6	7	8	9	10
11	12D	13D	14F	15F	16	17○
18	19	20	21	22	23F	24F
25D	26D	27D	28	29	30	

○	Pleine lune	●	Nouvelle lune
F	Jour favorable	D	Jour difficile

SANTÉ – La récupération se poursuit de plus belle. À vrai dire, il n'y a que votre manque de contrôle, entre autres à table, qui risque de vous nuire. Vous avez énormément d'intuition; on ne peut rien vous cacher. La première quinzaine convient parfaitement aux soins esthétiques ou à un rajeunissement d'image. Quant au moral, il est splendide. Plus le temps passe, plus vous vous affranchissez de vos anciens schémas.

SENTIMENTS – Je vous rappelle que les 12 premiers jours constituent une occasion magnifique d'enrichir votre vie amoureuse. Des moments empreints de romantisme vous attendent. Les occasions de sortir, de vous divertir et de rencontrer des gens sympathiques continuent de se multiplier. Le reste du mois devrait se dérouler plus calmement et sans anicroche; rien à redouter.

AFFAIRES – Vous progressez à vue d'œil. Le changement sous toutes ses formes vous avantage, même si ce n'est pas toujours vous qui en décidez. Votre flair remarquable vous permet de saisir au vol une occasion du tonnerre, mais aussi de choisir le bon moment pour mettre vos projets en marche. D'ici le 17, l'argent rentre parfois de façon inattendue; toutefois, il sort tout aussi rapidement... Le magasinage vous coûte cher.

Octobre

D	L	M	M	J	V	S
						1
2	3●	4	5	6	7	8
9	10D	11D	12F	13F	14	15
16	17○	18	19	20F	21F	22D
23D/30	24D/31	25	26	27	28	29

○ Pleine lune et éclipse lunaire partielle   ● Nouvelle lune et éclipse solaire annulaire
F   Jour favorable   D   Jour difficile

SANTÉ – Les deux éclipses ont lieu dans l'axe de votre signe. Bien qu'elles ne comportent pas de risques majeurs, vous devriez faire un peu plus attention à vous. Votre résistance nerveuse ou physique pourrait fléchir momentanément si vous ne respectez pas les règles de base d'une saine hygiène de vie. Ne perdez pas de temps ni d'énergie à ressasser de vieux souvenirs.

SENTIMENTS – Votre plus belle période va du 8 au 31, alors que vous serez gâté à tout point de vue. En plus de pouvoir profiter d'une vie sociale entraînante, vous êtes choyé sur le plan intime. La communication avec l'entourage est stimulante; vous arrivez même à mettre fin à une vieille chicane. Bonne période pour adhérer à un club ou à une association; vous apprécierez grandement les gens que vous y rencontrerez.

AFFAIRES – Laissez tomber les détails qui n'en valent pas la peine. Vous risquez de perdre un temps fou en vous entêtant à régler des peccadilles. Ce serait dommage de vous éloigner de votre but, car vous êtes toujours sur une excellente lancée. Quelques retards sont possibles au travail ou sur le plan financier; cependant, rien n'est menaçant.

Novembre

D	L	M	M	J	V	S
		1●	2	3	4	5
6D	7D	8F	9F	10	11	12
13	14	15○	16F	17F	18D	19D
20	21	22	23	24	25	26
27	28	29	30			

○	Pleine lune	●	Nouvelle lune
F	Jour favorable	D	Jour difficile

SANTÉ – Sur le plan physique, les aspects planétaires sont fort encourageants, et si vous y mettez un peu du vôtre, vous devriez passer un très bon mois. Quant à ce vague à l'âme que vous ressentez, il n'a aucune raison d'être; votre vie va de mieux en mieux. Apprenez à vous aimer, à vous accepter; cessez de vous demander l'impossible, et nous pourrons à nouveau profiter de votre beau sourire.

SENTIMENTS – Votre trop grande sensibilité risque de vous jouer des tours entre le 5 et le 30. Vous vous en faites pour des riens; vous allez jusqu'à mettre en doute les sentiments que l'on vous porte. Si vos proches et vos amis semblent plus distants, c'est tout simplement parce qu'ils ont leurs préoccupations ou qu'ils sont débordés. Prenez les devants au lieu d'attendre les autres; tout le monde en sera ravi, vous le premier.

AFFAIRES – Malgré la vague d'instabilité qui prévaut à votre travail, vous n'avez pas lieu de vous en faire personnellement. Vous hésitez entre deux possibilités; pas facile de vous brancher. Donnez-vous un peu de temps; vous verrez, dès le mois prochain, la décision sera plus facile. En attendant, vous pourriez mettre un peu d'ordre dans vos affaires.

Décembre

D	L	M	M	J	V	S
				1●	2	3D
4D	5F	6F	7	8	9	10
11	12	13	14F	15○F	16D	17D
18D	19	20	21	22	23	24
25	26	27	28	29	30●D	31D

○	Pleine lune	●	Nouvelle lune
F	Jour favorable	D	Jour difficile

SANTÉ – Une fois la première semaine écoulée, vous devriez vous sentir beaucoup mieux dans votre peau. Vous retrouverez à la fois votre joie de vivre et votre motivation. Cette dernière pourrait vous permettre de vous reprendre en main et d'adopter de meilleures habitudes, ce qui ne tarderait pas à donner des résultats fantastiques.

SENTIMENTS – Vous vivrez des moments extraordinaires entre le 16 et le 31, et ce, à tous les niveaux. En société, vous êtes très en demande et, dans l'intimité, on vous traite aux petits oignons. Vous recevez d'innombrables preuves d'amour et êtes bien obligé de vous rendre à l'évidence: on vous adore. Un enfant, un frère ou une sœur vous surprend agréablement.

AFFAIRES – Votre attitude plus positive a des répercussions tangibles sur votre vie professionnelle. Vous savez beaucoup mieux ce que vous voulez et avez tous les atouts en main pour atteindre vos objectifs. Tout devient limpide; il ne vous reste qu'à agir! La seconde quinzaine est favorable aux déplacements d'affaires ou d'agrément. Petite surprise possible sur le plan financier.

Scorpion
♏

du 24 octobre au 22 novembre

Il ne vous sert à rien de vouloir le cacher: vous êtes un Scorpion, un vrai. D'ailleurs, vous le savez pertinemment, car rien ne vous échappe.

Ce qui frappe en premier chez vous, ce sont vos yeux. Remplis de mystère, scrutateurs, ils pénètrent au plus profond de vos interlocuteurs, jusqu'à leur âme. Lorsque vous regardez quelqu'un, cette personne a l'impression que vous lisez en elle comme dans un livre ouvert et qu'elle ne peut rien vous dissimuler.

En fait, ce n'est pas tant ce que vous voyez que ce que vous devinez qui est incroyable. Vous êtes doté d'une remarquable intuition: vous pressentez les événements, vous devinez les gens, leurs intentions et leurs sentiments. Vous percez leurs secrets les plus intimes, ce qui, bien entendu, les met parfois mal à l'aise en votre présence.

Votre charisme et votre magnétisme sont si puissants que vous troublez les gens; avouez que cela vous plaît bien. Ce côté mystérieux de votre personnalité n'est pas le moindre. Votre charme et votre grand pouvoir de séduction contribuent également à vous constituer un tempérament bien différent de tous les autres.

Ce que l'on sait moins de vous, car vous ne le laissez jamais paraître – sans doute par crainte d'être blessé – c'est que vous êtes hypersensible et très émotif. Vos sentiments sont à l'image de votre regard: ardents, jamais fades, et toujours remplis de passion. Que vous aimiez ou que vous haïssiez, il n'y a pas de demi-mesures.

Vos sentiments sont profonds, très profonds, souvent un peu confus et parfois même troubles. C'est la raison pour laquelle on a parfois l'impression que vous vous moquez des gens, que vous êtes hautain, dédaigneux des autres, alors que c'est plutôt une sorte de distance que vous mettez entre vous et eux pour mieux les comprendre et pour être sûr de la qualité de vos relations. Vous avez tellement peur d'être blessé que vous vous tenez en retrait, à l'abri sous votre épaisse carapace. Prêt à vous défendre avec votre aiguillon, vous piquez comme la bestiole qui vous représente, puis vous jugez des réactions. Ce n'est pas de la méchanceté, simplement un test. Et c'est là que réside le problème: personne n'aime être ainsi testé, et on se plaint de votre côté démoniaque, de votre cruauté, de votre méchanceté… de ces travers qui intriguent, bien entendu, ceux qui ne vous connaissent pas.

Votre tempérament est contrasté. Vous ne parlez pas, ce qui dérange, et quand vous parlez, cela dérange encore plus: vos propos sont si nets, si catégoriques. Mais encore une fois, cela est dû au mur de protection que vous dressez autour de vous. Si on parvient à vous rejoindre dans votre forteresse, tout se passe très bien.

Vous êtes une personne passionnée des mondes étranges, des personnes insolites, de sciences ésotériques, de parapsychologie, et la mort vous fascine. Bref, vous vous êtes construit un monde de mystère fascinant. Comme vous finissez toujours par trouver ce que vous cherchez, vous excellez dans des domaines où votre intuition et votre extraordinaire perception sont mises à l'épreuve. Mais, bien sûr, vous gardez toutes ces découvertes pour vous.

Votre flair et votre mémoire sont terribles, et comme, en plus, vous êtes très visuel, peu de choses vous échappent. Vous vous souvenez de ce qu'on vous fait et, surtout, de ce qui vous blesse. Même 30 ans plus tard, tout est encore aussi frais à votre esprit. Vous n'oubliez rien et vous êtes assez rancunier. Votre vraie vengeance se manifeste par une méfiance accrue… À moins que vous ne décidiez d'ignorer complètement la personne qui vous a blessé. Dans ce cas, c'est comme si elle n'existait plus pour vous.

Que ce soit le camarade de classe qui vous avait lancé un élastique en deuxième année, la fatigante qui tournait autour de votre premier ami de cœur, le vieil oncle qui vous taquinait un peu trop quand vous étiez petit ou le conjoint repentant qui revient avec des fleurs, mais que vous attendez de pied ferme malgré votre sourire, et qui recevra votre venin… tous ceux qui vous ont blessé goûteront un jour à votre médecine, ils ne perdent rien pour attendre.

Lorsque quelqu'un vous fait du mal, un jour ou l'autre, ça se retournera contre lui. Vous savez être sarcastique, placer vos pointes à l'endroit le plus vulnérable, au point sensible, là où vous savez que vous atteindrez parfaitement votre but. Puisque vous avez une tendance à la rancune, vous êtes porté à vivre un peu trop dans le passé, à remuer le fer dans la plaie et à mijoter votre vengeance, même si cela vous fait souffrir.

Vous êtes possessif, que ce soit en amour ou en amitié. Par contre, vous êtes très fidèle et dévoué envers les gens qui comptent pour vous; avec eux, c'est à la vie à la mort.

Vous taquinez parfois un peu vos proches, vous mettez l'être cher à l'épreuve. Mais si quelqu'un vient causer de la peine à ceux que vous aimez, vous saurez les accueillir avec votre redoutable aiguillon.

Votre confiance n'est pas facile à gagner, mais une fois que c'est fait, votre amitié et votre affection sont indéfectibles. Toutefois, personne n'est à l'abri de vos petites remarques acidulées, pas même votre entourage, que vous aimez tant.

Comment se comporter avec un Scorpion?

Il n'est pas du tout facile de trouver la bonne attitude du premier coup lorsqu'on le rencontre. Que penser de lui, comment l'aborder sont autant de questions délicates. S'il fait preuve d'humour, on se demande s'il rit à nos dépens. Avec lui, on demeure perplexe, même lorsqu'il fait partie de nos proches depuis bon nombre d'années.

En fait, la première chose à faire est de mériter sa confiance, ce qui n'est pas gagné d'avance. De toute façon, il ne l'accordera pas spontanément. Avec lui, le mot gagner prend tout son sens. Car il faudra peut-être des années avant qu'il ne vous donne sa confiance. Et si jamais vous la perdez, ne comptez pas la retrouver facilement. Vous devrez aussi vous habituer à ses remarques, à ses petites crises, aux flèches qu'il décoche si facilement à tous.

Comme c'est un être très sensible, vous constaterez que ses angoisses sont lourdes à supporter, pour lui, bien sûr... mais aussi pour les autres.

Pour le convaincre de votre idée, il ne sert à rien de tempêter ou de vouloir lui enfoncer vos principes dans le crâne... laissez-le découvrir de lui-même les raisons profondes de vos positions. Il le fera souvent à votre insu, et ensuite seulement il se décidera. Vos arguments ne changeront rien. D'ailleurs, il ne se laissera sûrement pas influencer par votre raisonnement. Si, par malheur, vous lui cachez quoi que ce soit ou, pire, si vous lui mentez, c'est terminé; il ne vous fera pas confiance, et vous ne pourrez certainement pas le convaincre du bien-fondé de votre opinion.

Le temps ne changera rien à son comportement, vous aurez beau le connaître depuis des années, il ne sera pas plus sociable avec vous. Il s'ouvrira un peu — jamais complètement —, mais avec les autres, il ne changera pas. Son esprit de contradiction, ses sarcasmes, son humour cinglant et ses attitudes mystérieuses font partie intégrante de sa personnalité. Il faudra le prendre tel quel, sans chercher à vouloir le changer.

En toutes circonstances, le Scorpion est gouverné par ses émotions. Pour cette raison, il a besoin de savoir qu'il peut se fier aveuglément à vous, que vous lui êtes dévoué et fidèle, et surtout de savoir que, même lorsque vous ne le comprenez pas, vous l'acceptez totalement.

Le Scorpion n'est pas un être comme les autres, ne l'oubliez jamais. C'est un être exceptionnel, extraordinaire, dans le vrai sens du terme, c'est-à-dire qui sort de l'ordinaire. C'est d'ailleurs ce qui vous a attiré vers lui. Alors, n'essayez surtout pas d'en faire un être ordinaire; vous perdriez votre temps et dépenseriez votre énergie pour rien.

Ses goûts

Par-dessus tout, il aime semer un léger trouble chez les autres. Pour lui, tout est tout blanc ou tout noir, c'est clair et net. Il n'y a pas de juste milieu. Il affiche sur lui cette caractéristique: ses vêtements seront blancs, rouges ou noirs et non crème, rose ou gris. Dans les matières, c'est la même chose. Elles sont généralement brutes: le cuir, le métal. Il ne détestera pas les chemises gitanes. Les femmes Scorpion portent presque exclusivement le pantalon. Si elles choisissent une robe, elle sera moulante et très sexy. Le Scorpion dégage beaucoup de magnétisme; on le remarque de loin et, bien entendu, il utilise cette facette de sa personnalité.

Pour son intérieur, il oubliera les flaflas. La décoration de son logement est généralement déconcertante, presque glaciale. En fait, on ne s'y sent pas toujours à l'aise. Vous entrez dans son domaine et avez cette sensation dès que vous avez franchi le pas de la porte.

À table, il aime la viande, les fruits de mer, les mets très relevés, très épicés; n'ayez pas peur de brûler son palais! S'il a préparé le repas, demandez donc un verre d'eau: vous en aurez besoin, croyez-moi. Il aime les alcools grisants, les vins corsés et capiteux. Ainsi, même à table, il ne connaît pas les demi-mesures. Avec de tels goûts, ce n'est guère étonnant qu'il ait parfois des problèmes d'estomac.

Son potentiel

Faire des cachotteries à un Scorpion relève de l'exploit. Il sait tout, devine tout, voit tout, entend tout, même lorsqu'on pense qu'il n'écoute pas. Il fera fureur dans des métiers où l'investigation est reine: policier, détective, espion ou chercheur.

Le domaine de la recherche est vraiment sa discipline. Il excellera dans les techniques policières, la sécurité, la médecine, la recherche fondamentale, la chirurgie, la psychiatrie, l'astrologie ainsi que la boucherie et le travail des métaux. Étant très attiré par tout ce qui touche de près ou de loin à la mort, à la sexualité ou au monde interlope, il pourrait devenir enquêteur aux homicides, par exemple.

De toute façon, peu importe sa branche, son intuition lui permet de trouver ce qu'il veut… Et il vaut mieux ne pas le contrecarrer ou être l'objet de son enquête!

Ses loisirs

Évidemment, notre cher Scorpion aime bien mettre ses capacités et son flair à l'épreuve. Il adore les romans policiers à l'univers très sombre, presque glauque, ou les livres qui lui permettent d'en découvrir plus sur un sujet qui le passionne, notamment les sciences occultes. Quand il veut trouver quelque chose, croyez-moi, il y arrive. Parfois, il lui faut remuer mers et mondes, mais cela ne l'arrête pas, au contraire.

Rat de musées, il affectionne ces endroits de culture, qui représentent pour lui une autre façon d'en apprendre un peu plus. Pour cette raison, il se montrera intéressé par l'archéologie, le monde relevant du paranormal, des sciences occultes, bref par ce que la majorité des gens ignorent ou craignent un peu.

C'est un être qui analyse constamment ce qui l'entoure: les gens, les choses, les situations. Il devrait essayer de se dépenser un peu plus physiquement et de brûler son trop-plein d'énergie en pratiquant un sport ou en faisant des activités manuelles. Il développe beaucoup son côté intellectuel et cérébral au détriment de son physique.

Pour lui faire plaisir, vous pouvez l'emmener au cinéma voir un thriller noir, rempli de rebondissements avec une intrigue bien touffue où un suspect n'attend pas l'autre. Il vous étonnera, car il sera probablement le seul à découvrir le coupable avant la fin.

Sa décoration

Le Scorpion recherche ce qu'il y a de plus à la mode, notamment dans les objets et les tendances, et évidemment, sa décoration reflète ses goûts branchés. Du côté des couleurs, il opte pour des teintes franches, audacieuses, par exemple le rouge et le noir, qu'il n'hésite pas à marier. Pour les objets, il préfère ceux ayant une signification à ses yeux, leur valeur décorative important peu. Il se pourrait, par exemple, qu'il collectionne les armes et utilise une épée comme portemanteau… déconcertant pour ses invités, mais tout à fait logique pour lui.

L'ambiance de sa tanière est souvent dramatique. Les meubles ont des angles marqués, l'éclairage est étonnant et même insolite. En fait, son intérieur est théâtral, déconcertant… on a parfois l'impression d'entrer dans le repaire d'un être bizarre. Et il n'est pas toujours facile pour les autres d'y évoluer confortablement.

Son cadre de vie ne plaira certes pas à tous, mais n'oublions pas que notre Scorpion n'est justement pas n'importe qui.

Son budget

Son compte en banque et ses finances sont, bien entendu, à son image, entourés d'un halo de mystère. Il vous demandera votre salaire sans sourciller, mais n'essayez pas de lui demander combien il gagne, car il vous répondra que ça ne vous regarde pas.

Notre Scorpion se fie davantage à son intuition qu'à son jugement, même dans ses finances. Il a du flair et sait détecter les bonnes affaires lorsqu'elles se présentent. Ses placements et ses investissements suivent la même règle: il les choisit avec audace, dans des secteurs auxquels personne n'aurait pensé. Bien entendu, ses pressentiments se révèlent justes, et il fait de bonnes affaires.

Par contre, pour gérer son budget au jour le jour, il effectue des acrobaties et ne calcule pas. Il dépense ce qu'il veut quand il le veut… du moins, en apparence. Parce que, ne vous en faites pas, il sait exactement de combien il dispose, jusqu'où aller dans ses petites folies sans mettre en péril son compte en banque.

Quel cadeau lui offrir?

Le Scorpion attache beaucoup d'importance aux émotions et aux sentiments; l'objet est secondaire. Il préfère qu'on lui accorde du temps; un diamant ou une voiture de luxe sans réelle amitié ne compte pas pour lui.

Par contre, s'il sait combien vous tenez à lui, une simple carte de vœux lui fera plaisir. N'oubliez pas qu'il accorde beaucoup d'importance aux souvenirs et à des objets qui ont une réelle signification pour lui, et ce ne seront pas forcément les cadeaux les plus beaux ni les plus chers qu'il préférera.

Si vous tenez absolument à lui offrir un présent dont il se souviendra, choisissez un objet inusité ou très rare. S'il sait qu'il n'y en a qu'un seul sur la terre (ou quelques-uns tout au plus), il en sera d'autant plus touché. Si vous lui donnez un objet que vous avez fait faire spécialement pour lui, un parfum ou un bibelot, il l'appréciera d'autant plus, car il y attachera une valeur sentimentale.

Le Scorpion est une personne à l'esprit analytique très aiguisé, donc un roman policier où il défiera Hercule Poirot ou l'inspecteur Maigret saura lui plaire. Des ouvrages sur des civilisations disparues ou mythiques (l'Atlantide, Mu le continent oublié) ou sur des sujets mystérieux ou relevant du paranormal piqueront sa curiosité.

Des alcools rares ou des épices peu connues lui plairont beaucoup, et il s'en régalera.

Les enfants Scorpion

L es petits Scorpion se démarquent des autres par leur regard puissant. Ils observent, ils veulent voir tout ce qui se passe, ils veulent comprendre. Même tout petits, ils en savent déjà beaucoup plus que ce que vous soupçonniez.

Ce sont des enfants fouineurs, curieux de tout, qui auront mille et une questions à vous poser en toutes circonstances, et bien sûr pas n'importe lesquelles. Vous en serez souvent désemparé. Il est inutile de chercher à vous y soustraire en faisant semblant de n'avoir pas entendu, ou même de tenter de changer de sujet: ils vous attendent de pied ferme, et n'allez pas leur dire n'importe quoi pour vous débarrasser d'eux, ils devineront votre astuce... On a souvent l'impression que ces enfants pressentent les gens et lisent dans les pensées.

Ils ne sont pas faciles à éduquer, car ils sont trop intelligents. Ils cherchent sans cesse à tester les réactions d'autrui et sont d'habiles manipulateurs... Très curieux, ils fouilleront dans vos tiroirs, liront votre courrier personnel, essaieront de découvrir ce que vous leur cachez, sur votre passé notamment, bref ils ne vous laisseront pas en paix une minute. Ils sont également très possessifs, surtout envers leurs parents qu'ils n'acceptent pas de partager; leurs frères et leurs sœurs en savent quelque chose.

À l'école, comme ils sont très visuels, ils s'ennuient quand le professeur se lance dans des concepts trop vagues; ils ont besoin d'exemples concrets.

Le Scorpion est un enfant très sensible; il a peur d'être blessé. Pour cette raison, il préfère l'attaque à la défense. Il faut lui enseigner que pour être aimé, il faut faire preuve d'amabilité et faire des compromis. Comme il ne donne pas facilement sa confiance, vous devez lui apprendre à partager et à être plus sociable, à se faire des amis au lieu de rester dans son coin. Son bonheur et son équilibre en dépendent.

L'ado Scorpion

Cher Scorpion, tu n'es pas une personne très accessible, et il n'est pas toujours simple de te comprendre. Même tes proches ont de la difficulté à bien cerner ta nature. Et cela peut parfois créer des problèmes dans tes relations avec les autres, mais il faut dire que tu veilles jalousement à sauvegarder ton mystère. Tu leur fais un peu peur, et on dirait que cela t'amuse... Ta volonté est forte, tu es secret, passionné, mais tu parles peu...

Tu sembles très fort. Tu ne fais pas de compromis. Tu t'exprimes facilement et sans mâcher tes mots. Tu n'as pas envie de te montrer aimable simplement pour être gentil ou pour faire plaisir, et c'est justement en adoptant ce comportement que tu te crées des problèmes. Tu veux que les autres t'acceptent comme tu es, mais tu ne leur donnes pas la chance d'entrer en communication avec toi. Ils ne savent vraiment pas sur quel pied danser. Pourtant, lorsqu'on te connaît un peu mieux, on peut voir sous ta carapace que tu es un être très sensible et très émotif.

Tu décèles facilement les intentions des gens qui t'entourent, tu devines rapidement les choses et tu découvres aisément la personnalité des autres. Tu as beaucoup de flair, et on ne peut rien te cacher. Lorsque quelqu'un te déplaît ou t'agace, tu trouves toujours le mot juste pour toucher son point faible.

En amour, ta passion explose, mais lorsque tu hais, aïe! tu es tout aussi excessif. Tes sentiments sont puissants, et il n'y a rien à ton épreuve. Ta volonté est exceptionnelle. Tout cela fait de toi quelqu'un de différent, de «pas comme les autres», et cela attire évidemment l'attention du sexe opposé. Tu dégages beaucoup de magnétisme et même si tu décides de te mettre à l'écart, tu passes rarement inaperçu.

Tes études

Tu es très curieux et tu t'intéresses à tout ce qui est ardu à comprendre; tu trouves souvent et rapidement la solution à des problèmes. Tout ce qui est caché t'intrigue. Par contre, l'échec t'effraie. Ta volonté et ta détermination font cependant en sorte que tu échoues rarement. Tu as un esprit scientifique. Comme tu approfondis tout, les travaux d'équipe ne te conviennent pas. Les autres se plaignent de ta lenteur et toi, tu les trouves trop superficiels! Il vaut mieux que tu travailles seul: ton rendement scolaire sera alors exceptionnel.

Comme ta mémoire est fabuleuse, tu apprends très rapidement; tu retiens tout ce que tu entends et surtout tout ce que tu vois.

Ton orientation

L'important, c'est que tu te diriges vers un domaine que tu aimes; généralement tu opteras pour la recherche, que ce soit des études scientifiques ou les techniques policières. Un autre de tes domaines de prédilection est la psychologie, car tu analyses très bien les situations et les gens, et tu devines ce que les autres pensent ou ressentent.

Pour toi, la médecine, les sciences, la chirurgie, l'industrie minière, l'armée, la criminologie, la sexologie, les assurances, la sculpture sont des domaines intéressants. Mais tu peux également préférer des secteurs plus inusités encore, par exemple tout ce qui est lié à l'ésotérisme et à la mort. Des choix qui bien sûr étonneront ton entourage.

Tes rapports avec les autres

Tu es une personne solitaire. On peut compter le nombre de tes copains sur les doigts d'une seule main. Si tu as peu d'amis, tu sais par contre que tu peux compter sur eux, car tu les as triés sur le volet. Pour les comprendre, pas besoin de discuter avec eux pendant des heures, tu lis en eux comme dans un livre ouvert. Avec les gens qui croisent ton chemin, tu te montres méfiant et souvent sarcastique; tes remarques font grincer des dents… mais tu t'en moques un peu, n'est-ce pas?

Lorsque tu cherches à plaire, tu sais mettre de l'avant ton petit côté mystérieux. Tu déploies alors tout ton charme, et ton magnétisme est surprenant. Tes sentiments ne connaissent pas la nuance, et tu n'aimes pas à moitié: c'est tout ou rien. Si quelqu'un te déçoit, te ment effrontément ou te blesse, tu deviens très désagréable, et regagner ta confiance est presque une mission impossible. Tu es assez rancunier et tu dois apprendre à balayer les vieilles histoires pour mieux aller de l'avant.

Pablo Picasso, Noémie Godin-Vigneault, Patricia Paquin, Claude Poirier, Roberto Benigni, Louise Deschâtelets, Julia Roberts, Brian Adams, Sally Field, Marc Favreau, Alain Delon, Lise Watier, Anne Dorval, Michel Pagliaro, Leonardo Di Caprio, Calista Flockhart, Demi Moore, Daniel Pilon, Andrée Lachapelle, Whoopi Goldberg, Serge Postigo, Sophie Marceau, Charlotte Laurier, Jodie Foster, Nanette Workman, Meg Ryan, Marc Labrèche, Sophie Lorain, Goldie Hawn.

Pensée positive pour le Scorpion

Je me libère de tout ce qui est arrivé par le passé. Je me pardonne et je pardonne aux autres. Ainsi, ma route devient de plus en plus agréable et lumineuse.

Pensée positive spéciale pour 2005

Ma voix intérieure me révèle le meilleur pour moi. Je me dirige vers le succès et l'épanouissement.

Le subconscient nous dirige toujours selon nos pensées. En répétant le plus souvent possible ces pensées conçues tout spécialement pour vous, vous vous attirerez plein de belles choses.

Signe: Scorpion

Élément: Eau

Catégorie: Fixe

Symbole: ♏

Points sensibles: Organes de reproduction, maladies vénériennes, rectum, estomac, sinus, prostate.

Planète maîtresse: Pluton, planète de la mort.

Pierres précieuses: Tourmaline, malachite, sanguine.

Couleurs: Noir, blanc, rouge et toutes les couleurs franches.

Fleurs: Orchidée, chrysanthème, fleurs exotiques... y compris les plantes carnivores!

Chiffres chanceux: 5-8-14-17-23-29-30-39-41-44.

Qualités: Ardent, passionné, intuitif, actif, magnétique, patient, capable de tout, trouve toujours ce qu'il cherche.

Défauts: Renfermé, sarcastique, catégorique, méfiant, rancunier, tendance à se cantonner dans le passé.

Ce qu'il pense en lui-même: Je fais bien peu confiance aux êtres humains... je reste sur mes gardes.

Ce que les autres disent de lui: Qu'est-ce qu'il va encore nous sortir aujourd'hui?

Prédictions annuelles

Durant la première moitié de l'année, vous bénéficiez de l'appui de Saturne, un transit exceptionnel lorsque l'on souhaite la stabilité et la durabilité. Cette planète favorise les entreprises sérieuses et à long terme; on l'associe davantage aux efforts récompensés qu'aux coups d'éclat. Comme c'est justement dans votre nature de privilégier les actes sages et raisonnables plutôt que l'impétuosité, vous devriez fort bien vous accommoder de cette conjoncture. À compter de la mi-juillet, vous commencez à remettre certaines choses en question. Vous sentez que la fin d'une étape approche et forcément vous éprouvez le besoin de réviser votre tir. Enfin, avec votre prochain anniversaire, vous entamez une période fortunée, au cours de laquelle la chance sera souvent au rendez-vous.

SANTÉ – Au cours des six premiers mois, vous faites d'innombrables progrès tant sur le plan physique que mental. Vous avez davantage de contrôle sur vos états d'âme, et votre intuition est encore plus forte, plus juste que d'habitude... Et pourtant, Dieu sait que vous en avez! Tous les efforts que vous fournissez pour améliorer votre qualité de vie donnent des résultats appréciables. Pendant le reste de l'année, vous auriez tort de vous laisser aller, car vous risqueriez de mettre en péril ce que vous avez gagné antérieurement.

SENTIMENTS – Vous traversez une phase douce et tranquille, ce qui vous convient tout à fait, puisque c'est exactement ce que vous souhaitez. Aucune mauvaise surprise en vue, au contraire. Vous resserrez les liens qui vous unissent à votre petit monde, en particulier à votre conjoint. Il pourrait encore être question de projets à long terme, d'avenir à deux. Les solitaires ne connaîtront peut-être pas le coup de foudre; en revanche, ils pourraient voir une belle camaraderie se métamorphoser graduellement en histoire d'amour durable. En 2005, vous avez moins envie de vous étourdir dans les foules ou les grosses réunions mondaines; vous préférez de beaucoup les événements plus intimes. Désormais, ce qui importe pour vous, c'est la qualité des relations, plutôt que leur nombre.

AFFAIRES – L'année se divise en trois tranches. D'ici juillet, la destinée vous permet à la fois d'aller plus loin dans ce que vous avez commencé récemment et de vous fixer de nouveaux objectifs. Graduellement, vous vous débarrassez de plusieurs contraintes tant financières que professionnelles. Entre juillet et la fin octobre, vous pouvez ressentir une espèce de creux de vague au cours duquel les frustrations seront un peu trop présentes à votre goût. Puis, à partir de votre anniversaire, la chance se range de votre côté, et vous pouvez même faire des envieux au jeu. Bonne période pour un investissement sérieux, pour une nouvelle carrière ou pour voyager.

Janvier

D	L	M	M	J	V	S
						1
2	3	4	5	6	7	8
9	10●	11D	12D	13F	14F	15
16	17	18	19	20	21	22F
23F/30	24F/31	25○D	26D	27	28	29

○	Pleine lune	●	Nouvelle lune
F	Jour favorable	D	Jour difficile

SANTÉ – Que d'endurance! En ce mois, vous disposez d'une ténacité peu commune. Vous menez à terme tout ce que vous entreprenez sans présenter le moindre signe de fatigue. En plus d'avoir un sourire éclatant, vous êtes joli comme tout... Vous êtes bien dans votre peau, et ça paraît. Bon temps pour reprendre de bonnes habitudes de vie.

SENTIMENTS – Entre le 10 et le 30, plusieurs planètes augmentent votre capacité à communiquer. Vous vous exprimez facilement et surtout avec une clarté si grande que tout le monde abonde dans votre sens. Les amours se portent à merveille. Les solitaires pourraient rencontrer quelqu'un de bien lors d'une sortie. Un rejeton vous confie une agréable nouvelle.

AFFAIRES – Vous travaillez d'arrache-pied, sans une seconde de répit. Ce dur labeur commence à être payant à compter du 10; vous vous féliciterez d'avoir consacré autant d'énergie à vos activités. Après cette date, vos démarches, négociations et déplacements sont eux aussi avantagés. Belle période pour rembourser quelques dettes, voire mettre des sous de côté.

Février

D	L	M	M	J	V	S
		1	2	3	4	5
6	7	8 ● D	9 D	10 F	11 F	12
13	14	15	16	17	18	19 F
20 F	21 D	22 D	23 ○ D	24	25	26
27	28					

○	Pleine lune	●	Nouvelle lune
F	Jour favorable	D	Jour difficile

SANTÉ – Sur le plan physique, la conjoncture devient de plus en plus favorable. Vous débordez de vitalité, rien ne parvient à freiner vos élans, pas même ces quelques accès de nervosité que nous décelons au cours de la première quinzaine. De toute façon, vous êtes plus calme après le 17, sans compter que vous faites preuve d'un flair surprenant.

SENTIMENTS – Votre entourage est à ne pas prendre avec des pincettes. On s'offusque d'un rien, on prend tout au pied de la lettre. Ça finit par être irritant, et si vous vous montrez sarcastique, vous ne faites que jeter de l'huile sur le feu. Mauvais *timing* pour ressortir de vieilles affaires ou pour faire des remontrances. Jouez plutôt la carte de l'humour.

AFFAIRES – Une foule de petits détails vous agacent jusqu'au 20. Rien de tragique, mais de quoi vous taper sur les nerfs. Prenez votre mal en patience, inutile de précipiter les choses. La fin du mois semble bien plus encourageante. À vrai dire, les nombreux progrès que vous faites dans la dernière semaine vous font tout oublier.

Mars

D	L	M	M	J	V	S
		1	2	3	4	5
6	7D	8D	9F	10●F	11	12
13	14	15	16	17	18F	19F
20F	21D	22D	23	24	25○	26
27	28	29	30	31		

○	Pleine lune	●	Nouvelle lune
F	Jour favorable	D	Jour difficile

SANTÉ – Jusqu'au 22, tout marche comme sur des roulettes. En plus d'être fringant, vous affichez une mine rajeunie. Par après, les influences planétaires deviennent plus contrariantes; vous feriez bien de vous protéger contre les indispositions, de même que les accidents. Vous avez amplement le temps d'y voir; alors je compte sur vous.

SENTIMENTS – Entre le 1ᵉʳ et le 23, Vénus se promène dans votre cinquième secteur, ce qui devrait vous permettre de resserrer les liens qui vous unissent à l'être aimé. Si vous êtes seul, cette période pourrait coïncider avec le début d'une nouvelle relation. Bon temps également pour la vie sociale, pour fraterniser, pour vous faire de nouveaux amis.

AFFAIRES – Comme vous vous en doutez, ce sont les trois premières semaines qui constituent le meilleur moment pour agir. Choisissez ce moment pour chercher un emploi ou pour améliorer vos conditions de travail. Vous aurez le tour de vous mettre en valeur et d'aller chercher de solides appuis. Une surprise sur le plan financier vous fait sourire.

Avril

D	L	M	M	J	V	S
					1	2
3D	4D	5F	6F	7	8●	9
10	11	12	13	14F	15F	16F
17D	18D	19	20F	21	22	23
24○	25	26	27	28	29	30D

○ Pleine lune et éclipse lunaire annulaire	● Nouvelle lune et éclipse solaire annulaire totale
F Jour favorable	D Jour difficile

SANTÉ – En plus de l'éclipse lunaire qui se produit dans votre signe, vous êtes soumis à un mauvais aspect de la planète Mars. Avec une telle conjoncture, vous devriez redoubler de prudence pour ne pas vous faire mal. Votre résistance étant à la baisse, mieux vaut adopter une attitude préventive si vous ne voulez pas vous retrouver sur le carreau.

SENTIMENTS – Un membre de la famille éprouve des ennuis, à moins que ce ne soit ses manigances qui vous inquiètent. Vos amours ne vous procurent plus les mêmes satisfactions que par le passé, mais ne vous en faites pas trop, puisque très bientôt tout rentrera dans l'ordre. En attendant, pesez bien vos mots...

AFFAIRES – Rien ne marche à votre goût: les retards s'accumulent, la pression augmente... Pourtant, en vous organisant, en faisant preuve de souplesse sans pour autant renoncer à votre ténacité légendaire, vous en viendrez à bout. Allez, un petit effort! Dans la seconde quinzaine, vous risquez de penser qu'un achat futile effacerait vos frustrations.

Mai

D	L	M	M	J	V	S
1D	2D	3F	4F	5	6	7
8●	9	10	11	12F	13F	14D
15D	16D	17	18	19	20	21
22	23○	24	25	26	27	28D
29D	30F	31F				

○	Pleine lune	●	Nouvelle lune
F	Jour favorable	D	Jour difficile

SANTÉ – Vous êtes enfin débarrassé des influences menaçantes qui prévalaient au cours des dernières semaines. Vous pouvez avancer la tête tranquille et profiter à plein du renouveau. Bon mois pour soigner vos petits bobos, pour investir dans votre bien-être. La fatigue disparaît; vous vous sentez à nouveau motivé et plein d'entrain.

SENTIMENTS – Encore quelques insatisfactions en amour au cours des 10 premiers jours, puis vous repartez du bon pied. Vous arrivez même à asseoir votre vie de couple sur de nouvelles bases plus solides. Votre belle personnalité fait de vous une vraie vedette dans votre cercle de relations; même chose pour les nouvelles gens que vous rencontrez: ils sont conquis.

AFFAIRES – Ici aussi, tout se met à bien aller. Vous êtes fonceur, ce qui donne des résultats positifs. C'est le temps d'aller de l'avant, de régler ce qui accrochait et, au besoin, de clore certains dossiers pour vous attaquer à quelque chose de plus gratifiant. Votre vie professionnelle gagne en stabilité; vous pouvez planifier à long terme.

Juin

D	L	M	M	J	V	S
			1	2	3	4
5	6●	7	8F	9F	10F	11D
12D	13	14	15	16	17	18
19	20	21○	22	23	24D	25D
26F	27F	28	29	30		

○	Pleine lune	●	Nouvelle lune
F	Jour favorable	D	Jour difficile

SANTÉ – Le cycle bénéfique se poursuit. Vous avez toutes les ressources nécessaires pour améliorer votre santé, vous remettre en forme et rajeunir votre allure. C'est le temps ou jamais de faire provision d'énergie pour les mois à venir. À partir du 11, vous avez des nerfs d'acier, en plus de faire preuve d'une lucidité à toute épreuve.

SENTIMENTS – Entre le 4 et le 28, Vénus et Saturne servent vos intérêts. Votre vie de couple vous comble; vous trouvez cette sécurité affective si importante pour vous. Vos anciens et nouveaux amis se montrent d'une gentillesse exquise. Même la marmaille s'emploie à vous faire plaisir. Bref, vous êtes choyé de tous les côtés.

AFFAIRES – Ici aussi, les astres jouent en votre faveur. Votre carrière poursuit son ascension, un rêve que vous caressez depuis longtemps pourrait se concrétiser. Les efforts que vous fournissez sans relâche portent leurs fruits, vous faites un grand pas en avant. Ajoutons qu'une demande ou une démarche effectuée en ce mois sera accueillie favorablement. Bon temps aussi pour voyager.

Juillet

D	L	M	M	J	V	S
					1	2
3	4	5F	6●F	7F	8D	9D
10	11	12	13	14	15	16
17	18	19	20	21○	22D	23D
24F/31	25F	26	27	28	29	30

○	Pleine lune	●	Nouvelle lune
F	Jour favorable	D	Jour difficile

SANTÉ – Bien que les influences planétaires ne soient pas aussi mirobolantes qu'au cours des dernières semaines, vous pouvez encore très bien vous en tirer si vous fournissez quelques efforts. Vous avez tendance à vous laisser aller, vous oubliez vos belles résolutions et vous recommencez à abuser de vos forces. À ce train-là, vous risquez d'avoir des ennuis. Voyez-y sans tarder.

SENTIMENTS – Vous continuez à jouir d'une popularité sans précédent. On vous invite à gauche et à droite, on vous propose une foule d'activités toutes plus divertissantes les unes que les autres. Ce serait parfait si, à la maison, on ne commençait pas à remarquer votre absence. En effet, le conjoint et les enfants se sentent négligés et le manifestent ouvertement. Il va falloir faire des choix.

AFFAIRES – Même si ça ne fonctionne pas toujours du premier coup, je vous exhorte à la persévérance. N'allez pas vous avouer vaincu au premier refus ou à la moindre adversité. Retroussez-vous les manches et revenez à la charge. Vous vous féliciterez alors de vos victoires. Un bris ou des réparations vous forcent à piger dans vos réserves.

Août

D	L	M	M	J	V	S
	1	2F	3F	4●D	5D	6D
7	8	9	10	11	12	13
14	15	16	17	18D	19○D	20F
21F	22	23	24	25	26	27
28	29F	30F	31D			

○	Pleine lune		●	Nouvelle lune
F	Jour favorable		D	Jour difficile

SANTÉ – Plusieurs transits contrariants encombrent votre ciel, voilà pourquoi vous devez faire davantage attention à vous. Votre équilibre nerveux pourrait être menacé si vous en faites trop ou si vous ne chassez pas les idées noires. Physiquement aussi, vous semblez plus vulnérable, sans compter que plane un danger d'accident.

SENTIMENTS – Votre meilleure période va du 1er au 17. Toutes vos relations interpersonnelles évoluent dans un climat de franche camaraderie. Même votre conjoint devient votre meilleur ami. Vous pouvez lui confier ce qui vous chicote, entre autres vos inquiétudes concernant un enfant ou un parent.

AFFAIRES – La pression est grande; on vous en demande beaucoup, et vous ne savez plus par où commencer. Vous devez absolument établir quelles sont vos priorités, quitte à reporter à plus tard ce qui ne presse pas vraiment. Une réponse ou une somme d'argent que vous attendez risque de se faire… attendre.

Septembre

D	L	M	M	J	V	S
				1D	2D	3●
4	5	6	7	8	9	10
11	12	13	14D	15D	16F	17○F
18	19	20	21	22	23	24
25F	26F	27F	28D	29D	30	

○	Pleine lune	●	Nouvelle lune
F	Jour favorable	D	Jour difficile

SANTÉ – Dès le 5, vous retrouvez votre aplomb sur le plan psychologique. Vous ne vous laissez plus ballotter par les événements, vous faites même preuve d'un détachement qui en surprend plusieurs. Sur le plan physique, par contre, ce n'est pas aussi reluisant: les dangers de vous faire mal demeurent présents, et votre organisme manque encore de résistance.

SENTIMENTS – L'orientation de votre destinée amoureuse revêt une importance capitale entre le 12 septembre et le 8 octobre, quand Vénus visite votre signe. Certains prennent des décisions importantes, alors que d'autres voient leur vie changer. Les soucis occasionnés par un proche devraient disparaître une fois la première semaine écoulée.

AFFAIRES – Les tensions devraient diminuer légèrement après le 5. D'une part, on est moins sur votre dos; d'autre part, vous êtes plus apte à réagir, voire à vous défendre. Vous retrouvez votre combativité, ce qui vous permet de remettre à leur place ceux qui voulaient vous marcher sur les pieds, tout comme de foncer vers la réalisation de vos objectifs.

Octobre

D	L	M	M	J	V	S
						1
2	3●	4	5	6	7	8
9	10	11	12D	13D	14F	15F
16	17○	18	19	20	21	22F
23F/30	24F/31	25D	26D	27	28	29

○	Pleine lune et éclipse lunaire partielle	●	Nouvelle lune et éclipse solaire annulaire
F	Jour favorable	D	Jour difficile

SANTÉ – L'opposition de Mars ainsi que les éclipses menacent encore de miner votre vitalité. Le meilleur moyen d'en venir à bout, c'est d'adopter une attitude préventive et de ne pas vous exposer au danger. En agissant de la sorte, vous demeurerez à l'abri des accidents, des malaises et des crises de nerfs.

SENTIMENTS – Je vous rappelle que les huit premiers jours représentent toujours une phase significative concernant votre vie amoureuse et que les décisions que vous prendrez auront des répercussions pendant longtemps. Entre le 9 et le 31, vous éprouvez certaines difficultés à communiquer avec vos proches; le ton risque de monter si vous ne mettez pas un peu d'eau dans votre vin.

AFFAIRES – Un autre mois compliqué où votre meilleur atout est la souplesse. Au lieu de vous emporter quand ça ne fonctionne pas selon vos plans, faites preuve d'ingéniosité et abordez la situation sous un autre angle. Vous trouverez ainsi une façon brillante de vous en sortir. Attention aux achats impulsifs et aux affaires conclues sur un coup de tête.

Novembre

D	L	M	M	J	V	S
		1●	2	3	4	5
6	7	8D	9D	10F	11F	12
13	14	15○	16	17	18	19F
20F	21D	22D	23D	24	25	26
27	28	29	30			

○	Pleine lune	●	Nouvelle lune
F	Jour favorable	D	Jour difficile

SANTÉ – Bien que Mars soit toujours dans le décor, on assiste à un certain relâchement des tensions, sans compter qu'en fournissant quelques efforts vous pourriez faire des progrès appréciables. Vous retrouvez votre calme et faites la part des choses plus facilement. Demeurez prudent dans vos déplacements et lorsque vous manipulez des objets dangereux.

SENTIMENTS – Dès le 5, vous entamez une période beaucoup plus propice au bonheur affectif. Vos rapports avec les autres deviennent plus coulants, vous parvenez à régler tous vos différends. En amour aussi, vous pouvez célébrer le retour de l'harmonie et de la bonne entente avec l'être aimé. Quant aux célibataires, une rencontre pourrait leur permettre de meubler leur vie.

AFFAIRES – Le climat s'allège. Il y a encore des obstacles sur votre route, mais vous êtes mieux outillé et mieux protégé pour y faire face. Petit à petit, vous remontez la pente, vous récupérez une partie de ce qui vous avait échappé ou que vous aviez perdu. Une aide inespérée permet de vous sortir d'une impasse; parlant de coup de chance, vous pourriez décrocher un prix lors d'un tirage.

Décembre

D	L	M	M	J	V	S
				1●	2	3
4	5D	6D	7F	8F	9	10
11	12	13	14	15○	16F	17F
18F	19D	20D	21	22	23	24
25	26	27	28	29	30●	31

○	Pleine lune	●	Nouvelle lune
F	Jour favorable	D	Jour difficile

SANTÉ – Quelques moments de nervosité, voire de panique pourraient survenir dans la première quinzaine, mais rien n'y paraît par la suite. Mis à part ce risque de blessure qui plane toujours et que vous pouvez contourner en étant sur vos gardes, vous semblez plus énergique, plus résistant. Si vous souhaitez conserver ce regain de vitalité, méfiez-vous de la gourmandise entre le 16 et le 31.

SENTIMENTS – Vous continuez d'être très en demande, vous brillez partout où vous passez. D'ailleurs, ça pourrait permettre aux solitaires de séduire quelqu'un de très compatible, particulièrement d'ici le 17. Un rejeton vous donne un peu de fil à retordre au cours de la première moitié du mois. Heureusement, il amende sa conduite par la suite.

AFFAIRES – Vous devez encore jouer des coudes pour arriver à vos fins mais, au moins, vous commencez à voir la lumière au bout du tunnel. La seconde quinzaine convient parfaitement aux démarches ou aux actions en vue d'améliorer votre situation tant professionnelle que financière. Au fait, comme Jupiter est désormais dans votre signe, vous pouvez tenter votre chance au jeu.

Sagittaire

du 23 novembre au 20 décembre

Jupiter, la planète de l'abondance, joue un rôle crucial dans votre vie, et toute votre personnalité en est fortement influencée. Seriez-vous le plus chanceux du zodiaque? Tout porte à le croire.

Votre optimisme et votre bonne humeur légendaires contribuent à cette chance. Lorsque vous sentez la tristesse et la mélancolie vous envahir, vous ne vous laissez pas abattre. Rapidement, vous y trouvez un remède: sortir, mettre le nez dehors. Pour vous, ne pas rester enfermé est la meilleure des solutions, le plus puissant des toniques. On se demande même pourquoi vous avez un domicile; on ne vous y trouve jamais!

Vous ne pouvez pas rester en place. Rester à l'intérieur vous fait dépérir. Que ce soit pour faire une course au dépanneur du coin, pour aller voir une vieille connaissance à l'autre bout de la ville ou pour vous promener sur les canaux de Venise, vous devez absolument sortir de chez vous. Vous êtes un fanatique des voyages, les tampons de votre passeport le prouvent. Et bien sûr, plus c'est loin, plus vous êtes aux anges. Vivre dans vos valises ne vous fait absolument pas peur, au contraire, c'est ce que vous appréciez le plus.

Découvrir de nouvelles coutumes, le folklore régional, la cuisine et, surtout, les habitants des quatre coins du monde, voilà ce qui vous attire. Il ne serait d'ailleurs pas étonnant que votre partenaire soit d'origine étrangère. Il se pourrait que vous ayez de nombreux amis en Nouvelle-Zélande ou au fin fond de la Mandchourie, des amis d'ailleurs que vous n'hésiterez pas à aller voir, malgré les milliers de kilomètres qui vous séparent. Vous avez constamment besoin de changement, de renouveau, et, bien sûr, les voyages vous en fournissent l'occasion. Vous êtes toujours entre deux avions, et vos proches s'en plaignent parfois, car ils n'arrivent pas à vous voir… à moins de se mettre à fréquenter assidûment les aéroports.

Le symbole de votre signe est le centaure, mais au lieu d'un arc et de flèches, il pourrait porter des valises et avoir des billets d'avion à la main.

À la maison, les pays que vous avez visités ou que vous aimeriez connaître occupent une place importante dans votre décor. Vous collectionnez les bibelots, les tapis, les toiles représentant toutes ces contrées lointaines.

Mais le voyage n'est pas votre unique passion, vous en avez d'autres, qui demandent elles aussi beaucoup d'énergie: le sport, les jeux de hasard, le magasinage et surtout la danse sont pour vous d'excellents moyens de dépenser votre énergie… tout en sortant. Vous passeriez des nuits entières dans les boîtes de nuit à la mode, à vous trémousser sur la piste.

Votre trait de caractère le plus marquant est votre redoutable besoin d'indépendance. Vous devez vous sentir libre, être autonome, ne pas dépendre de qui que ce soit et aller où bon vous semble, sans avoir de comptes à rendre. Votre conjoint devra s'y faire. S'il tente de vous retenir dans les mailles de son filet, de vous garder tout à lui, le beau cheval fougueux qui vous représente ouvrira vite la porte de sa belle écurie dorée. Évidemment, cela rend vos relations sentimentales un peu difficiles, surtout au début puisque votre conjoint n'a pas encore appris à bien vous connaître. En fait, pour vous garder, il faut savoir vous laisser partir…

Vous aimez les grands espaces, la nature et la campagne. Vous vous sentez très attiré par les animaux: chats, chiens, perroquets, chevaux. Vous vous entourez d'une véritable ménagerie. Le problème est de trouver quelqu'un pour garder tous vos pensionnaires lorsque vous décidez de lever les voiles pour quelque temps.

Vous êtes régi par la planète de l'abondance, et votre physique reflète bien cette influence. Votre stature est imposante, vous vous exprimez avec éloquence et par de grands gestes, et vous avez une légère prédisposition à l'embonpoint. De toute façon, on ne peut pas vous rater. Vous êtes de ceux qui apprécient les plaisirs de la vie, en particulier ceux de la table.

Franc et direct, vous n'aimez pas faire de chichis ni mettre de gants blancs pour donner votre opinion. Le problème est que tout le monde n'est pas comme vous, et que certains se sentiront blessés par vos propos parfois peu diplomates. Avec vous, c'est à prendre ou à laisser… et cela fait grincer les dents de certaines gens. Par contre, une fois qu'on vous connaît, c'est votre nature généreuse et votre cordialité qu'on remarque.

Vous brassez de grandes idées, mais, en même temps, vous réussissez souvent à bien vous adapter au système et à vous créer une existence confortable, quitte à mener de front deux activités.

Comme vous êtes une personne chanceuse, il vous arrive souvent d'être sauvé par la cloche, c'est-à-dire que tout vous arrive à point nommé: un chèque substantiel, un contrat lucratif ou un gain viennent vous renflouer.

Comment se comporter avec un Sagittaire?

Il ne faut surtout pas brimer sa liberté; s'il se sent enfermé ou attaché, il ne pourra pas le supporter et se sauvera. Même chose s'il sent que vous vous accrochez à lui: il prendra la poudre d'escampette. Donc, pour bien vous entendre avec un natif de ce signe, vous devez comprendre son besoin d'indépendance, son goût de liberté. Le laisser sortir, voyager à sa guise est une excellente façon de vous assurer qu'il vous reviendra…

Lors d'une discussion, il ne faut pas tergiverser avec lui. Allez droit au but, sans l'affronter directement; il n'aime pas être contredit de manière trop radicale. Lui, de son côté, il ne mâchera pas ses mots; la diplomatie et le Sagittaire sont deux mondes bien éloignés l'un de l'autre.

Par contre, c'est un être très volubile. Si vous avez quelque chose à dire, dites-le vite, car après vous ne pourrez plus placer un mot. C'est un vrai moulin à paroles. Ou alors… il sera déjà parti!

Le Sagittaire discute sans écouter. Il fait presque un monologue. Donc, armez-vous de patience pour le convaincre. En fait, vous devrez sans aucun doute rabâcher souvent les mêmes choses pour qu'il finisse par y porter attention. Le mieux est de lui faire croire que l'idée vient de lui; dans ce cas, il dissertera longtemps sur le sujet, et vous n'aurez qu'à vous laissez convaincre… mais attention, si vous vous rangez trop vite de son côté, il trouvera votre attitude suspecte. Il n'aime pas gagner sans combattre.

C'est un être essentiellement actif, qui ne reste jamais en place, qui a un besoin presque viscéral de bouger. Donc, s'il vous propose une sortie, acceptez… il serait bien capable de vous laisser seul à la maison et de sortir quand même. Par contre, si vous décidez de sortir seul, il n'y verra probablement aucun inconvénient, car il a besoin de se sentir libre. Il est indépendant dans l'âme.

S'il vous propose un voyage à l'autre bout du monde, n'hésitez pas à l'accompagner; il a besoin de quelqu'un pour bien fonctionner dans ses pérégrinations. Et s'il désire partir seul, laissez-le faire, il aime bien s'ennuyer un peu des êtres chers, à condition que ce soit lui qui parte.

Donc, si vous croisez la route d'un Sagittaire, mettez de bonnes chaussures de marche, gardez votre passeport valide sous la main et soyez prêt à le suivre. Soyez aussi prêt à l'attendre. Il a besoin de votre patience et de votre confiance, parce qu'il en manque terriblement.

Ses goûts

Immanquablement, il sera fasciné par tout ce qui vient de loin, ce qui est exotique, ce qui sort de l'ordinaire. Généralement, il croit que c'est toujours plus beau dans le jardin du voisin; il aimera bien aller y jeter un coup d'œil.

Lorsqu'il part, ce n'est pas pour aller dans la ville voisine; les destinations peu connues, les contrées inexplorées sont de nouveaux mondes à découvrir pour lui. Et ses bagages regorgeront vite de souvenirs achetés dans un souk du Moyen-Orient, d'armes de chasse ramenées d'Amazonie, de chants pygmées enregistrés sur bandes magnétiques et de recettes typiques de Papouasie–Nouvelle-Guinée.

Évidemment, il fera également une razzia dans les boutiques des pays qu'il parcourt, alors vous devez vous attendre à le voir avec une chemise tibétaine, des bijoux gigantesques, des pantalons hindous très amples, bref des articles fort peu adaptés à nos conditions météorologiques, mais dans lesquels notre Sagittaire se sent parfaitement à l'aise.

Son intérieur est, bien entendu, à l'avenant. Les objets qui décorent sa demeure viennent des quatre coins du monde: meubles de bambous d'artisan népalais côtoyant des faïences de Quimper, des estampes japonaises surmontant des tapis persans… On a l'impression de faire le tour de la planète en quelques secondes.

Et devinez ce qu'on trouve dans son assiette? Des tacos, des sushis, du couscous, de la paella, le fameux haggis écossais (panse de brebis farcie), bref, de tout, sauf du bon vieux pâté chinois. Et les portions sont généreuses; si vous l'invitez, n'hésitez pas une seconde à lui offrir des mets exotiques. Les vins et les alcools importés, le saké, l'ouzo… bref, toutes ces boissons qui viennent d'ailleurs sont pour lui de véritables nectars… et il en redemandera.

Pour terminer la soirée, si vous l'invitez à danser — évidemment ce sera la salsa — notre Sagittaire sera aux anges.

Son potentiel

Comme il a constamment la bougeotte, il sera un formidable agent de voyages ou un guide touristique passionnant. L'import-export, les relations extérieures, représentant de commerce et toutes les professions qui l'obligent à se déplacer, comme astronaute, agent de bord ou conducteur d'autobus, lui conviennent.

Le gouvernement, la politique, la philosophie, la sociologie, les automobiles, la justice, l'élevage et le commerce de produits d'origine animale, le transport de personnes ou de marchandises sont d'autres sphères d'activité où il fera certainement ses preuves, car cela demande de bonnes connaissances et une grande soif d'apprendre.

Si vous voulez faire dépérir un Sagittaire, vous n'avez qu'à lui offrir un travail de bureau ou de machiniste sur une chaîne de montage; il vous fera une dépression à coup sûr.

Ses loisirs

Au moindre petit congé, le voilà sautant dans un avion pour visiter des pays inconnus ou au volant de son véhicule tout terrain dans les chemins cahoteux du fin fond de la Côte-Nord ou du Labrador. Il ne peut rester bien longtemps à la maison et il n'hésitera pas à sortir pour un oui ou pour un non, même si ce n'est que pour aller chercher un pain au coin de la rue.

Notre Sagittaire aime parcourir les rues à la recherche d'une bonne aubaine. Si vous voulez magasiner avec un natif de ce signe, armez-vous de patience et enfilez votre meilleure paire de chaussures de marche, car avec lui, une courte visite au magasin peut se transformer en excursion d'une journée.

Le Sagittaire est un être actif, qui a besoin de dépenser son énergie, il excelle donc dans le sport. C'est aussi un amant de la danse; il a le rythme dans le corps. C'est également un passionné de la vie animale. Tous les animaux l'intriguent et l'intéressent, de la petite fourmi au gigantesque dragon du Komodo. S'il peut aller les voir vivre dans leur habitat naturel, il en est encore plus heureux.

Il passera des heures en compagnie de ses animaux. Exploiter un élevage d'autruches ou simplement promener son chien, tout est prétexte à sortir, à exprimer son goût de la liberté.

Comme il est curieux, il demeure sur le qui-vive et cherche sans cesse à améliorer ses connaissances. Il peut donc décider de suivre des cours universitaires sur des sujets peu orthodoxes; pour lui, c'est une autre façon d'élargir ses horizons.

Sa décoration

Il n'hésite pas à ramener des objets parfois bien hétéroclites de ses nombreuses expéditions de par le monde. Avec lui, il faut s'attendre à tout. Son intérieur peut ressembler à une véritable caverne d'Ali Baba: un tapis du Pakistan, de la vaisselle de l'île de Crète, des peintures éclatantes des Antilles... Même son conjoint peut venir de l'étranger!

Et comme le natif de ce signe a beaucoup de goût, tous ces objets de différentes origines donnent beaucoup de chaleur à son intérieur et s'harmonisent parfaitement bien entre eux. Notre Sagittaire est un citoyen du monde et il l'affiche.

Son logis est invitant; on peut y rester des heures à tout observer de près. Le dépaysement y est garanti. Et pour parfaire l'impression, il vous offrira sans doute un café turc, du saké ou une bonne grappa.

Son budget

À quoi bon tenir un budget, telle pourrait être la devise d'un bon Sagittaire. Il se débrouille très bien sans aligner de colonnes de chiffres. Jupiter, la planète qui régit ce signe, est celle de l'abondance; il ne manque jamais de rien.

Il a beau être dans une impasse sur le plan financier, il y a toujours quelque chose qui lui tombe du ciel pour le sauver: un nouvel emploi, un contrat, une petite prime, que sais-je encore?

Il attache peu d'importance à la vie matérielle, et l'argent ne semble pas au cœur de ses préoccupations. Il préfère s'accorder les plaisirs qui le tentent, y compris les sorties et les voyages, sans considérer l'aspect financier. Quant au travail, il est relativement chanceux; il n'en manque jamais longtemps. Il a même un certain flair pour les bonnes affaires et pour faire fructifier son l'argent ou pour en gagner rapidement.

Même s'il n'achète qu'un billet de loterie par année, il gagnera plus souvent qu'un autre qui participe à chaque tirage. L'argent lui tombe entre les mains, même s'il s'en préoccupe fort peu. C'est peut-être à cause de cela, justement!

Quel cadeau lui offrir?

Des billets d'avion ou une croisière sont le cadeau idéal, mais si votre budget ne vous permet pas de lui offrir un tel présent, vous pouvez lui donner un objet exotique d'un pays qu'il n'a pas encore visité, ou des billets pour un film des *Grands Explorateurs*... il en sera ravi.

Si vous partez vous-même dans un pays lointain, pensez donc à lui rapporter un souvenir. Même une bagatelle, si elle a fait du chemin, lui fera beaucoup plus plaisir qu'un objet coûteux qu'il verra dans tous les magasins de la ville.

Si vous optez pour un livre, regardez du côté des récits de voyages, des guides sur des contrées exotiques qu'il n'a pas encore découvertes.

Comme c'est un amateur de sport, un accessoire pour son vélo sera apprécié, tout comme des DVD ou des CD de musique de danse. Et pourquoi pas un petit animal de compagnie, s'il n'en a pas encore…

Les enfants Sagittaire

Joufflus et potelés, ce sont de vrais chérubins. Ils affichent toujours un air satisfait, mais ils ont constamment faim. Ce sont des petits êtres dynamiques. Ils sont bien difficiles à suivre ou à contenir. Attention, ils sont fascinés par le feu; ne laissez pas d'allumettes ou de briquets à portée de leurs petites mains fouineuses. Ils adorent les animaux et votre foyer risque de ressembler très vite à une ménagerie: chiens, chats, lapins, souris blanches, iguanes, furets, et j'en passe. Ils vont probablement adopter tous les animaux errants des alentours et vous les ramener à la maison sans vous avertir. Demander la permission ne leur viendra sûrement pas à l'idée.

Du côté des sports, ils aiment la compétition. Du tricycle à la trottinette, de la planche à roulettes aux patins à roues alignées, ils chercheront des moyens qui les aideront à se déplacer plus vite et plus loin. Un jour, ils finiront par vous demander une voiture.

Comme ils adorent la danse, ils passeront sûrement leurs soirées de fin de semaine dans les discothèques de la région. Très jeunes, ils ont déjà un bon groupe d'amis, et vous ne les verrez pas souvent, à moins qu'ils ne ramènent toute la bande dîner chez vous, sans vous prévenir évidemment.

Le bambin Sagittaire déborde de vitalité et d'initiative, mais ce serait bon de lui apprendre à respecter un peu les autres — à commencer par ses propres parents — et à écouter davantage. Ces enfants ont tendance à ne pas penser aux autres; ce n'est pas qu'ils soient égoïstes, cela ne leur vient pas à l'idée tout simplement. Il faudra donc leur apprendre à porter attention aux autres, et plus tard, vous verrez que ces beaux principes ne seront pas tombés dans l'oreille d'un sourd.

L'ado Sagittaire

Tu ne peux rester en place plus de cinq minutes d'affilée. C'est vrai qu'il y a tellement de choses à réaliser, de gens à voir, de découvertes à faire qu'il serait aberrant de rester entre les quatre murs de ta maison. En fait, le seul endroit où tu n'es à peu près jamais, c'est chez toi.

Impulsif et franc, tu as un franc-parler qui n'est pas toujours apprécié de ton entourage. Ta loyauté est exemplaire. Ton grand défaut est cependant ton manque de discipline: il est impossible de t'enfermer pour te forcer à faire quelque chose, que ce soit pour étudier ou simplement pour faire plaisir à tes parents. Tu es tellement indépendant et autonome que tu ne sembles avoir besoin de personne. Tu es très individualiste: tu as tes goûts et tes idées, et tu n'en changes pas facilement.

Tu adores découvrir des endroits que tu ne connais pas, rencontrer des gens, communiquer avec le plus de personnes possible. Tu es très attiré par les grands espaces et la nature; partir en camping dans des endroits sauvages et reculés ne te fait vraiment pas peur. D'ailleurs, tu rêves de voyager, de rencontrer des gens différents, de découvrir d'autres cultures. Ta devise pourrait être «les voyages forment la jeunesse», et dès que tu en auras l'occasion, tu voudras sauter dans le premier avion pour un pays lointain. Tu aimes le sport et la danse, ce qui te permet de brûler ton énergie... tu en as tellement.

En général, tu te débrouilles bien. Tu es quelqu'un de chanceux qui a une attitude positive face à la vie et aux événements; pas grand-chose ne peut te démonter. Tu sais toujours te tirer des situations les plus étranges haut la main.

Indépendant de nature, tu n'aimes pas attendre après les autres. Non seulement tu ne les attends pas, mais tu ne les écoutes pas non plus; on pourrait te le reprocher. Alors, même si tu aimes communiquer avec les autres, fais attention de ne pas imposer tes idées sans écouter celles de tes amis ou des étrangers qui croiseront ta route.

Tes études

Tu as beaucoup de facilité pour apprendre, et comme tu as aussi une ambition presque démesurée, tu peux réussir presque tout ce que tu entreprends. Par contre, concentre-toi sur un seul but à la fois, car ta petite tendance à vouloir tout faire en même temps et quand tu en as envie pourrait te causer quelques problèmes mineurs. Tu as réponse à tout et tu adores discourir sur tous les sujets, ce qui te permet de te faire remarquer. Tu aime attirer l'attention. Tu as horreur de ne pas être le centre d'intérêt. Ta facilité à parler dérange les autres, tes amis, tes professeurs, car si la parole te vient à propos, écouter n'est pas toujours ton fort. Et en plus, tu aimes rire, alors tu prends énormément de place. Et si, par le plus grand des hasards, tu es en classe alors que le soleil brille de tous ses feux, il devient presque impossible de te garder sagement assis à écouter…

Ton orientation

Tout t'intéresse. Cela devient un réel problème, car tu n'arrives pas à choisir un domaine précis, tes champs d'intérêt varient au gré de tes humeurs et de tes découvertes. Fixe-toi un objectif, même s'il est très ambitieux, puis accroche-toi. Puisque tu es naturellement doué, si tu persistes, tu réussiras mieux que beaucoup d'autres. Évidemment, si on t'offre un emploi routinier et monotone, ça n'ira pas. Il te faut du mouvement, du monde autour de toi, des défis pour te stimuler. Un domaine qui te conviendrait bien est celui des voyages, que ce soit en tant qu'agent de bord, capitaine de bateau ou commandant de bord. Tu seras aussi excellent dans l'import-export et les échanges commerciaux en général, la promotion, la publicité, les communications, les relations publiques, les finances, le journalisme, la philosophie, les sports, les soins vétérinaires, l'agriculture, l'élevage, ainsi que tous les emplois qui demandent des déplacements fréquents.

Tes rapports avec les autres

Chaleureux et sociable comme tu l'es, tu ne manques certes pas d'amis, et bien souvent tu es le leader d'un petit groupe. Tu proposes les activités, décides des sorties, et comme tu as beaucoup d'idées et que tu aimes bouger, tout le monde te suit sans protester. Tu as beaucoup de copains et on recherche ta compagnie, car ta bonne humeur est contagieuse, tout comme ton entrain et ta vivacité. Pas le temps de déprimer avec toi. Malgré tout, tu aimes bien t'isoler parfois, pour faire les choses par toi-même et à ta façon, histoire de bien démontrer à tous que tu es une personne autonome.

Francis Cabrel, Hugo St-Cyr, Clémence Desrochers, Louise Laparé, Thierry Lhermitte, Pierre Marcotte, Tina Turner, Bruce Lee, Shirley Théroux, Bette Midler, Maria Callas, Walt Disney, Patricia Kaas, Jean Lapointe, Marc-André Coallier, Marie-Louise Arsenault, Pierre Nadeau, Simon Durivage, Frank Sinatra, Kevin Parent, Jocelyne Cazin, André Philippe Gagnon, Steven Spielberg, Christina Aguilera, Brad Pitt, Édith Piaf, Michel Chartrand, Reine Malo, Diane Lavallée, Woody Allen

Pensée positive pour le Sagittaire

Je vais où la vie m'appelle, sachant que l'Univers s'apprête à me combler. Je déborde de reconnaissance pour toute la chance dont je dispose.

Pensée positive spéciale pour 2005
Je laisse le passé derrière moi. Je recommence à neuf. C'est assurément pour le mieux.

Le subconscient nous dirige toujours selon nos pensées. En répétant le plus souvent possible ces pensées conçues tout spécialement pour vous, vous vous attirerez plein de belles choses.

Signe: Sagittaire

Élément: Feu

Catégorie: Mutable

Symbole: ♐

Points sensibles: Hanches, cuisses, reins, troubles musculaires, crampes, obésité. Ils ont les plus belles jambes du zodiaque.

Planète maîtresse: Jupiter, planète de l'abondance.

Pierres précieuses: Turquoise, grenat, saphir.

Couleurs: Crème, beige, brun, orange.

Fleurs: Amarante, violette et narcisse.

Chiffres chanceux: 8-9-12-18-23-27-35-36-44-45... et tous les autres. Ils ont tellement de veine!

Qualités: Autonome, indépendant, bon vivant, robuste, sportif, amateur de voyages, confiant, globe-trotter.

Défauts: Dépensier, gourmand, incapable de rester en place, matérialiste, n'écoute pas.

Ce qu'il pense en lui-même: J'ai tellement hâte d'aller me promener!

Ce que les autres disent de lui: Il n'est jamais chez lui... Il devrait au moins s'acheter un répondeur!

Prédictions annuelles

Si la planète Jupiter vous en a fait voir de toutes les couleurs l'an dernier, désormais, non seulement vous laisse-t-elle la paix, mais elle devient votre alliée. Votre vie est moins désorganisée, vous n'avez plus à constamment composer avec l'imprévu; mieux encore, vous reprenez le parfait contrôle de la situation. À partir de la mi-juillet, vous pouvez également compter sur l'appui de Saturne grâce à qui vous parvenez à davantage de stabilité. Vous pouvez penser à long terme et asseoir solidement votre avenir. Bref, voici une année qui promet et durant laquelle vous faites d'énormes progrès sur tous les plans.

SANTÉ – Le moment est venu de vous ressaisir. Vous avez le goût d'investir dans votre mieux-être, et le *timing* ne saurait être meilleur. Fini le temps où vous vous négligiez, où vous vous laissiez aller! Vos efforts pour recouvrer la santé ou tout simplement une meilleure qualité de vie sont largement récompensés. Bonne année pour perdre du poids, pour prendre de bonnes résolutions et, surtout, pour les tenir. Même chose sur le plan psychologique: on peut parler d'une véritable renaissance.

SENTIMENTS – Le meilleur mot pour décrire le climat de la prochaine année est «popularité». Vous, si indépendant de nature, avez moins envie de vous isoler; on dirait même que vous avez besoin d'être entouré. Ça tombe bien, puisque vous êtes très en demande. Les célibataires vivent au moins une belle amitié amoureuse, plusieurs ont même l'embarras du choix. Quant aux autres, ils donnent un nouvel essor, voire un nouveau sens à leur vie de couple. Socialement, vous ne donnez pas votre place, tantôt en renouant avec d'anciennes connaissances, tantôt en vous liant avec des personnes susceptibles de vous apporter beaucoup. Plein de beau monde pour vous rendre l'existence agréable.

AFFAIRES – Vous amorcez 2005 avec un pressant besoin d'aller de l'avant, d'améliorer votre situation financière et professionnelle. Le plus beau, c'est que la destinée comblera vos attentes. Bonne période pour chercher de l'embauche, pour effectuer une transaction, pour vous lancer en affaires et pour décrocher une promotion ou la permanence. La chance, qui vous avait abandonné pendant un moment, effectue un retour remarquable. Vous pourriez décrocher quelques prix secondaires dans les tirages. Vous liquidez des dettes que vous aviez accumulées, vous mettez de l'argent de côté et pouvez même vous payer du bon temps. L'année est bien choisie pour voyager ou pour déménager, si le cœur vous en dit.

Janvier

D	L	M	M	J	V	S
						1D
2D	3	4	5	6	7	8
9	10●	11	12	13D	14D	15F
16F	17F	18	19	20	21	22
23/30	24/31	25○F	26F	27D	28D	29D

○	Pleine lune	●	Nouvelle lune
F	Jour favorable	D	Jour difficile

SANTÉ – Pas étonnant que vous débordiez d'énergie, la planète Mars se balade actuellement dans votre signe. Mais attention, ce transit prédispose également aux accidents. Il vous faut redoubler de prudence si vous voulez éviter les blessures. La nervosité des 10 premiers jours fait rapidement place à un cycle plus relax.

SENTIMENTS – La première quinzaine vous permet de vous divertir; vous rencontrez des gens formidables, une occasion en or pour les célibataires. Le reste du mois se déroule tout en douceur; vous êtes bien entouré et on vous démontre à quel point on tient à vous. Une discussion enflammée avec un proche ne laisse pas de séquelles, au contraire, elle finit par vous rapprocher l'un de l'autre.

AFFAIRES – Il y a tant à accomplir que vous ne voyez pas le temps passer. Les activités se succèdent à un rythme effréné. Certains s'essouffleraient rapidement s'ils devaient affronter ce tourbillon, mais certainement pas vous. Il y a de l'action, et vous aimez ça! Bon mois pour les déplacements et les initiatives nouvelles. Possibilités d'une rentrée d'argent imprévue.

Février

D	L	M	M	J	V	S
		1	2	3	4	5
6	7	8●	9	10D	11D	12F
13F	14	15	16	17	18	19
20	21F	22F	23○F	24D	25D	26
27	28					

○	Pleine lune	●	Nouvelle lune
F	Jour favorable	D	Jour difficile

SANTÉ – La planète Mars quitte votre ciel le 7, et vous êtes alors débarrassé des menaces d'accident. Votre énergie ne devrait pas du tout faiblir; bien au contraire, vous arriverez à mieux la canaliser. En plus d'avoir des nerfs d'acier, vous pensez de façon très positive. Il n'y a rien à votre épreuve. Bon mois pour une remise en beauté.

SENTIMENTS – Entre le 3 et le 27, vous êtes soumis à un transit fort avantageux de Vénus. La communication avec l'entourage est plus aisée que jamais; de même, vous faites une impression du tonnerre aux nouvelles gens que vous rencontrez. Si vous êtes seul, gardez l'œil ouvert. On vous lance de nombreuses invitations; vous êtes constamment sur la trotte.

AFFAIRES – Vous traversez une période fortunée d'ici le 18. Profitez-en pour chercher un emploi ou pour améliorer vos conditions de travail si vous en avez déjà un. Vous êtes si convaincant qu'on ne peut faire autrement que de vous concéder la victoire. Pendant le reste du mois, méfiez-vous des erreurs de jugement et des actes irréfléchis.

Mars

D	L	M	M	J	V	S
		1	2	3	4	5
6	7	8	9D	10● D	11F	12F
13	14	15	16	17	18	19
20	21F	22F	23D	24D	25○	26
27	28	29	30	31		

○	Pleine lune	●	Nouvelle lune
F	Jour favorable	D	Jour difficile

SANTÉ – Les choses vont de mieux en mieux. Ceux qui ont eu des problèmes dans le passé remontent la pente à vive allure, alors que ceux qui souhaitent améliorer leur état obtiennent des résultats spectaculaires. À partir du 21, vous êtes au sommet de votre forme. Votre vivacité d'esprit, la clarté de vos pensées et votre attitude positive vous permettent de marquer des points.

SENTIMENTS – Le courant ne passe pas toujours avec certains membres de l'entourage ou de la famille. Vous avez beau faire des efforts, ce n'est jamais assez, au dire de certains. Prenez un peu de distance, laissez-les se débrouiller sans vous, et vous verrez qu'ils rappliqueront sans tarder. En attendant, vous recevez tellement d'invitations que vous ne devriez pas trouver le temps long.

AFFAIRES – Vous êtes d'attaque, ça promet! La motivation qui vous anime est si grande que rien n'est impossible. Vous avez des idées de génie et vous trouvez des solutions à tout; votre côté visionnaire vous catapulte en avant. Un autre bon mois pour les démarches et les déplacements. Petites chances au jeu, spécialement au cours des 10 derniers jours.

Avril

D	L	M	M	J	V	S
					1	2
3	4	5D	6D	7F	8●F	9F
10	11	12	13	14	15	16
17F	18F	19D	20D	21D	22	23
24○	25	26	27	28	29	30

○ Pleine lune et éclipse lunaire annulaire	● Nouvelle lune et éclipse solaire annulaire totale
F Jour favorable	D Jour difficile

SANTÉ – Les éclipses n'ont à peu près pas d'effet sur vous. En respectant les règles d'une saine hygiène de vie, vous traverserez le mois haut la main et serez en mesure de conserver votre belle vitalité ainsi que votre paix d'esprit. La première quinzaine serait bien choisie pour recevoir des soins de beauté et même pour entreprendre un changement de look radical.

SENTIMENTS – Les frustrations que vous a fait vivre un proche disparaissent complètement. Bon temps pour tirer les choses au clair avec un jeune. En amour, l'heure est aux rapprochements, au romantisme, voire à la passion. Si vous êtes seul, préparez-vous, un coup de foudre est sur le point de survenir. En société, vous avez toujours la vedette, on ne tarit pas d'éloges à votre endroit.

AFFAIRES – Vous avez le vent dans les voiles. Toujours aussi créatif et curieux, vous continuez d'élargir vos horizons. Une proposition intéressante tombe à point; vous arrivez à négocier brillamment. Vos demandes reçoivent toute l'attention qu'elles méritent; vous avez le tour de vous mettre en valeur. Un voyage ou une excursion vous permettrait de refaire le plein.

Mai

D	L	M	M	J	V	S
1	2	3D	4D	5F	6F	7
8●	9	10	11	12	13	14F
15F	16F	17D	18D	19	20	21
22	23○	24	25	26	27	28
29	30D	31D				

○	Pleine lune	●	Nouvelle lune
F	Jour favorable	D	Jour difficile

SANTÉ – La planète Mars arrive sur un point sensible de votre ciel et, si vous n'y prenez garde, elle pourrait avoir des effets contrariants. Afin de déjouer son influence, je vous recommande d'être vigilant pour ne pas vous blesser, de prendre le repos nécessaire et de rester à l'écoute de votre corps. Moralement, vous tenez le coup; ça irait encore mieux si vous appreniez à vous détendre.

SENTIMENTS – Un nuage passe. Rien de très sérieux, mais assez tout de même pour que vous éprouviez quelque inquiétude concernant un être cher ou que vous vous sentiez délaissé. Parlez-en à un ami qui ne demande pas mieux que de vous écouter; son oreille attentive et ses judicieux conseils vous feront le plus grand bien. Et si vous souhaitez vous changer les idées, ce ne sont certes pas les occasions de le faire qui manqueront.

AFFAIRES – Votre bel élan des derniers mois semble vouloir ralentir. Inutile de paniquer, ce n'est que provisoire et il n'y a aucun danger que vous perdiez ce que vous avez acquis jusqu'à maintenant. Profitez de cette période plus creuse pour prendre un peu de recul ou pour vous ressourcer. Ici aussi, on est prêt à vous aider.

Juin

D	L	M	M	J	V	S
			1F	2F	3	4
5	6●	7	8	9	10	11F
12F	13D	14D	15D	16	17	18
19	20	21○	22	23	24	25
26D	27D	28F	29F	30		

○	Pleine lune	●	Nouvelle lune
F	Jour favorable	D	Jour difficile

SANTÉ – Tenez le coup encore un peu: dès le 12, vous êtes libéré des dissonances planétaires. Plus rien alors ne peut jouer avec vos nerfs, miner vos forces ou vous faire mal. Vous récupérez rapidement votre bonne humeur ainsi que toute votre vitalité. En attendant, continuez de faire attention à vous, c'est le mot d'ordre.

SENTIMENTS – Quelques désagréments subsistent dans la première quinzaine, puis tout s'arrange comme par enchantement. Vous êtes à nouveau dans les bonnes grâces de votre entourage; les querelles amoureuses et familiales cèdent la place à un climat harmonieux. Par-dessus le marché, vous avez l'occasion de voir du nouveau monde et de partager des expériences enrichissantes.

AFFAIRES – Même scénario dans ce domaine. La première moitié du mois comporte son lot d'insatisfactions, mais elle est suivie d'une période de chance pendant laquelle vous pourriez même rafler un prix dans un tirage. Votre carrière se remet à progresser; vous tournez certaines pages et repartez du bon pied. C'est le moment de brasser des affaires, à la condition de bannir la naïveté et les risques.

Juillet

D	L	M	M	J	V	S
					1	2
3	4	5	6●	7	8F	9F
10D	11D	12D	13	14	15	16
17	18	19	20	21○	22	23
24D/31	25D	26F	27F	28	29	30

○	Pleine lune	●	Nouvelle lune
F	Jour favorable	D	Jour difficile

SANTÉ – L'ensemble des planètes vous appuie; c'est donc dire qu'en y mettant un peu du vôtre vous marquerez des points. Vous ne pouvez espérer meilleure période pour vous prendre en main, pour vous affranchir de vos maux physiques ou psychologiques. Au besoin, trouvez une personne compétente pour vous aider dans votre démarche. Magnifique mois, donc, pour remettre de l'ordre dans votre vie, pour renouer avec votre bien-être.

SENTIMENTS – Que vous êtes séduisant! Votre conjoint retombe amoureux de vous et vous courtise comme aux premiers jours. Si vous êtes seul, votre personnalité magnétique ne manque pas de susciter beaucoup d'intérêt chez plusieurs — à vous de choisir parmi les prétendants. Votre petit monde fait des prouesses pour vous contenter. Socialement aussi, ça s'annonce enlevant; on vous réclame de partout.

AFFAIRES – Un autre domaine où les astres jouent en votre faveur. Tout ce que vous entreprenez fonctionne au-delà de vos espérances. Ne restez surtout pas dans votre coin et profitez de la chance qui passe. Même vos projets les plus ambitieux peuvent prendre forme si vous vous y mettez. Les voyages et les déplacements demeurent avantageux.

Août

D	L	M	M	J	V	S
	1	2	3	4●F	5F	6F
7D	8D	9	10	11	12	13
14	15	16	17	18	19○	20D
21D	22F	23F	24	25	26	27
28	29	30	31F			

○	Pleine lune	●	Nouvelle lune
F	Jour favorable	D	Jour difficile

SANTÉ – Tout continue d'aller rondement, et le cycle de remontée se poursuit. Votre façon d'envisager l'existence est tellement positive que vous devenez un modèle pour plusieurs. Et que dire de votre forme physique! Vous êtes imperturbable; la fatigue ne vous atteint pas, et vous résistez à tous les virus qui passent. Bravo!

SENTIMENTS – Entre le 1er et le 17, vous devez intervenir pour sauvegarder l'harmonie autour de vous. Vos proches ne sont pas toujours d'équerre; tantôt ils s'en prennent à vous, tantôt ils se chicanent entre eux. Heureusement, vous savez toujours trouver les bons mots pour que tout s'arrange. Le reste du mois s'annonce enchanteur, et ce, dans tous les domaines.

AFFAIRES – Vous continuez de bûcher, mais vous obtenez de si beaux résultats que le jeu en vaut assurément la chandelle. Votre grande vivacité d'esprit vous permet de réagir rapidement et de saisir au vol d'incroyables occasions. Vous êtes si bon vendeur que tous acquiescent à vos propositions, sans compter que l'on se pâme devant vos idées géniales.

Septembre

D	L	M	M	J	V	S
				1F	2F	3●D
4D	5	6	7	8	9	10
11	12	13	14	15	16D	17○D
18F	19F	20	21	22	23	24
25	26	27	28F	29F	30D	

○	Pleine lune	●	Nouvelle lune
F	Jour favorable	D	Jour difficile

SANTÉ – Entre le 5 et le 21, vous pourriez vivre une petite rechute sur le plan nerveux. Vous avez plus de mal à conserver votre calme et votre direction; ces états d'âme pourraient même interférer avec votre bien-être physique. Ce n'est pas sorcier, prenez le temps de vous relaxer, de vous arrêter, et vous y verrez plus clair.

SENTIMENTS – Les 12 premiers jours constituent assurément la meilleure période. Les occasions de vous divertir, de renouer avec vos amis et de rencontrer des gens intéressants se multiplient. L'être chéri est attentif à vos moindres désirs et peut même vous réserver une belle surprise. Rien de vilain par la suite; ce sera tout simplement plus tranquille.

AFFAIRES – La première et la dernière semaine sont formidables; vous gagnez du terrain et continuez de cumuler les succès. Entre les deux, vous traversez un temps mort; inutile de paniquer, profitez-en plutôt pour faire le point, pour planifier. Du 21 au 31, un heureux concours de circonstances ou une aide que vous n'attendiez pas vous permet de donner un grand coup.

Octobre

D	L	M	M	J	V	S
						1 D
2 D	3 ●	4	5	6	7	8
9	10	11	12	13	14 D	15 D
16 F	17 ○ F	18	19	20	21	22
23/30	24/31	25 F	26 F	27 D	28 D	29 D

○ Pleine lune et éclipse lunaire partielle   ● Nouvelle lune et éclipse solaire annulaire
F   Jour favorable   D   Jour difficile

SANTÉ – Les éclipses n'ont pas d'impact sur vous; vous vous sentez même plus détendu que le mois dernier. Parfois un peu trop, car on dirait que vous êtes plus passif qu'à l'accoutumée. Pas grave, vous avez assez couru dernièrement; ce n'est pas une mauvaise idée de vous la couler douce. Bon mois pour vous faire bichonner, vous faire masser.

SENTIMENTS – Entre le 8 octobre et le 5 novembre, Vénus visite votre signe. Les couples se solidifient; c'est le temps de faire des projets à long terme. Les solitaires peuvent enfin trouver quelqu'un qui correspond à leurs attentes. Vous découvrez la vérité à propos d'un petit secret qu'un enfant voulait vous cacher. Magnifique période pour les mondanités.

AFFAIRES – Bien que vous soyez un peu moins ambitieux qu'au cours des derniers mois, vous continuez à bénéficier de tous vos efforts passés. La récolte est appréciable, votre renommée n'est plus à faire. Vous apprenez à déléguer, votre charge de travail s'en trouve moins lourde. Ne soyez pas dupe avec les vendeurs trop empressés ni avec ceux qui veulent vous emprunter de l'argent.

Novembre

D	L	M	M	J	V	S
		1●	2	3	4	5
6	7	8	9	10D	11D	12F
13F	14	15○	16	17	18	19
20	21F	22F	23F	24D	25D	26
27	28	29	30			

○	Pleine lune	●	Nouvelle lune
F	Jour favorable	D	Jour difficile

SANTÉ – Vous continuez sur le même tempo; vous n'avez pas le goût de vous faire mourir à la tâche. On n'est pas habitué de vous voir aussi relax mais, entre vous et moi, il n'y a aucun mal à prendre un temps d'arrêt. Vous êtes en pleine période d'introspection, vous réfléchissez, parfois vous rêvassez...

SENTIMENTS – Serait-ce tout le romantisme qui vous entoure qui vous rend indolent? Ce qui compte, c'est que vous vous sentiez heureux et que vous profitiez de tout ce qui passe. Au fait, je vous rappelle que Vénus est toujours chez vous jusqu'au 5 et qu'elle vous annonce de grandes joies. Même quand elle aura quitté votre signe, le cycle de satisfaction se poursuivra. On vous entourera énormément d'attentions. Laissez-vous gâter!

AFFAIRES – Vous abordez votre destinée professionnelle différemment. Au lieu de vous morfondre, vous comptez sur votre bonne étoile. Vous n'avez pas tort, puisque votre position se maintient aisément. À vrai dire, vous évoluez dans des conditions très avantageuses; vous avez su vous bâtir une situation confortable. Une bonne nouvelle vous enchante. Bon mois pour vous déplacer ou pour changer d'air.

Décembre

D	L	M	M	J	V	S
				1●	2	3
4	5	6	7D	8D	9F	10F
11F	12	13	14	15○	16	17
18	19F	20F	21D	22D	23D	24
25	26	27	28	29	30●	31

○	Pleine lune	●	Nouvelle lune
F	Jour favorable	D	Jour difficile

SANTÉ – Vous prenez ça mollo durant la première quinzaine, mais par après, vous recommencez à vous dépenser sans compter. Heureusement, la pause que vous avez prise a été très profitable. Votre énergie, tant physique que mentale, est incroyable, et ça vous permet d'entreprendre une foule de choses. Votre mine reposée vous confère un charme irrésistible.

SENTIMENTS – C'est entre le 16 et le 31 que vous vivez les instants les plus palpitants. Vous vous amusez énormément avec votre partenaire, vos amis et la famille en général. Le climat de franche camaraderie qui prévaut vous enchante. On vous montre que l'on vous aime, sans chercher à vous emprisonner. Quelqu'un qui revient de loin vous surprend.

AFFAIRES – Vous déployez davantage d'énergie à votre boulot, sans doute parce que vous avez le goût de relever de nouveaux défis. Les responsabilités ne vous font pas peur; vous mettez les bouchées doubles, et les résultats ne tardent pas à se faire sentir. Vous empochez pas mal d'argent, en plus de vous faire remarquer.

Capricorne

♑

du 21 décembre au 20 janvier

L e natif du Capricorne a un don tout à fait particulier: il passe inaperçu, tellement d'ailleurs qu'il finit par se faire remarquer, quel paradoxe! Si vous trouvez un de vos invités tout seul dans la cuisine en train d'essuyer les verres, pas de doute, il s'agit d'un Capricorne.

Ce signe est la sagesse et le sérieux incarnés. Quant à sa patience, elle est légendaire. Le temps court pour le Capricorne. Avec votre capacité de travail étonnante, on se demande pourquoi vous n'êtes pas un peu plus énergique. Vous êtes plutôt flegmatique, et rien ne semble vous démonter. Vous maîtrisez les concepts abstraits comme nul autre, tant et si bien que votre esprit analytique et votre logique terre à terre sont des atouts indéniables.

Vous êtes cependant d'une telle rectitude – oserions-nous dire d'une telle rigidité – que votre peur des changements, votre sens de l'économie, qui tient de l'ascèse, sont souvent critiqués par votre entourage. Vous n'êtes pas une personne qui agit sur des coups de tête; avec vous, tout est mûrement réfléchi. Vous n'êtes vraiment pas démonstratif, et vous exprimer oralement n'est pas une de vos qualités. D'ailleurs, vous parlez peu et surtout jamais de vous.

Votre modestie peut parfois vous jouer des tours. Vous préférez rester dans l'ombre, et c'est sûrement la peur qui conditionne cet isolement. Par contre, lorsque vient le moment de rationaliser, de travailler sur un problème complexe, vous n'hésitez pas à vous mettre à la tâche, souvent en solitaire. Votre minutie, votre perfectionnisme sont exceptionnels, mais toujours dans le but de ne pas vous faire remarquer. Vous pouvez être président d'une société et avoir l'air d'un simple ouvrier, être riche comme Crésus et porter des vêtements dont votre bonne ne voudrait pas. L'habit ne fait pas le moine… et surtout pas le Capricorne!

En bon signe de terre, vous souffrez d'insécurité et vous craignez la solitude. Pourtant, vous n'hésitez pas à vous retirer pour vous ressourcer. Vous avez un sens de l'économie très développé et vous avez peur de manquer de ressources financières… tellement que vous cachez de l'argent ici et là pour les mauvais jours, mais vous ne l'avouerez jamais! Votre pire crainte est d'être rejeté, et vous craignez la fuite du temps.

À partir de la trentaine toutefois, la vie du Capricorne prend un tournant pour le moins surprenant lorsqu'on le sait si réservé. Plusieurs d'entre eux sortent de l'ombre, leur situation évolue très favorablement. Leur caractère, leur moral et même leur vitalité s'améliorent, tout comme leur compte en banque! Le temps qui passe est votre meilleur allié; grâce à lui, vous vous bonifiez, comme le bon vin.

Le natif du Capricorne fonctionne différemment des autres, à «rebrousse-temps» serait-on tenté de dire. Il se comporte comme un vieillard dans sa jeunesse et semble rajeunir avec les années. La deuxième partie de sa vie est donc bien meilleure que la première, alors que dire de la troisième! Le Capricorne n'a donc pas à s'inquiéter des années qui passent, car pour lui, le meilleur est à venir.

Pour gagner votre amitié ou votre amour, la patience est de rigueur. Mais une fois que vous avez accordé votre confiance et votre cœur, vous êtes prêt à tous les sacrifices pour ceux que vous aimez. Comme vous ne parlez pas beaucoup, vous exprimez vos sentiments par des gestes qui sont souvent empreints d'une grande générosité. L'amitié et l'amour sont éternels pour vous, et vous ne dérogez pas à cette règle.

Dévoué, parfois jusqu'à l'abnégation, vous vous effacez devant les autres, vous sacrifiez vos propres intérêts, vous vous consacrez à des missions impossibles, à des gens qui n'en valent pas la peine ou qui abusent de vous. Votre générosité n'a pas de bornes, et bien des gens le savent et en profitent. Heureusement, avec le temps, votre grand complice, vous apprenez à mieux mesurer votre propension à vous dédier aux autres et à choisir ceux qui vous entourent. Peu à peu, vous déterminez avec plus de justesse ce que vous voulez donner et jusqu'à quel point vous pouvez le faire. De plus en plus, vous balisez votre générosité, ce qui n'est pas plus mal.

Vous êtes sage, sérieux, vous n'avez pas de temps pour la frivolité et les divertissements stériles, ce qui peut vous faire paraître distant. Vous ne vous liez pas facilement et vous ne vous confiez pas non plus; vous avez l'impression que vous ennuyez les autres avec vos petits malheurs. Tant de discrétion passe pour de la froideur. Avec le temps, vous vous ouvrirez un peu plus, au grand bonheur de votre entourage et au vôtre également.

Comment se comporter avec un Capricorne?

S'approcher d'un Capricorne relève parfois du parcours du combattant. Si on se fait insistant, il recule et reste dans son coin, discret. Si on le laisse s'éloigner, la solitude le fait souffrir. Ce n'est pas évident, avec lui, de doser ses approches. Pourtant, vous devez impérativement faire le premier pas parce qu'il ne prendra pas d'initiative.

Par contre, si un Capricorne décèle un problème ou un ennui chez vous, il sera le premier à vouloir vous aider, mais sans dévoiler ses propres attentes et ses propres difficultés. Pour commencer une relation avec un natif de ce signe, la patience, l'attention, la capacité de lire entre les lignes sont vos meilleurs atouts. Il n'est pas facile de l'approcher, mais une fois qu'il s'est laissé apprivoiser, vous aurez sans aucun doute le meilleur et le plus fidèle allié dont vous puissiez rêver.

Dans une réunion entre amis, s'il va vider le lave-vaisselle ou passer un coup de balai dans la cuisine, cela ne veut pas dire qu'il ne s'amuse pas… il se rend utile. Il aime bien qu'il y ait du monde… dans la pièce d'à côté. Les mondanités ne l'intéressent pas particulièrement, et il n'aime pas gaspiller le temps.

Si votre conjoint est un Capricorne, ne l'obligez pas à vous suivre dans vos sorties; il le ferait à reculons, et ce ne serait agréable ni pour l'un ni pour l'autre. Dans ces cas-là, son âme de solitaire prend le dessus. Puisqu'il vous fait confiance, vous pouvez sortir et vous amuser l'esprit en paix; il en sera très heureux pour vous.

Si vous tenez absolument à le convaincre de s'afficher en société, il faudra y aller graduellement, argument par argument, en lui démontrant la logique de votre raisonnement. Il ne faut jamais chercher à transformer radicalement la vie d'un Capricorne par des changements trop brusques. Montrez-lui ses intérêts et les avantages, oubliez autant que possible les inconvénients – il pourrait avoir peur – et surtout laissez-le peser le pour et le contre avant de lui demander de prendre sa décision.

La réflexion lui est aussi indispensable que l'air qu'il respire. Il doit considérer et reconsidérer la suggestion avant de se ranger à votre avis, mais il n'avouera peut-être pas ce qu'il pense. Si finalement vous constatez que rien n'y fait, qu'aucune de vos propositions ne l'aide à se décider, il faudra peut-être le prendre par les sentiments et lui démontrer à quel point telle ou telle chose, telle ou telle sortie compte pour vous. Dans ce cas, si c'est pour vous donner un coup de main, il acceptera sans trop rechigner. Il ne voudrait pas se sentir coupable de vous avoir fait rater une rencontre avec des gens importants pour votre carrière, par exemple.

Le Capricorne n'a pas confiance en ses moyens, et l'énergie pour lancer des projets lui fait souvent défaut. Sa crainte le paralyse. Votre aide et votre appui sont significatifs pour lui; vous pouvez lui donner un sérieux coup de main, et il vous en sera éternellement reconnaissant.

Ses goûts

Ce qui le caractérise, c'est la simplicité et la frugalité. Il n'a pas besoin de strass, de paillettes, de flaflas pour vivre heureux. Il vit selon ses moyens, même parfois en dessous, mais c'est ainsi. Rien chez lui n'est ostentatoire.

Les objets sobres, classiques, voire anciens, ont sa préférence. Ses vêtements sont bien coupés ou, plutôt, ont été bien coupés à l'époque; la mode a eu le temps de passer et de revenir, mais il a toujours le même ensemble. En fait, notre Capricorne ne paie pas de mine; ses employés, ses enfants sont mieux habillés que lui, mais son portefeuille est drôlement bien garni. Quel économe quand même!

Dans son intérieur, son besoin de sécurité entre parfois en contradiction avec son goût de la parcimonie. Pour cette raison, il préfère les grosses maisons, les gros meubles, ce qui a l'air solide, durable, ce qui traversera la barrière du temps.

À table, les excès sont presque bannis, sa sagesse prenant le dessus. Mais il a un petit problème, il oublie de diversifier suffisamment son alimentation. Les légumes, les crudités, les fruits ne se retrouvent pas forcément à son menu en quantité suffisante pour maintenir un bon état de santé… et, surtout, il aime parfois un peu trop les sucreries!

Son potentiel

Travailleur déterminé, le Capricorne ne craint pas les projets à très long terme. Il travaille à son rythme, c'est-à-dire lentement, dans l'ombre ou à l'écart, il fait son chemin sans que personne ne s'en aperçoive. Lorsqu'il touche au but, tout le monde est bien étonné. Sa devise pourrait être: «Rien ne sert de courir, il faut partir à point.»

Comme c'est un travailleur méticuleux qui ne laisse rien au hasard, il fera sa marque dans les domaines qui requièrent un esprit plus terre à terre: l'administration, la gestion, les banques — il aime bien l'argent! —, les mathématiques, les recherches, les investigations (comptables ou autres), les relations d'aide, la gérontologie, l'enseignement ou la politique.

Le natif du Capricorne peut être une personne influente, exercer un pouvoir étendu et gérer une immense fortune, et rien n'y paraîtra. Il laisse les autres s'auréoler de leur succès, alors que c'est plutôt lui qui tire les ficelles dans l'ombre.

Ses loisirs

Sérieux comme il est, on se demande bien quels loisirs lui permettent de se détendre. Dans ses moments libres comme dans sa vie quotidienne, le Capricorne aime bien rester à l'écart. Il optera donc pour des passe-temps de solitaire, qui lui permettent de réfléchir, de penser à ce qu'il lui plaît sans être obligé de converser ou de faire belle figure devant quiconque.

Il choisira souvent de faire de longues promenades, même en ville. Le ski, la raquette, la natation et la pêche lui conviennent très bien. La lecture est pour lui un excellent moyen d'évasion, et il choisira souvent des ouvrages en rapport avec ses préoccupations ou ses activités professionnelles. C'est un être réfléchi qui se ressource en plongeant dans ses pensées. Mais il ne faut pas oublier qu'il est aussi sensible alors, de temps à autre, il faut le secouer et le convaincre de socialiser un peu plus.

Sa décoration

En matière de décoration, comme en toute chose dans sa vie, la sobriété est sa marque; il a un esprit très conservateur. D'ailleurs, il accumule les objets et ce, depuis des années. C'est un véritable écureuil. Ses armoires sont des petites réserves où il entasse ce qui lui permettrait de survivre plusieurs années en cas de disette subite: nourriture, papeterie, vêtements, quincaillerie, il ne sera jamais pris au dépourvu. Et puis, il y a la remise, le grenier, la cave…

Son sens de l'économie est tellement fort qu'il ne dépensera pas un sou pour toutes ces babioles vite démodées qu'on annonce dans les magazines. Par contre, comme il souffre d'insécurité, tout le nécessaire sera toujours à portée de main. Son domicile est son refuge; il lui faut donc quatre murs bien solides autour de lui. Il peut acheter une immense maison, et on se demandera ce qu'il va faire de tant d'espace; il sera vite utilisé, n'ayez crainte.

Le Capricorne n'aime pas la modernité; il préfère les objets et les choses que le temps a éprouvés. Ce sera donc un amateur éclairé d'antiquités qui représentent des valeurs sûres; il en aura certainement beaucoup chez lui. Pour son intérieur, il choisira des meubles lourds, solides, imposants, bref qui donnent une image de stabilité, et cela souvent en quantité industrielle. Bien qu'il reçoive très rarement, il dispose d'un assortiment de vaisselle à faire rougir les plus grands restaurateurs.

Il conserve tout, des assiettes de grand-maman au gros La-Z-boy de papy, de l'armoire canadienne au canapé Louis XV hérité de la vieille tante Hortense, du bureau de son enfance au lit de son adolescence: tout est là. Vous comprenez maintenant pourquoi il lui faut une si grande maison.

Le Capricorne a ses petites habitudes, ses petites manies. Il aime sa tranquillité, et c'est souvent à son domicile qu'il trouve cette sécurité dont il est si friand. Retrouver ses petites affaires là où il les a déposées, quel soulagement! Bref, si vous êtes son conjoint ou son colocataire, de grâce, ne changez pas les meubles de place pendant qu'il a le dos tourné… vous le mettriez très mal à l'aise.

Son budget

L'économie n'est pas un vain mot pour le Capricorne. Sage et prévoyant de nature, il ne se laisse jamais aller à des dépenses inconsidérées. Il n'ouvre son portefeuille bien garni que lorsqu'il y est obligé. Au magasin, il vérifiera la qualité, évaluera la valeur, la garantie, essaiera peut-être même d'obtenir un rabais, s'assurera de faire une bonne affaire, et, malgré tout, à la caisse, il aura encore un pincement au cœur. Tout coûte terriblement cher de nos jours, n'est-ce pas?

Le Capricorne n'est pas avare, mais il souffre d'insécurité et a toujours peur de manquer d'argent. Il est également conscient de la valeur des choses. Comme il a des goûts modestes, il ne se fait jamais à l'idée d'être obligé de dépenser. Mais il a bon cœur, et quand il se permet une dépense, c'est pour offrir quelque chose aux autres, pas à lui-même…

Le Capricorne économise sur tout; il fait constamment attention à son portefeuille et arrive à faire des prouesses avec un budget limité. Même si ses revenus sont peu élevés, il réussira encore à mettre de l'argent de côté en prévision de jours moins fastes. Il adore créer des petites cachettes: quelques pièces dans le pot de biscuits, une enveloppe bien garnie sous une pile de chandails, dans le compartiment secret du portefeuille; un peu ici, un peu là, sans parler des comptes en banque, des placements… bref, avec lui, l'expression avoir son bas de laine est tout à fait véridique.

La prévoyance est l'une de ses belles qualités; il prépare ses vieux jours depuis longtemps et, croyez-moi, il ne sera pas dans le besoin, loin de là. Il a des REÉR, des obligations, des placements, des actions en tous genres. Et pourtant, même s'il est assis sur des millions, l'inquiétude lui triture quand même les neurones…

Quel cadeau lui offrir?

On a vu que notre Capricorne est plutôt conservateur et qu'il garde tout très longtemps. Il serait peut-être indiqué de remplacer quelques objets, comme sa vieille télé noir et blanc, qui pourrait peut-être passer au numérique… à condition que vous la lui achetiez, car pour lui son téléviseur des années 60 lui convient bien (d'ailleurs, il le gardera au fond du grenier, même s'il accepte d'en mettre un modèle plus récent dans le salon).

Le natif du Capricorne vous dira qu'il n'a besoin de rien, et il en est convaincu. Vous devrez donc faire de sérieux efforts pour trouver une chose utile qu'il n'a pas en quatre ou cinq exemplaires. Optez avant tout pour des objets sobres et plutôt traditionnels; la modernité et les gadgets ne sont pas dans ses goûts. S'il a besoin d'un bon agenda, n'arrivez pas avec un Palm; achetez-en un plus classique.

Regardez aussi du côté des vêtements, car les siens doivent être complètement démodés; il en achète si peu souvent. Les coupes classiques, la qualité et les teintes neutres lui conviendront le mieux. Un beau tricot, des gants ou un foulard le réchaufferont, car il est frileux et aime son confort.

Le natif du Capricorne ne se permet jamais de petites gâteries. Il revient donc à ses proches de lui offrir des petits luxes. Il sera mal à l'aise, ne saura pas comment vous remercier, mais sera tellement content que son bonheur fera plaisir à voir.

Les enfants Capricorne

Sage et docile, le bébé Capricorne ne pose jamais de problème. En grandissant, il sera toujours aussi sage, et même sérieux pour son âge. Il a besoin de contact avec des enfants plus âgés, voire des adultes ou des personnes âgées. Il est fasciné par les vieilles personnes et les écouterait pendant des heures. Les grands-mamans et les grands-papas sont aux anges avec eux.

Par contre, avec les amis de son âge, il n'est pas très sociable; en fait, le petit Capricorne préfère rester à l'écart pour observer de loin le monde. La solitude lui plaît, et son petit côté individualiste ressort déjà.

Il est important de lui apprendre à s'amuser, à avoir du plaisir et surtout à fréquenter des petits camarades de son âge. Il est craintif, renfermé et manque de confiance en lui. Par contre, au fil du temps, il réussira à surmonter sa timidité maladive.

L'ado Capricorne

Pour ton âge, tu es quelqu'un de très mûr, qui ne perd pas son temps pour des broutilles. Tes amis sont probablement plus âgés que toi et ils te stimulent beaucoup. Tu es tranquille, réfléchi, calme, et tu aimes prendre ton temps. Mais lorsque tu te décides à agir, tu vas jusqu'au bout de tes idées et de tes actes. On ne peut pas te reprocher de faire les choses à moitié.

Comme tu es très responsable, les gens n'hésitent pas à te confier certaines tâches et bien souvent cela passe avant tout, même au détriment de tes loisirs ou de tes goûts personnels. On peut se fier à toi, et souvent on t'en demande un peu trop pour ton âge, car tu es si raisonnable qu'on te croit souvent plus âgé que tu ne l'es réellement.

Tu as des valeurs traditionnelles, conservatrices: la justice, la famille, l'ordre établi comptent beaucoup pour toi. Tu t'intègres bien au système, sans te rebeller. Tu es aussi attaché à l'aspect matériel de la vie, tu es économe et sérieux, tu te fais même de petites réserves en cas de besoin, et tu ne jettes jamais rien, tu prends soin de tes affaires.

Malgré les apparences, tu es un être très fier, et lorsqu'on pique ton orgueil, tu t'en souviens longtemps.

Sur le plan social, tu es plutôt discret. On te trouve même distant et froid. Tu préfères rester dans l'ombre, par prudence et aussi à cause de ta timidité. Tu as une nature plutôt triste et, avoue-le, la vie te fait peur. Pourtant, tu as tous les atouts en main pour réussir, pour monter très haut… Tu dois apprendre à cultiver ta confiance en toi, car avec les années qui passent tu accompliras de grandes et belles choses, et la réussite sera au rendez-vous si tu parviens à écarter ce sentiment d'insécurité qui te ralentit.

Tes études

Travailleur, tenace et méticuleux, tu te consacres à fond à tout ce que tu entreprends. Tu apprends lentement, mais comme tu comprends bien ce qu'on t'enseigne et que tu as une bonne mémoire, on ne peut pas te prendre en défaut. Ce que tu sais, c'est pour la vie. Étant donné que tu es déterminé, les études supérieures te conviennent fort bien; le temps joue pour toi. Tu travailles mieux seul qu'en équipe. Tu devras te montrer plus flexible avec les autres, car cela te sera bien utile pour évoluer en société.

Ton orientation

Peu importe le domaine que tu choisiras, tu réussiras. Tu es si sérieux, tu as si bien balisé ta vie, calculé le pour et le contre, que ton application sera récompensée. Tu vas donc surmonter les obstacles et atteindre ton objectif, envers et contre tous. Les domaines qui pourraient t'amener sur le chemin du succès sont les finances, la comptabilité, le droit, la politique, la Bourse, l'administration, la fonction publique, le système bancaire, l'industrie, la santé, la gérontologie, les antiquités, le commerce, l'immobilier, l'agriculture, les affaires et les emplois ayant trait à la terre. Tu vois, tu as l'embarras du choix. Ta carrière pourrait commencer dans l'ombre, mais à partir de la trentaine, la réussite t'attend, et tu te mets un peu plus en évidence.

Tes rapports avec les autres

Les gens te croient froid, car tu es souvent distant et renfermé. Tu as peu d'amis, mais tu as su les choisir. Ils savent qu'ils peuvent compter sur toi, même s'ils en abusent un peu, avoue-le. Au fil du temps, tu parviens à dire non lorsque tu sens que les autres tirent trop sur la corde. L'amitié doit être un échange équitable. On ne te connaît pas assez, car tu as du mal à exprimer tes sentiments ou à parler; tu crains souvent de déranger. Tu as beaucoup à offrir et lorsqu'on te connaît vraiment, on découvre en toi un être adorable sur qui on peut compter.

Vanessa Paradis, Émile Nelligan, Annie Lennox, Mao Tsé-Toung, Marlene Dietrich, Gérard Depardieu, Louis Pasteur, Marianne Faithful, Geneviève St-Germain, Jacques Cartier, Véronique Cloutier, Ricky Martin, Cate Blanchett, Mahée Paiement, Mel Gibson, Marina Orsini, Nicolas Cage, David Bowie, Elvis Presley, Lara Fabian, Bernard Derome, Martin Luther King, Anne Bédard, René Angélil, Isabelle Lajeunesse, Jim Carey, Kevin Costner, Dan Bigras, Daniel Bélanger.

Pensée positive pour le Capricorne

Ma confiance en moi et dans la vie augmente constamment. J'ose accepter les nombreux bienfaits qu'on m'envoie. Plus j'en accepte, plus il m'en arrive.

Pensée positive spéciale pour 2005

Je dispose de tout le potentiel nécessaire pour trouver le bonheur et la richesse. Je deviens ma plus importante priorité.

Le subconscient nous dirige toujours selon nos pensées. En répétant le plus souvent possible ces pensées conçues tout spécialement pour vous, vous vous attirerez plein de belles choses.

Signe: Capricorne

Élément: Terre

Catégorie: Cardinal

Symbole: ♑

Points sensibles: Ossature, décalcification, dentition faible, articulations, genoux, jambes, arthrite, surdité, problème d'ouïe et de peau. Jeune, il a peu de vitalité... mais il rajeunit tous les ans.

Planète maîtresse: Saturne, planète de la sagesse.

Pierres précieuses: Améthyste, grenat, diamant.

Couleurs: Gris et toutes les couleurs terre.

Chiffres chanceux: 3-8-11-17-23-28-30-35-44-48.

Qualités: Discipliné, sérieux, économe, sage, discret, déterminé, diplomate, traditionnel, terre à terre. Il sait que le temps est son précieux allié.

Défauts: Manque d'assurance, timide, renfermé, autoritaire, ne jette rien, pessimiste, manque de confiance.

Ce qu'il pense en lui-même: Je vais tout faire pour eux... Je veux qu'ils m'aiment à tout prix!

Ce que les autres disent de lui: Demandons-lui ce qu'on veut: il ne sait pas dire non!

Prédictions annuelles

L'année se divise en trois phases. Jusqu'au 16 juillet, vous continuez à vous interroger sur le sens à donner à votre vie et, parfois, vous avez l'impression de naviguer en eaux troubles. Vous sentez qu'une étape est franchie et que vous êtes sur le point d'en entamer une autre. Par la suite, vous amorcez un cycle d'accalmie; vous trouvez des réponses à vos nombreuses questions, et vous avez une meilleure intuition des gestes à faire et des décisions à prendre. C'est le début de la libération. Finalement, à partir du 25 octobre, la planète Jupiter cesse de bouleverser votre existence et devient même une puissante alliée grâce à qui vous retrouvez la pleine maîtrise de votre destinée. Vous voyez même la chance effectuer un retour en force.

SANTÉ – L'opposition de Saturne pendant les six premiers mois pourrait encore faire des siennes si vous n'y prenez garde. Cette planète nous place toujours face à face avec les résultats de nos actions. En prenant soin de votre santé morale et physique, vous pourrez cheminer sans crainte. Par contre, en vous laissant aller ou en ayant un mode de vie débridé, vous risquez d'avoir des ennuis. Quant au reste de l'année, il est rempli de promesses. Pour certains, on peut parler de récupération, pour d'autres, il est question d'une énergie et d'une résistance accrues. Bien entendu, vous faites de gros progrès dans la gestion de vos états d'âme. La seule condition à ce mieux-être est de proscrire les excès qui risquent encore de freiner vos progrès.

SENTIMENTS – Voici justement un secteur où vous vous interrogez sérieusement. Vous en avez assez de vous sentir brimé, vous avez besoin d'air. Plus question de faire autant de compromis, vous désirez décider par et pour vous-même. Ceux qui ne l'accepteront pas risquent de ne plus faire partie de votre vie. Une recommandation: continuez à veiller sur la santé de vos proches. Jusqu'au milieu de l'été, on peut affirmer que votre priorité c'est vous-même, que vous êtes à la conquête de votre autonomie. À compter de l'automne, vous partez à la découverte du monde extérieur; une idée géniale, puisque la destinée vous fait rencontrer plusieurs personnes extraordinaires, avec qui vous avez beaucoup en commun.

AFFAIRES – La phase de changement se poursuit, et on ne peut pas vraiment parler de stabilité avant l'automne. Tout cela vous angoisse, mais je vous assure que vous trouverez une porte de sortie. N'allez pas vous jeter dans la gueule du loup en vous associant, en prêtant de l'argent ou en exposant vos biens aux voleurs. L'année 2005 en sera une de repositionnement, de réévaluation, de recyclage et, pour certains, d'études. L'automne vous apporte davantage de chance en tout, y compris au jeu, où vous pourriez décrocher un prix secondaire. Votre carrière et vos finances remontent, vos entreprises sont favorisées, tout comme vos démarches et vos placements. Vous rattrapez le temps perdu et êtes alors sur une excellente lancée.

Janvier

D	L	M	M	J	V	S
						1F
2F	3D	4D	5	6	7	8
9	10●	11	12	13	14	15D
16D	17D	18F	19F	20	21	22
23/30D	24/31D	25○	26	27F	28F	29F

○	Pleine lune	●	Nouvelle lune
F	Jour favorable	D	Jour difficile

SANTÉ – Vous traînez de la patte, vous manquez un peu de ressort, et il faut vous pousser dans le dos. Le pire, c'est de commencer quelque chose; une fois que vous êtes parti, ça va. Alors, si vous vous parlez un peu, si vous faites quelques efforts, tout devrait bien aller. Vos nerfs vous jouent parfois des tours entre le 10 et le 30; n'oubliez pas de vous relaxer de temps à autre.

SENTIMENTS – Voici un mois crucial pour vos relations interpersonnelles. Vous vous apprêtez à prendre de grandes décisions. Vous faites des confidences, peut-être une déclaration à certains, mais il se peut tout aussi bien que vous en mettiez d'autres de côté. Vous savez ce que voulez et vous avez le courage de vos opinions.

AFFAIRES – Vous ne pouvez pas faire exactement ce que vous voulez. Si vous souhaitez garder votre emploi ou vos contrats, vous n'avez d'autre choix que de faire des compromis. Ce n'est pas juste, ça vous irrite; mais pour l'instant, c'est la seule option valable. Ne paniquez pas, le jour où vous serez en position de force n'est pas très loin.

Février

D	L	M	M	J	V	S
		1	2	3	4	5
6	7	8 ●	9	10	11	12 D
13 D	14 F	15 F	16	17	18	19
20	21	22	23 ○	24 F	25 F	26 D
27 D	28 D					

○	Pleine lune	●	Nouvelle lune
F	Jour favorable	D	Jour difficile

SANTÉ – La première semaine vous trouve encore plutôt indolent, voire léthargique. Par la suite, la planète Mars vient s'installer dans votre signe, apportant avec elle un puissant regain d'énergie. Attention cependant: ce transit est aussi souvent responsable d'accidents et de défaillances. Prenez soin de votre santé et ne vous exposez pas au danger. Moralement, vous êtes plus en forme après le 17.

SENTIMENTS – Vous ne vous laissez toujours pas marcher sur les pieds, vous risquez même de réagir assez violemment si l'on vous manque de respect. Un membre de la famille traverse une épreuve et pourrait avoir besoin de votre aide. Par ailleurs, un proche arrive avec une bonne nouvelle concernant une question d'argent. Vos amis vous réclament au cours de la seconde quinzaine. Pourquoi ne pas accepter leurs invitations?

AFFAIRES – Même si vous détestez être pris au dépourvu, en ce mois, vous devez régulièrement composer avec l'inattendu. Des bouleversements surviennent au travail; vous devez rajuster votre tir. Vous êtes plus adaptable pendant la deuxième moitié du mois; vous pourriez même trouver un moyen ingénieux de vous en sortir.

Mars

D	L	M	M	J	V	S
		1	2	3	4	5
6	7	8	9	10●	11D	12D
13F	14F	15F	16	17	18	19
20	21	22	23F	24F	25○D	26D
27D	28	29	30	31		

○	Pleine lune	●	Nouvelle lune
F	Jour favorable	D	Jour difficile

SANTÉ – Encore trois semaines de patience et la planète Mars sortira du décor; vous pourrez dès lors agir à votre guise. En attendant, il faut vous ménager tant physiquement que psychologiquement et continuer de prendre vos précautions pour ne pas vous faire mal. Un massage ou quelques soins de beauté vous feraient du bien.

SENTIMENTS – Entre le 1er et le 23, vous traversez un cycle favorable: vos amours se replacent, votre vie sociale devient entraînante, et vos copains sont d'une gentillesse remarquable. Les seules inquiétudes possibles concernent un parent ou un enfant; vous feriez mieux d'y voir. Un frère ou une sœur se rapproche de vous.

AFFAIRES – Les tensions perdurent jusqu'au 21. Par après, un heureux concours de circonstances sert vos intérêts. Vous vous trouvez à la bonne place au bon moment, on pourrait même vous offrir une aide appréciable pour régler une situation compliquée. En attendant, ne prenez pas de risques avec votre argent; n'exposez pas vos biens à la convoitise des voleurs. Respectez le code de la route afin d'éviter une contravention.

Avril

D	L	M	M	J	V	S
					1	2
3	4	5	6	7D	8●D	9D
10F	11F	12	13	14	15	16
17	18	19F	20F	21F	22D	23D
24○	25	26	27	28	29	30

○	Pleine lune et éclipse lunaire annulaire	●	Nouvelle lune et éclipse solaire annulaire totale
F	Jour favorable	D	Jour difficile

SANTÉ – Votre organisme résiste beaucoup mieux aux infections; vous devenez plus solide, et les dangers d'accident sont révolus. Le moment est venu de vous reprendre en main, de soigner vos bobos pour repartir du bon pied. Si, en plus, vous arrivez à calmer vos nerfs, ce sera parfait. Dans la seconde quinzaine, plusieurs remarquent que vous avez meilleure mine; on trouve même que vous avez rajeuni.

SENTIMENTS – Du 16 avril au 10 mai, vous bénéficiez d'un transit fort avantageux pour mettre du piquant dans votre vie amoureuse. Une rencontre pour les solitaires et un rapprochement passionné pour les autres devraient vous transporter au septième ciel. Avec les aînés de la famille, ça va mieux; toutefois un rejeton continue à vous tracasser.

AFFAIRES – Voici que les choses vont beaucoup mieux. Sans agir sur un coup de tête, il serait temps de faire certains changements dans votre carrière. Si vous voulez postuler pour un autre emploi ou si vous souhaitez un transfert, le *timing* y est favorable. Bon mois aussi pour négocier des ententes ou pour effectuer des déplacements.

Mai

D	L	M	M	J	V	S
1	2	3	4	5D	6D	7F
8●F	9	10	11	12	13	14
15	16	17F	18F	19D	20D	21
22	23○	24	25	26	27	28
29	30	31				

○	Pleine lune	●	Nouvelle lune
F	Jour favorable	D	Jour difficile

SANTÉ – Les choses vont de mieux en mieux; même votre condition nerveuse devrait s'améliorer considérablement à partir du 12. Vous retrouvez vos forces, votre dynamisme et votre beau sourire. Vous prenez l'air plus souvent, ce qui a un effet bénéfique sur votre état général. Bonne période pour l'exercice physique.

SENTIMENTS – Je vous rappelle que les 10 premiers jours devraient être enchanteurs; demeurez donc ouvert aux belles déclarations qu'on s'apprête à vous faire. Le reste du mois n'annonce rien de vilain, bien au contraire. Les difficultés rencontrées avec un enfant se règlent enfin. La communication entre vous et une personne avec qui vous vous étiez disputé se rétablit.

AFFAIRES – Vous avez le vent dans les voiles, et le renouveau se fait de plus en plus sentir. Ceux qui cherchaient du boulot peuvent décrocher un emploi fort satisfaisant, alors que d'autres connaissent une amélioration de leurs conditions de travail. Entre le 12 et le 28, vous vous exprimez avec brio; personne ne reste insensible à vos paroles.

Juin

D	L	M	M	J	V	S
			1D	2D	3F	4F
5F	6●	7	8	9	10	11
12	13F	14F	15F	16D	17D	18
19	20	21○	22	23	24	25
26	27	28D	29D	30F		

○	Pleine lune	●	Nouvelle lune
F	Jour favorable	D	Jour difficile

SANTÉ – Les 12 premiers jours devraient se dérouler sans aucun problème; mais par après, la situation risque de se corser. En effet, plusieurs planètes occupent différents points sensibles de votre thème astrologique, vous rendant plus vulnérable. Afin d'échapper à leur influence, soyez vigilant dans vos déplacements, manipulez avec précaution tout objet avec lequel vous pourriez vous blesser et observez les règles élémentaires d'une saine hygiène de vie.

SENTIMENTS – Entre le 13 et le 28, vous risquez de nourrir certaines préoccupations. Des proches pourraient vous inquiéter, sans compter que le ton pourrait monter dans les discussions; pesez bien vos mots et ne prenez pas tout au pied de la lettre. Mis à part ce creux de vague, le reste du mois devrait vous apporter plusieurs occasions de sourire.

AFFAIRES – Même scénario dans ce domaine. Si vous projetez d'effectuer une démarche ou si vous devez mettre un projet en branle, mieux vaut agir d'ici le 13. Dans la seconde quinzaine, vous pourriez vous heurter à quelques obstacles; cette période exige que vous soyez prudent avec vos sous et que vous protégiez ce qui vous appartient, surtout qu'une réparation peut vous obliger à débourser une somme que vous n'aviez pas prévue.

Juillet

D	L	M	M	J	V	S
					1F	2F
3	4	5	6●	7	8	9
10F	11F	12F	13D	14D	15	16
17	18	19	20	21○	22	23
24/31	25	26D	27D	28F	29F	30

○ Pleine lune		●	Nouvelle lune
F Jour favorable		D	Jour difficile

SANTÉ – La conjoncture demeure délicate sur le plan physique. Restez sur le qui-vive pour ne pas vous faire mal, soyez à l'écoute de vos véritables besoins et, au moindre malaise, soignez-vous sans attendre. Le moral, quant à lui, se porte beaucoup mieux. Vous faites la part des choses et apprenez à ne plus vous inquiéter à propos de tout et de rien.

SENTIMENTS – Le contact passe beaucoup mieux entre vous et votre entourage. Les querelles d'amoureux s'estompent. Une grosse surprise vous attend même, entre le 22 août et le 17 septembre. Grand bonheur amoureux à l'horizon. Les tensions avec la marmaille s'atténuent; seul un proche risque encore de vous inquiéter.

AFFAIRES – Vous avez souvent l'impression de recommencer à zéro, que tout vos efforts passés n'ont servi à rien. Il est vrai que vous tournez en rond depuis quelque temps et que vos objectifs semblent inaccessibles. Ne vous en faites pas trop; le mois prochain, vous amorcerez un long cycle infiniment plus bénéfique.

Août

D	L	M	M	J	V	S
	1	2	3	4●	5	6
7F	8F	9D	10D	11D	12	13
14	15	16	17	18	19○	20
21D	22D	23F	24F	25	26	27
28	29	30	31			

○	Pleine lune	●	Nouvelle lune
F	Jour favorable	D	Jour difficile

SANTÉ – Saturne, qui grugeait votre résistance depuis plus de deux ans, est sortie du cadre d'influence. Vous avez maintenant tout ce qu'il faut pour remonter la pente, vous refaire une santé et la conserver. Autre bonne nouvelle: la planète Mars a cessé de vous incommoder et devient même une alliée. Grâce à elle, vous avez de l'énergie à revendre, tant physique que psychique.

SENTIMENTS – N'oubliez pas que tous les espoirs sont permis en amour d'ici le 17: un coup de foudre pour les célibataires et un sérieux rapprochement pour les autres sont envisageables. Tout au long du mois, vos amis se font plus disponibles; vous passez d'agréables moments en leur compagnie. La situation familiale se replace. Bref, tout va bien.

AFFAIRES – Ici aussi, on peut parler de libération et même de veine. Vos espoirs d'avoir une vie professionnelle stable et de goûter à la sécurité financière sont sur le point de se concrétiser. Fini le temps où vos efforts demeuraient stériles, où la chance vous filait entre les doigts... Foncez, vous êtes sorti de la grisaille!

Septembre

D	L	M	M	J	V	S
				1	2	3●F
4F	5D	6D	7D	8	9	10
11	12	13	14	15	16	17○
18D	19D	20F	21F	22F	23	24
25	26	27	28	29	30F	

○	Pleine lune	●	Nouvelle lune
F	Jour favorable	D	Jour difficile

SANTÉ – Voici l'un de vos meilleurs mois. Tout ce que vous faites en vue d'améliorer votre bien-être donne des résultats époustouflants. Les thérapies, les soins médicaux, de meilleures habitudes alimentaires ou un programme d'exercices sont autant d'options valables qui vous permettent de poursuivre votre route en meilleure condition. Même les remises en beauté donnent des conséquences heureuses après le 11.

SENTIMENTS – Vous vivez des moments fabuleux entre le 12 septembre et le 8 octobre. Votre vie intime vous comble; vous rencontrez plein de gens intéressants, avec qui vous pouvez nouer de solides amitiés, et vous renouez avec d'anciens copains. Votre cote d'amour est à la hausse; partout on cherche à vous plaire.

AFFAIRES – La période constructive va en s'intensifiant. La carrière progresse rapidement, et les finances remontent, surtout si vous savez rester loin des magasins au cours de la première quinzaine. Excellent mois pour trouver du travail, pour obtenir un contrat, pour négocier ou conclure une transaction. Le hasard vous favorise entre le 5 et le 21; une bonne nouvelle vous jette presque par terre.

Octobre

D	L	M	M	J	V	S
						1F
2F	3●D	4D	5	6	7	8
9	10	11	12	13	14	15
16D	17○D	18F	19F	20	21	22
23/30D	24/31D	25	26	27F	28F	29F

○ Pleine lune et éclipse lunaire partielle	● Nouvelle lune et éclipse solaire annulaire
F Jour favorable	D Jour difficile

SANTÉ – Les éclipses de ce mois n'auront guère d'impact sur vous si vous respectez les règles du gros bon sens et si vous vous changez les idées. En effet, seuls les dérèglements et l'anxiété risquent de perturber votre vitalité nouvellement reconquise. Faites donc un petit effort, et vous pourrez ainsi poursuivre votre ascension.

SENTIMENTS – Je vous rappelle que la première huitaine est magnifique sur le plan amoureux et que, par conséquent, vous devriez être réceptif. Laissez-vous gâter; c'est arrivé trop peu souvent par le passé! Le reste du mois n'annonce rien de négatif; il est simplement plus routinier. Au lieu d'attendre les autres, lancez quelques invitations; ça en réjouira plusieurs, vous le premier.

AFFAIRES – Malgré la cohue générée par les éclipses, vous vous débrouillez fort bien. Une idée originale vous vaut énormément de succès entre le 9 et le 30. Bonne période pour relever de nouveaux défis et pour voyager ou tout simplement vous déplacer. Une proposition alléchante tombe à point.

Novembre

D	L	M	M	J	V	S
		1●	2	3	4	5
6	7	8	9	10	11	12D
13D	14F	15○F	16F	17	18	19
20	21	22	23	24F	25F	26D
27D	28D	29	30			

○	Pleine lune		●	Nouvelle lune
F	Jour favorable		D	Jour difficile

SANTÉ – Votre ciel est désormais complètement libre d'influences négatives; pas étonnant que vous vous sentiez mieux portant. Vous ne pourriez trouver meilleur *timing* pour investir dans votre bien-être ou pour vous occuper davantage de vous. Les résultats ne se feront pas attendre, et plusieurs remarqueront à quel point vous avez l'air en forme.

SENTIMENTS – Entre le 5 novembre et le 16 décembre, vous recevez la visite de Vénus, planète du bonheur amoureux. De nouveaux couples se forment, et ceux déjà existants traversent une phase de romantisme intense. Que ce soit avec la famille, les amis ou la marmaille, vous êtes assuré de passer du bon temps.

AFFAIRES – Lors de la dernière année, Jupiter vous a empêché de fonctionner à plein et vous a occasionné de nombreux maux de tête relativement à vos finances. Tout ça est bel et bien terminé; dorénavant son influence est même positive. Vous reprenez la maîtrise de la situation; vous pouvez désormais aller de l'avant et réaliser vos rêves.

Décembre

D	L	M	M	J	V	S
				1●	2	3
4	5	6	7	8	9D	10D
11D	12F	13F	14	15○	16	17
18	19	20	21F	22F	23F	24D
25D	26	27	28	29	30●	31

○	Pleine lune	●	Nouvelle lune
F	Jour favorable	D	Jour difficile

SANTÉ – Ça va franchement bien! Le travail que vous avez fait et que vous continuez de faire sur vous-même donne des résultats spectaculaires. Vous êtes une nouvelle personne, bien mieux disposée à profiter de la vie. Votre dynamisme ne connaît pas de limites; vous avez des nerfs d'acier. Bref, rien n'arrive à freiner vos élans.

SENTIMENTS – Vénus veille sur vos amours jusqu'au 16. Tous y trouvent leur compte, y compris les solitaires. Le reste du mois s'annonce parfaitement stable; aucune anicroche à l'horizon. La tendresse est au rendez-vous, tout comme la gentillesse et le respect. Quelques membres de votre entourage complotent pour vous faire une belle surprise... Je n'en dis pas plus, je ne voudrais pas vendre la mèche.

AFFAIRES – La période constructive se poursuit. Vous êtes hyper occupé, vous n'avez pas deux secondes à vous. Qu'à cela ne tienne, vous rattrapez le temps perdu, vous dépassez même vos objectifs. Quelques chances dans les tirages pour un prix secondaire. Vous terminez l'année en beauté, et permettez-moi de vous annoncer que la prochaine est remplie de promesses.

Verseau

du 21 janvier au 19 février

O n dit souvent du Verseau qu'il est né au moins un siècle trop tôt. On le trouve original, voire plutôt excentrique, et il n'est pas toujours facile de le comprendre. Ses idées sont renversantes, osées, bref très avant-gardistes.

Le Verseau est un amateur de nouveautés: le dernier gadget trouve toujours une place dans sa cuisine, son atelier, son bureau. Les bidules, les machins, les trucs, vous les connaissez tous et vous pouvez faire découvrir bien des objets aux autres, ceux que le reste du monde ignore totalement. Et tout ça, sans parler de ce que vous avez bricolé ou «bidouillé» vous-même, parce que personne n'avait pensé à l'inventer avant vous!

Le signe du Verseau est donc associé aux nouvelles technologies, quel qu'en soit le domaine: électricité, télécommunications, satellites, informatique, énergie nucléaire et science atomique.

Le plus célèbre des Verseau, Jules Verne, a beaucoup fait jaser avec ses idées abracadabrantes, révolutionnaires pour l'époque: imaginez, il disait que l'homme pourrait voler dans un oiseau de métal, aller sur les autres planètes, voyager au plus profond des océans, creuser des tunnels sous des montagnes, regarder la télévision, et j'en passe… Certains sceptiques le tenaient pour fou. Pourtant, aujourd'hui, ces exploits ne nous étonnent plus, ils sont monnaie courante. Dans un siècle, cher Verseau, on reconnaîtra que vous étiez un visionnaire, mais en attendant, il pourra vous sembler irritant d'avoir à convaincre les autres que vous n'affabulez pas et que vos idées trouveront des applications insoupçonnées dans l'avenir.

Votre signe est également placé sous un aspect humanitaire. Dans votre cœur, il n'y a pas de frontières; l'univers entier devient votre domicile. Vous aimez tout le monde sans distinction: blancs, noirs, rouges, jaunes… ou verts extraterrestres! Peu importe la classe sociale, la religion, la race, le sexe, vous savez trouver chez les autres ce que chacun a de meilleur en soi. Pour vous, c'est l'humanité qui compte.

Et ce grand esprit de famille qui vous anime se reflète jusque dans votre cercle d'amis. Celui-ci est très diversifié et étonnant; il s'y côtoie des gens qui, hormis vous, n'auraient pas grand-chose en commun. Vous mélangez les genres: le président d'une entreprise cotée en Bourse, un violoniste de l'orchestre symphonique, une militante anti-mondialisation, un installateur de téléphones, une vieille missionnaire à la retraite et une top-modèle. Vous mélangez les histoires, les expériences de vie et les points de vue… et votre petite soirée fera encore jaser dix ans plus tard.

Pour vous, apprendre et expérimenter, que ce soit dans votre cuisine (sans doute un laboratoire de chrome et d'acier) ou au travail, par l'éducation des petits ou en réglant les problèmes des pays en voie de développement ne sont pas des mots vides de sens. Les chemins battus, les habitudes, les manies, ce n'est pas votre genre. Vous voulez faire mieux que les autres, et avec votre coup de patte bien personnel.

Anticonformiste comme vous l'êtes, vous astreindre à respecter un budget n'est pas dans vos pratiques courantes. Vous craquez pour un objet… eh bien, vous l'achetez à crédit, et la facture viendra plus tard. Vous jouez à la Bourse, mais vous oubliez la facture d'épicerie que vous devez acquitter… Vous jonglez avec votre argent comme avec vos idées.

Comme vous placez la générosité sur un piédestal, vous êtes parfois d'une grandeur magnifique. Cependant, vous sacrifier vous demande parfois beaucoup d'efforts. Vous êtes débordant d'idées, mais vous aimez laisser les autres les appliquer.

Sur le plan affectif, vous vous avouez large d'esprit… surtout quand vous n'êtes pas impliqué. Mais si, par malheur, votre conjoint prend ce principe au pied de la lettre, il risque de lui en cuire. Vous avez l'esprit ouvert, mais quand ça ne s'applique pas à vous. Indépendant, vous prônez la liberté, et l'élu de votre cœur doit l'accepter… Par contre, si lui-même accorde ses faveurs à une autre personne… aïe! La liberté a quand même des limites, n'est-ce pas? surtout celles que vous lui mettez!

Comment se comporter avec un Verseau?

Pour devenir l'amour de la vie d'un Verseau, il faut être patient, être d'abord son ami et laisser les sentiments mûrir entre vous. Si vous avez en tête l'image du petit couple charmant vivant dans une maison coquette entourée de fleurs, vous pourriez avoir une amère surprise.

Cette seule pensée lui donne la chair de poule. Par contre, une tour de verre ultramoderne du centre-ville, ou une maison dont il a lui-même dessiné les plans vous attend sûrement. Ainsi, la jolie maisonnette blanche à volets bleus dans un jardinet fleuri... oubliez ça tout de suite.

Notre Verseau est anticonformiste dans l'âme, et vous ne pourrez rien y faire, autant vous y habituer tout de suite. Si vous cherchez à lui parler de problèmes quotidiens, comme la fenêtre du sous-sol qui coince ou la dernière marche de l'escalier qui se fend, vous tombez plutôt mal. Le mieux est de régler ces menus problèmes vous-même; il a d'autres choses plus importantes à faire, et perdre son temps pour de telles broutilles ne l'intéresse tout simplement pas.

Par contre, si vous voulez discuter du projet Guerre des étoiles de George Bush, du problème des sans-abri dans les grandes villes occidentales, de la peine de mort ou de la Première Guerre mondiale, vous tomberez sur un interlocuteur attentif et renseigné, mais de grâce, oubliez les problèmes domestiques quotidiens.

Il vous faut aussi apprendre à respecter sa liberté, à le laisser découvrir ce qui lui plaît, à accepter qu'il ait des occupations autres que les vôtres. Emboîtez-lui le pas, secondez-le et épaulez-le. Notre Verseau aime bien avoir un bon complice, mais laissez-le avoir le dernier mot. Quant à vouloir lui faire faire le grand ménage du printemps ou récurer les casseroles... laissez tomber, car vous useriez votre salive en vain.

Pour le convaincre de faire quelque chose, parlez-lui d'aider les pays défavorisés et sortez vos grandes théories humanitaires, car les arguments simples et terre à terre, il n'en a que faire. Il évolue dans la haute stratosphère, notre Verseau, bien au-dessus des banalités. De toute façon, puisque vous êtes là et que cela vous interpelle, vous vous en occuperez à sa place. Le mieux pour vous est qu'il trouve lui-même ce dont vous voulez le convaincre. Bien sûr, faites cela à son insu. De cette façon, il vous expliquera le problème avec un exemple concret, et vous aurez atteint votre but. Mais n'oubliez jamais qu'avec un natif du Verseau, il y a deux vérités: celle du monde et celle de son quotidien, et elles sont loin d'être compatibles.

Ce qui l'indispose, ce sont les plaintes, les reproches et les pressions. Se faire pousser dans le dos l'exaspère et même le fera fuir. Le meilleur moyen de vous en faire un ami est de faire comme lui, de vous joindre à sa bande, de l'accompagner dans ses sorties, de discuter à bâtons rompus des grandes théories humanistes. Et tant pis pour le tube de dentifrice mal rebouché qui gît dans le lavabo de la salle de bains.

Ses goûts

Avec une personnalité aussi originale, il ne peut évidemment pas avoir des goûts conventionnels. Ce qui choque ou surprend et surtout sera à la mode dans 10 ans seulement, voilà ce qui fait son bonheur. Bien sûr, tout le monde le trouve excentrique. Mais pour lui, il est tout à fait normal d'être à l'avant-garde, même dans sa tenue vestimentaire. Les complets-veston ou les tailleurs bon chic bon genre, très peu pour notre Verseau. Par contre, un look hyper «flyé», affichant sa petite touche, voilà dans quoi il se sent bien. Il ne supporte pas d'être pareil aux autres. Même chez lui, regardez-y de plus près et vous découvrirez les plus récents gadgets et les inventions les plus bizarres. Il réussit même à dénicher des objets qui ne seront probablement sur le marché que trois mois plus tard.

Dans son assiette aussi, on peut lire son goût pour l'originalité. Ainsi, même à table, il aime découvrir, innover, voire se surprendre lui-même. Des combinaisons inusitées, gâteau au confit d'oignons, poulet à la confiture de cerises de terre, potage aux pommes et au fenouil... bref, il essaie les mixtures les plus étranges. Alors, s'il vous invite à dîner, vous serez surpris, mais vous conviendrez que c'est bon... dans le genre. Malheureusement, comme notre Verseau est aussi un être très occupé, les services de restauration rapide connaissent bien son adresse.

Son potentiel

Le Verseau s'intéresse aux nouvelles technologies, à tout ce qui sort de l'ordinaire et au bien-être de l'humanité. Les domaines où il évoluera le mieux sont ceux de l'industrie aérospatiale, l'informatique, l'électronique, le génie électrique, l'invention, la futurologie, le cinéma, la télévision, la radio, mais aussi la psychologie, les sciences sociales et les arts. Il a une personnalité originale, et des idées fulgurantes et brillantes jaillissent de son esprit. Il est souvent très créatif. De toute façon, quoi qu'il fasse, il ne se conformera jamais aux normes, et ce sera toujours étonnant.

Ses loisirs

Le Verseau s'intéresse à tellement de domaines que vouloir lui attribuer un ou des passe-temps n'est pas chose facile. C'est une personne polyvalente, mais la nouveauté et l'inconnu le captivent et le passionnent tout particulièrement. Il est avide de découvertes; il veut constamment apprendre, explorer, comprendre et être étonné.

De telles aptitudes lui permettent d'explorer à fond le monde de l'informatique, de la création par ordinateur, et même de la conception et de la programmation de machines intelligentes. Même s'il travaille dans un domaine particulier, il voudra continuer chez lui, le soir, pour approfondir ses connaissances ou faire de nouvelles trouvailles.

Les technologies de pointe l'attirent comme un aimant. Aéronautique, missions spatiales, intelligence artificielle, manipulations génétiques émoustillent sa curiosité. Il est aussi irrésistiblement intrigué par ce qui semble mystérieux, comme la spiritualité. S'il aime la lecture, il choisira certainement un ouvrage ou un magazine qui traite d'un de ces sujets.

Le Verseau a besoin de compagnie, des voir de gens, de discuter, de confronter ses idées à celles des autres, de régler le sort de l'humanité; il ne peut rester seul bien longtemps. Son cercle de relations s'agrandit d'année en année, et il consacre un temps considérable à sa vie en société, avec ses amis. Pour cette raison, la psychologie humaine pourrait être un autre de ses multiples champs d'intérêt. En fait, il peut s'adonner à n'importe quelle activité et y trouver du plaisir, du moment qu'il sent que son esprit est mis à contribution.

Car notre Verseau aime faire fonctionner ses neurones, tellement qu'il se plaît à inventer: il a toujours quelque chose à «patenter», des stores verticaux à ouverture télécommandée ou un programme d'ordinateur pour composer des recettes très personnelles aux ingrédients inusités, un dévidoir électrique pour permettre au chat de se nourrir tout seul, etc. Avec lui, la science n'a pas de limites.

Et devinez quel genre de films obtient sa préférence? La science-fiction, bien entendu!

Sa décoration

Lorsqu'on franchit le seuil de sa maison, on a souvent l'impression de rentrer dans un magasin d'appareils électroniques. Son domicile est rempli de multiples gadgets qui lui simplifient la vie. Si vous voulez découvrir les plus récents appareils ménagers, par exemple ce fameux réfrigérateur qui se branche sur Internet pour passer lui-même la commande de ce qu'il manque sur ses rayons, c'est chez le Verseau que vous le trouverez en premier. En fait, il ne serait guère étonnant que sa maison soit bourrée de domotique. Elle est si moderne, si informatisée qu'on a parfois l'impression de débarquer sur une autre planète.

Le chrome, l'acier inoxydable, les métaux dépolis, la laque blanche ou noire et le granit composent un décor résolument contemporain. On dirait qu'il habite la station internationale en orbite autour de notre planète. Mais il ne se contente pas d'avoir un style futuriste. Il le personnalise, et là, croyez-moi, vous n'êtes pas au bout de vos surprises. Une tapisserie du Moyen Âge pourrait bien voisiner avec un cadre d'aluminium anodisé… vide. Pour lui, l'objet ancien met le reste du décor en valeur. Bien sûr, chacun a ses goûts et ses couleurs préférées, n'est-ce pas?

Et puis, avez-vous remarqué combien sa maison est toujours grouillante de monde? Ses proches prendraient-ils son intérieur pour un musée ou pour une curiosité à voir absolument?

Son budget

Notre ami Verseau vit dans le futur. Eh bien pour son budget, c'est pareil. Il achète maintenant et paiera plus tard. La tentation est tellement forte – un nouvel appareil, un gadget qui vient de sortir –, qu'il vous est inutile de lui dire qu'il peut s'en passer. Si le bidule existe, il le lui faut, et pas dans un mois, tout de suite. Une autre partie de son argent est consacrée à l'aide à autrui; il a tellement d'amis qu'il y en a toujours un qui se trouve dans le besoin. Tout cela fait en sorte que son compte en banque est parfois à bout de souffle.

En fait, l'argent lui brûle les doigts. Ses proches et son conjoint auront beau essayer de le raisonner, l'économie… très peu pour lui. Il méprise le capitalisme: il le dit souvent à qui veut bien l'entendre. Néanmoins, il consomme diablement.

Tenez, il vient de s'acheter un nouvel ordinateur et il vient de passer des heures sur un nouveau programme de comptabilité sensé l'aider à tenir son budget… mais voilà, si le logiciel est bien au point, il n'aura ni le temps ni l'envie de s'en servir pour faire tous ces calculs idiots. Une machine pour imprimer de beaux billets bruns serait peut-être un meilleur gadget pour notre Verseau.

Quel cadeau lui offrir?

Trouver un cadeau pour un Verseau, c'est facile: tout ce qui est nouveau, électronique, à l'avant-garde lui plaira. Le problème est qu'il l'a peut-être déjà acheté lui-même. Il sait dénicher les nouveautés avant même qu'elles soient annoncées dans les journaux.

De toute façon, peu importe ce que vous pensiez lui offrir, cherchez un objet qui lui simplifiera la vie. Entre deux modèles, choisissez le plus futuriste, avec des tas de boutons, de réglages et de manettes. Vous, vous y perdriez sûrement votre latin. Lui, il trouvera comment ça marche en un clin d'œil. Un nouvel aspirateur qui sert de brosse à vêtements en même temps, une perceuse qui fait des trous carrés, bref, plus c'est bizarre, plus c'est compliqué, plus c'est nouveau, plus il aimera. Sans même lire le mode d'emploi, il a un flair pour comprendre comment utiliser la moindre fonction avec le maximum d'efficacité.

Le marché abonde de nouveautés; vous trouverez sûrement le cadeau idéal pour un Verseau qui a tout: un téléphone portable qui sert aussi d'appareil photo, une calculatrice avec microémetteur intégré, une montre qu'on peut utiliser comme GPS, un agenda avec écran numérique qui se branche sur Internet et permet de voir les enfants à la garderie… enfin, visez le plus bizarre des cadeaux high-tech, et vous tomberez dans le mille.

Les enfants Verseau

Éveillés, curieux, avides d'apprendre, les petits bouts de chou Verseau aiment être entourés, avoir beaucoup de monde autour d'eux et, forcément, ils sont le centre d'attention de tous, car ils sont dynamiques. Au fil des années, ils deviendront des enfants très sociables, avec plein de copains. Ces derniers ne seront pas toujours de votre quartier, et vous ne les apprécierez pas forcément, mais votre petit Verseau aime la diversité, ce qui est différent. De plus, il a l'âme humanitaire; ne l'oubliez pas.

Comme il aime être entouré, la garderie ne lui fera pas peur, et il ramènera sa bande à la maison. Les jouets qu'il préférera seront ceux qu'il pourra monter et démonter à loisir, et même transformer au gré de sa fantaisie, car il adore bricoler, «patenter». Les avions, les fusées, les jeux électroniques, les consoles Nintendo, les jeux vidéo ou les sites Internet, voilà de quoi le tenir fort occupé pendant des heures.

Il faudrait toutefois essayer de lui inculquer le respect de certaines valeurs plus traditionnelles. Il n'est pas facile, notamment, de lui apprendre à demeurer à l'écoute des autres, de ses proches. C'est bien beau d'avoir des idées humanitaires, de vouloir sauver la planète et les Indiens d'Amazonie, mais ses parents ne sont pas simplement là pour nettoyer sa chambre et lui donner de l'argent pour s'acheter le plus récent logiciel. Le respect des autres commence à la maison; lorsqu'il aura compris cela, il mettra son esprit inventif et ses capacités au service de sa famille, pour votre plus grande joie.

L'ado Verseau

Tu es un anticonformiste né; ton comportement, ta personnalité et tes idées surprennent ton entourage. Tu possèdes une intelligence aiguë, un esprit avant-gardiste, presque futuriste. Tu demeures à l'affût des nouvelles tendances et tu t'intéresses à tout ce qui est inédit. Tu es vif d'esprit, et il ne te faut pas longtemps pour comprendre quelque chose et même l'adapter à tes besoins. Tes champs d'intérêt sont telle-ment vastes – tu en découvres de nouveaux chaque jour — qu'il est im-possible d'en faire la liste.

Une telle personnalité ne te permet pas de passer inaperçu. De toute façon, ce n'est pas ce que tu recherches; tu aimes au contraire être bien entouré, et tu veux que ton originalité soit reconnue. Tu y arrives bien souvent. Comme tu es très indépendant, l'ordre établi et les conven-tions t'énervent.

Tu trouves que les gouvernements de la planète ne font pas grand-chose de constructif, et comme tu ne veux pas être écrasé par le sys-tème, tu développes un sens de la répartie, de l'idéalisme, de la justice sociale et de la liberté plus grand que les autres.

Tu aimes beaucoup les gens; tu t'entoures d'un tas de copains qui occupent une place importante dans ta vie. Mais cela ne veut pas dire que tu fais des compromis pour qu'on t'aime. En fait, on te reproche même de ne pas être assez affectueux et démonstratif. Mais pour toi, prouver tes sentiments ne se fait pas seulement avec des câlins.

Comme tout ce qui est à l'avant-garde t'attire, les jeux électroni-ques, l'informatique, les instruments de musique nouveau genre ou les gadgets inusités remplissent ta chambre. Tu passes aussi beaucoup de temps penché au-dessus de toutes ces bricoles. Tu aimes les monter, les démonter, les remonter pour en faire autre chose, bref, tu es ingénieux et bricoleur et tu inventes constamment.

Cependant, et c'est étonnant, les objets comptent très peu pour toi; tu les utilises à pleine capacité et puis, lorsqu'ils ne te servent plus, tu les oublies. Tes proches déplorent ton manque de sens pratique et tes dépenses… Mais, finalement, pour toi, les gens et les idées passent avant tout.

Tes études

Tu apprends très facilement dans n'importe quel domaine, du mo-ment que ton intérêt est stimulé. Les programmes scolaires stricts et les cours obligatoires sans intérêt ne sont pas pour toi. Le problème, c'est que beaucoup de sujets retiennent ton attention. Mais dès que tu as trouvé le «pourquoi du comment», tu passes à autre chose et délaisses ce qui te passionnait quelques semaines plus tôt.

La vie étudiante t'intéresse plus que les études elles-mêmes. Pourtant, tu as beaucoup de talent, et si tu parviens à te fixer une direction et à la maintenir, tu pourrais réaliser de grandes choses pour la collectivité. En fait, je te conseille de dénicher un domaine qui sorte de l'ordinaire… tu y seras imbattable.

Ton orientation

Il n'est pas facile de choisir son orientation, il y a tellement de choses intéressantes et de métiers d'avenir. Heureusement, tu es capable de voir à long terme, si tu t'en donnes un peu la peine. Les deux champs d'intérêt où tu pourrais le mieux exprimer tes talents sont le travail social et les nouvelles technologies. Tu pourrais donc exceller dans tout ce qui est psychologie, criminologie, syndicalisme, justice, politique, journalisme, télévision, radio, cinéma, marketing, électronique, astrologie, informatique, astronautique, technologies de pointe, génie, électricité, aéronautique, domotique, robotique, ou même futurologie, nanotechnologie, vie artificielle, etc. Quoi que tu fasses, tu mettras souvent au point une méthode ingénieuse et inédite pour réussir.

Tes rapports avec les autres

Tu as de nombreux camarades, et vous formez un groupe peu ordinaire; c'est le moins qu'on puisse dire. Les préjugés n'ont aucune emprise sur toi; tu choisis les gens qui t'entourent sans tenir compte de leur statut, de leurs origines et encore moins des rumeurs sur l'un ou sur l'autre. Pour cette raison, ton cercle d'amis est un peu disparate, mais il est le reflet de la société, et cette diversité est pour toi une source constante de découvertes. Tu passes énormément de temps avec tes copains, à discuter, à échanger et à refaire le monde. Pour toi, l'amitié n'est pas un mot dénué de sens.

ILS SONT EUX AUSSI

Geena Davis, Neil Diamond, Véronique Béliveau, Clodine Desrochers, Natasha St-Pier, Wayne Gretzky, Sarah McLachlan, Oprah Winfrey, Phil Collins, Mario Pelchat, Angèle Coutu, Jim Corcoran, Jules Verne, Gilbert Sicotte, Mia Farrow, Gregory Charles, Loreena McKennitt, John Travolta, Mario St-Amand, Garth Brooks, Sheryl Crow, Brandy, Axelle Red, Renee Russo, Matt Dillon.

Pensée positive pour le Verseau

Je suis un être unique et je remercie la vie de me faire vivre des expériences uniques. Je suis en harmonie avec la création.

Pensée positive spéciale pour 2005

Je profite de toutes les chances qui s'offrent à moi. Je fais ma place au soleil.

Le subconscient nous dirige toujours selon nos pensées. En répétant le plus souvent possible ces pensées conçues tout spécialement pour vous, vous vous attirerez plein de belles choses.

Signe: Verseau

Élément: Air

Catégorie: Fixe

Symbole: ♒

Points sensibles: Chevilles, jambes, varices, enflures, chutes, crampes, engoudissements, système cardio-vasculaire.

Planète maîtresse: Uranus, planète des nouvelles technologies.

Pierres précieuses: Améthyste, saphir étoilé, ambre.

Couleurs: Pêche, turquoise et tous les tons de bleu.

Fleurs: Mandragore, oiseau de paradis, toutes les fleurs inhabituelles... À moins qu'il n'en invente!

Chiffres chanceux: 4-8-13-16-21-22-34-37-44-48

Qualités: Avant-gardiste, indépendant, original, plein d'humanité, intelligent, compréhensif, sans préjugés, désintéressé, en avance sur son temps.

Défauts: Instable, indifférent, anarchiste, peur de s'attacher, refus des responsabilités, difficultés avec le budget.

Ce qu'il pense en lui-même: Si je n'avais pas été là, les voitures seraient encore tirées par des chevaux...

Ce que les autres disent de lui: Il ne pourrait pas faire comme les autres pour une fois?

Prédictions annuelles

Bonne nouvelle! Vous faites partie des signes les plus favorisés cette année. Jupiter, la plus bénéfique de toutes les planètes, occupe un secteur privilégié de votre ciel. Grâce à elle, vous récolterez d'énormes gratifications, pour peu que vous vous donniez la peine d'agir. Bien sûr, si vous restez dans votre coin et attendez que tout vienne à vous, vous serez déçu. Par contre, pour peu que vous mettiez la main à la pâte, vous serez estomaqué par les résultats que vous obtiendrez. Vous pourrez même dépasser vos propres objectifs. Le moment est venu de passer à l'action, de repartir du bon pied, bref, d'entamer une phase très positive de votre existence.

SANTÉ – Vous traversez un cycle de récupération. Si vous avez eu des pépins dans le passé, vous êtes désormais en mesure de trouver la solution à vos problèmes. Excellente période, donc, pour consulter, pour se soigner ou pour suivre une thérapie. Même chose pour les régimes, les programmes d'exercices ou les techniques de relaxation, qui auront des conséquences plus que positives. Je vous recommande toutefois de mettre tout ceci en branle avant le 16 juillet, date à laquelle Saturne commence à s'opposer à votre signe; vos progrès risquent alors d'être ralentis, voire compromis. Au fait, ne vous laissez pas aller durant les six derniers mois; conservez vos bonnes résolutions, et tout marchera à merveille.

SENTIMENTS – Vous jouissez d'une popularité hors du commun. Vos amis s'arrachent votre présence, sans compter que vous impressionnez grandement toutes les nouvelles personnes que vous rencontrez. Tout ce mouvement permet sans aucun doute aux solitaires de se trouver un partenaire. Ceux qui sont déjà en couple retrouvent la complicité et le romantisme des premiers jours de leur union. Dans la deuxième moitié de l'année, vous continuez à vivre dans l'effervescence, mais vous vous attardez davantage au bien-fondé de certaines relations. Avec certains membres de la famille, ça risque de se corser par moments; mais on dirait que cela vous atteint moins que par le passé.

AFFAIRES – La présence de Jupiter dans votre neuvième secteur est un gage de chance. Vos entreprises fonctionnent au-delà de vos espérances, vos rêves deviennent réalité; vous vous approchez de votre idéal, et votre chiffre d'affaires ou votre salaire va en augmentant. Vous pourrez même rafler un beau prix dans un tirage, liquider vos dettes et mettre des sous de côté. Bonne année évidemment pour la carrière, qui devrait prendre un envol exceptionnel. Les voyages, les investissements et l'immobilier représentent d'autres secteurs avantagés. Entre le 16 juillet et le 31 décembre, ne laissez pas un coup de tête ou une négligence compromettre tout ce que vous êtes en train d'échafauder. Attention aux voleurs et aux escrocs.

Janvier

D	L	M	M	J	V	S
						1
2F	3F	4D	5D	6	7	8
9	10●	11	12	13	14	15
16	17	18D	19D	20F	21F	22
23/30F	24/31F	25○	26	27	28	29

○	Pleine lune	●	Nouvelle lune	
F	Jour favorable	D	Jour difficile	

SANTÉ – Vous commencez l'année sur une note positive. L'énergie qui vous anime ne semble avoir aucune limite. Pourquoi ne pas en profiter pour faire de l'exercice, de la danse ou tout simplement de la marche en plein air? En plus de vous tonifier, ça vous changerait les idées, ce qui pourrait se révéler nécessaire entre le 11 et le 31 quand vous vous mettrez à ressasser inutilement de vieux souvenirs.

SENTIMENTS – Votre vie sociale est un véritable tourbillon: on vous invite à gauche et à droite, vous passez du bon temps avec vos amis, vous vous en faites même de nouveaux... En amour, les 10 premiers jours sont les plus prometteurs; vous éprouvez d'énormes satisfactions. Dans ce domaine, le reste de janvier s'annonce plus routinier mais pas vilain pour deux sous.

AFFAIRES – Ne perdez pas de temps pour agir, car vous traversez en ce moment une période particulièrement favorable aux nouvelles entreprises. Excellent *timing* pour décrocher un meilleur emploi, lancer un projet avant-gardiste ou élargir vos horizons. La chance pourrait vous sourire dans un tirage; bon mois aussi pour prendre l'avion.

Février

D	L	M	M	J	V	S
		1D	2D	3D	4	5
6	7	8●	9	10	11	12
13	14D	15D	16F	17F	18F	19
20	21	22	23○	24	25	26F
27F	28F					

○	Pleine lune	●	Nouvelle lune
F	Jour favorable	D	Jour difficile

SANTÉ – La première quinzaine est fameuse. Votre moral gagne en solidité; vous chassez les idées noires. Physiquement, vous continuez à faire preuve d'une vitalité remarquable. Bon temps pour vous refaire une beauté. Le reste du mois exige un peu plus d'attention, car vous risquez d'être négligent, une menace évidente pour votre bonne forme.

SENTIMENTS – Entre le 3 et le 27, vous bénéficiez du passage de Vénus dans votre signe. C'est le début d'une belle histoire d'amour pour les solitaires et un temps de romantisme intense pour les autres. Socialement, vous volez la vedette dans les multiples sorties que l'on vous propose. Vous recevez d'excellentes nouvelles concernant un membre de la famille ou un enfant d'ici le 17.

AFFAIRES – Votre charme n'opère pas que sur le plan affectif. Vous vous faites plusieurs alliés, certains haut placés. Les démarches visant à améliorer votre situation professionnelle ou pécuniaire sont couronnées de succès. Vous vous exprimez avec tant d'éloquence que personne n'ose faire la sourde oreille. Bon mois pour les voyages et pour tenter votre chance au jeu. Seul hic: une dépense imprévue.

Mars

D	L	M	M	J	V	S
		1D	2D	3	4	5
6	7	8	9	10●	11	12
13D	14D	15D	16F	17F	18F	19
20	21	22	23	24	25○F	26F
27F	28D	29D	30	31		

○	Pleine lune	●	Nouvelle lune
F	Jour favorable	D	Jour difficile

SANTÉ – On note encore un certain laisser-aller. Vous ne faites pas suffisamment attention à vous, vous avez les nerfs à fleur de peau. Ressaisissez-vous, il est encore temps. Par la suite, vous êtes nettement plus énergique, plus motivé mais, en échange, vous devez vous prémunir contre les chutes et les accidents bêtes.

SENTIMENTS – Un beau climat de douceur et de tendresse prévaut jusqu'au 23. On dirait qu'au lieu d'en profiter vous vous morfondez. Vous trouvez que ça manque de piquant, qu'il ne se passe pas grand-chose. Il y a beaucoup plus d'action dans la dernière semaine; en attendant, de grâce, cessez de bouder votre plaisir.

AFFAIRES – Vous vous sentez ballotté par les événements et à la merci des autres. Pourtant, en faisant quelques efforts, vous pourriez aisément participer à ce qui arrive. Vous pourriez, entre autres, intervenir lors de prises de décision et mettre le pied à terre quand on veut vous imposer une tâche qui ne vous tente pas. À partir du 21, vous êtes à nouveau d'attaque; ça marche plus rondement, et vous pourriez mériter un prix au jeu.

Avril

D	L	M	M	J	V	S
					1	2
3	4	5	6	7	8●	9
10D	11D	12F	13F	14F	15	16
17	18	19	20	21	22F	23F
24○D	25D	26	27	28	29	30

○ Pleine lune et éclipse lunaire annuaire   ● Nouvelle lune et éclipse solaire annulaire totale
F   Jour favorable   D   Jour difficile

SANTÉ – La présence de la planète Mars dans votre signe risque de vous perturber si vous n'y prenez garde. Afin de la déjouer, soyez vigilant pour ne pas vous blesser, n'abusez pas de vos forces ni des bonnes choses. D'autre part, ce transit pourrait avoir des retombées positives si vous vous en servez pour vous prendre en main, pour vous ressaisir. Grâce à lui, vous pourriez augmenter votre vitalité ainsi que votre dynamisme.

SENTIMENTS – Vous communiquez aisément avec votre entourage et avec les nouvelles personnes que vous rencontrez; vous avez toujours les mots qu'il faut. La marmaille et les amis vous traitent aux petits oignons. En amour, vous vivez une période palpitante jusqu'au 16; on trouve le moyen de vous surprendre agréablement.

AFFAIRES – Rien ne vous arrête. En plus d'être créatif, d'avoir des idées géniales, vous faites montre d'une motivation sans bornes. Cette combinaison d'ingrédients vous propulse vers le succès. Tout va très vite, vous n'avez pas le temps de vous retourner; mais ce qui compte, c'est que vous ne cessez de marquer des points. Bon mois pour les déplacements, les voyages et même les tirages.

Mai

D	L	M	M	J	V	S
1	2	3	4	5	6	7D
8●D	9F	10F	11F	12	13	14
15	16	17	18	19F	20F	21D
22D	23○D	24	25	26	27	28
29	30	31				

○	Pleine lune	●	Nouvelle lune
F	Jour favorable	D	Jour difficile

SANTÉ – La planète Mars quitte votre signe, et avec elle s'en vont les dangers de vous faire mal. Bon mois pour reprendre le dessus, pour consulter au besoin. Vous canalisez beaucoup mieux votre énergie, et ce ne sont pas les quelques moments de nervosité que vous éprouvez entre le 12 et le 28 qui menacent de compromettre votre bonne forme.

SENTIMENTS – Entre le 10 mai et le 4 juin, Vénus et Jupiter vous permettent de donner une nouvelle orientation à votre vie amoureuse. Les couples se redécouvrent, pendant que les solitaires s'investissent dans une relation prometteuse. Socialement aussi, c'est excitant: vous revoyez des personnes dont vous aviez perdu la trace, vous rencontrez plein de beau monde. Les échanges sont des plus enrichissants.

AFFAIRES – C'est le mois parfait pour mettre de l'ordre dans vos affaires, pour faire le point et pour trouver la stabilité. Des nouvelles encourageantes concernant votre travail ou une demande d'emploi que vous avez faite vont d'ailleurs en ce sens. Vous maîtrisez davantage la situation. Ajoutons que vous impressionnez les gens avec qui vous êtes en contact.

Juin

D	L	M	M	J	V	S
			1	2	3	4D
5D	6●F	7F	8F	9	10	11
12	13	14	15	16F	17F	18D
19D	20	21○	22	23	24	25
26	27	28	29	30D		

○	Pleine lune	●	Nouvelle lune
F	Jour favorable	D	Jour difficile

SANTÉ – Voici l'un de vos meilleurs mois de l'année. Vous disposez de bonnes ressources pour vous débarrasser de vos bobos. Vous entrevoyez la vie de façon plus optimiste. À compter du 12, vous sentez votre vitalité s'accroître considérablement. Vous avez davantage le goût de faire attention à vous, ce qui ne manquera pas de donner des résultats du tonnerre.

SENTIMENTS – La première quinzaine est franchement magnifique. Votre bonheur intime ne cesse de grandir et vous pouvez faire des projets à long terme. Vous êtes également choyé en amitié. Bref, tout le monde se donne le mot pour vous dorloter. Hélas, la seconde moitié du mois s'annonce plus tranquille, non pas parce qu'on vous aime moins, mais parce que l'on a d'autres préoccupations.

AFFAIRES – Vous traversez toujours une période constructive. Jusqu'au 12, c'est surtout vos idées qui vous mettent en vedette. Par la suite, c'est votre puissante force d'action qui vous vaut du succès. Vous n'avez pas peur de prendre des responsabilités ni de relever de nouveaux défis. En plus, vous effectuez votre travail à la perfection. Chapeau!

Juillet

D	L	M	M	J	V	S
					1D	2D
3F	4F	5	6●	7	8	9
10	11	12	13F	14F	15D	16D
17	18	19	20	21○	22	23
24/31F	25	26	27	28D	29D	30F

○	Pleine lune	●	Nouvelle lune
F	Jour favorable	D	Jour difficile

SANTÉ – Excellent mois en perspective, même si vous semblez hésitant et que vous avez du mal à vous brancher. C'est en plein le temps de faire provision d'énergie, car vous pourriez en avoir besoin cet automne. Bon temps également pour vous prendre en main et pour voir à vos besoins, avant que Saturne ne vienne s'opposer à votre signe.

SENTIMENTS – Vous continuez à recevoir une foule d'invitations et, si vous décidez de les accepter, le plaisir sera assurément de la partie. Malgré sa maladresse, un frère ou une sœur tente un rapprochement. Votre partenaire et vous ne partagez pas nécessairement les mêmes points de vue. Une discussion s'impose, mais évitez de vous emporter, surtout d'ici le 22.

AFFAIRES – Vous travaillez d'arrache-pied. Des retards sont possibles mais, comme vous êtes très déterminé, vous finissez ce que vous entreprenez dans les délais prévus. Une personne incompétente ou mal intentionnée tente de freiner vos élans — mais pas pour bien longtemps; vous l'envoyez paître. Les déplacements et les démarches demeurent profitables, même s'ils n'aboutissent pas toujours du premier coup.

Août

D	L	M	M	J	V	S
	1F	2	3	4●	5	6
7	8	9F	10F	11F	12D	13D
14	15	16	17	18	19○	20
21	22	23	24D	25D	26F	27F
28F	29	30	31			

○	Pleine lune	●	Nouvelle lune
F	Jour favorable	D	Jour difficile

SANTÉ – Mars et Saturne vous ont à l'œil. Si vous ne prenez pas de risques, vous n'avez absolument rien à redouter. Par contre, si vous jouez les casse-cou ou si vous vous négligez, vous pourriez en subir les conséquences. Vous avez encore les idées embrouillées: prenez un peu de recul, ça vous aidera à y voir clair.

SENTIMENTS – Vous vous mettez d'accord avec votre conjoint sur ce qui accrochait, et ça baigne à nouveau dans l'huile. Entre le 17 août et le 12 septembre, vous pourriez même retomber amoureux. Quant aux solitaires, ils sont sur le point de vivre quelque chose de passionnant. La seconde quinzaine vous réserve d'agréables moments avec les amis et dans les réunions sociales.

AFFAIRES – D'ici le 5, ça risque d'accrocher, mais par la suite le ciel se dégage. Votre sens de l'humour vous permet de désarmer un adversaire, alors que votre sens du travail bien fait vous attire des éloges. Entre le 21 et le 30, vous recevez une bonne nouvelle concernant un projet ou une demande. Chances au jeu pendant la deuxième moitié du mois.

Septembre

D	L	M	M	J	V	S
				1	2	3●
4	5F	6F	7F	8D	9D	10
11	12	13	14	15	16	17○
18	19	20D	21D	22D	23F	24F
25	26	27	28	29	30	

○	Pleine lune	●	Nouvelle lune
F	Jour favorable	D	Jour difficile

SANTÉ – Dès le 5, vous avez les idées plus claires et vous retrouvez également une certaine paix d'esprit; seule votre tendance à vous accrocher au passé risque de ralentir vos progrès. Physiquement, les accidents et les indispositions pourraient être évités par une attitude préventive. La première quinzaine est propice aux remises en beauté.

SENTIMENTS – N'oubliez pas que les astres privilégient vos amours d'ici le 12, et que vous possédez tous les atouts pour créer ce bonheur dont vous rêvez. Par après, abstenez-vous de remettre de vieilles affaires sur le nez de votre partenaire; ne cherchez pas la bête noire inutilement. La vie sociale demeure emballante tout au long du mois; vous n'avez guère le temps de vous ennuyer.

AFFAIRES – Jusqu'au 11, votre brillante personnalité vous permet de marquer des points. Vous avez encore de bonnes possibilités dans les tirages. C'est plus calme par la suite, et ce, jusqu'au 21. Quant aux 10 derniers jours, ils sont particulièrement avantageux pour les transferts, les négociations, les transactions ainsi que les démarches diverses.

Octobre

D	L	M	M	J	V	S
						1
2	3●F	4F	5D	6D	7	8
9	10	11	12	13	14	15
16	17○	18D	19D	20F	21F	22
23/30F	24/31F	25	26	27	28	29

○ Pleine lune et éclipse lunaire partielle	● Nouvelle lune et éclipse solaire annulaire
F Jour favorable	D Jour difficile

SANTÉ – Ce ne sont pas tant les éclipses que les transits planétaires qui vous menacent en ce mois. Vous pouvez cependant déjouer leur influence en prenant davantage soin de votre santé, en redoublant de prudence dans vos déplacements et en manipulant avec précaution les objets avec lesquels vous risquez de vous blesser. Gardez-vous du temps pour vous détendre, pour faire le vide, car vous aurez les nerfs à fleur de peau entre le 9 et le 31.

SENTIMENTS – Votre popularité se maintient, les invitations se multiplient, et vous voyez du beau monde. En société, tout va donc pour le mieux; dans l'intimité, c'est tout autre chose. Vos rapports avec le conjoint sont difficiles au cours des huit premiers jours; par chance, tout rentre dans l'ordre rapidement. Avec un enfant et certains membres de la famille, les dissensions risquent toutefois de se prolonger. On vous fait la tête, on ne coopère pas vraiment.

AFFAIRES – La confusion règne, rien ne se déroule comme vous l'aviez prévu. N'insistez pas, ça ne donnerait pas grand-chose de bon. Servez-vous plutôt de votre incroyable faculté d'adaptation et vous pourrez tourner les situations chaotiques à votre avantage. Petits prix possibles au jeu pendant la première quinzaine.

Novembre

D	L	M	M	J	V	S
		1 ● D	2 D	3 D	4	5
6	7	8	9	10	11	12
13	14 D	15 ○ D	16 D	17 F	18 F	19
20	21	22	23	24	25	26 F
27 F	28 F	29 D	30 D			

○	Pleine lune	●	Nouvelle lune
F	Jour favorable	D	Jour difficile

SANTÉ – Bien que les possibilités de ressentir certains malaises ou de vous blesser soient toujours présentes, le moral va nettement mieux. C'est déjà beaucoup... Comme vos états d'âme sont plus positifs, vous pouvez vous concentrer sur les mesures à adopter afin de ne pas vous retrouver sur le carreau. Prenez vos précautions, vous passerez au travers.

SENTIMENTS – Les soucis relatifs à la marmaille disparaissent; vous vous parlez enfin, et tout s'arrange. Votre destinée amoureuse est trop tranquille à votre goût; vous trouvez que votre partenaire manque d'initiative. Au moins, vos amis sont là pour vous écouter et pour vous changer les idées; l'un d'entre eux vous propose quelque chose qui vous fait sauter de joie.

AFFAIRES – Vous reprenez en partie le contrôle de la situation. Vos concepts ingénieux, votre sens inné de la communication et votre côté visionnaire vous permettent d'aller de l'avant. Le travail d'équipe redevient stimulant; vous vous entendez mieux avec les clients, les collègues et même le patron.

Décembre

D	L	M	M	J	V	S
				1 ●	2	3
4	5	6	7	8	9	10
11	12D	13D	14F	15 ○ F	16	17
18	19	20	21	22	23	24F
25F	26D	27D	28	29	30 ●	31

○	Pleine lune	●	Nouvelle lune
F	Jour favorable	D	Jour difficile

SANTÉ – Vos nerfs vous jouent encore des tours jusqu'au 13, mais vous retrouvez toute votre bonne humeur par la suite et affichez dès lors une mine épanouie. Sur le plan physique, on décèle encore une certaine fragilité. Ce ne sont pas les excès ni les tours de force qui arrangeront les choses. Ménagez-vous et continuez à vous montrer vigilant pour ne pas vous faire mal.

SENTIMENTS – À partir du 16, vous recevez la visite de Vénus. Une belle complicité s'installe entre vous et votre conjoint. Si vous êtes seul, une amitié amoureuse peut avoir de profondes répercussions à moyen terme. À la même époque, un rejeton vous confie une agréable nouvelle. Quant aux amis, ils sont toujours aussi gentils. Un petit conseil: ignorez les paroles blessantes d'un membre de la famille.

AFFAIRES – C'est surtout la seconde moitié du mois qui vous permet d'avancer à votre guise. D'ici là, les situations enchevêtrées semblent vouloir se multiplier mais, grâce à votre flair, vous savez en venir à bout. Ne passez pas trop de temps dans les magasins; votre budget en pâtirait.

Poissons

♓

du 20 février au 20 mars

Votre signe est marqué du sceau de la sensibilité. Vous pouvez passer des éclats de rire aux larmes en peu de temps. Vos yeux ont toujours un petit quelque chose qui trahit votre richesse émotive exceptionnelle. Vous êtes énormément touché par ce qui se passe autour de vous. L'attitude de votre conjoint, les tendres attentions de vos enfants, le comportement de vos collègues ou de vos voisins, tout cela vous remue au plus profond de votre être. Vous vivez les émotions à 100 %, qu'elles se déroulent sur le petit ou le grand écran.

En plus de votre émotivité à fleur de peau, vous êtes aussi une personne empreinte d'une générosité presque sans bornes. Vous voulez que tous soient heureux autour de vous et même ailleurs dans le monde. Vous êtes prêt à donner jusqu'à votre dernière chemise pour réaliser un rêve bien utopique. Avec une telle façon de penser et d'agir, vous pouvez vous mettre vous-même dans l'embarras. À force de tout donner pour aider les autres, il peut vous arriver de vous retrouver dans le besoin.

Mélancolique et souvent rêveur, le Poissons n'est guère intéressé par le côté terre à terre des choses. Vos activités domestiques quotidiennes et même votre travail ne mobilisent pas votre énergie, on pourrait penser que vous manquez d'ambition, que vous vous laissez porter par les événements, alors que pour vous ce sont les sentiments qui comptent avant tout et qui régissent votre vie et vos actes.

Doux et bienveillant avec tout le monde, vous savez prêter une oreille attentive et remonter le moral à ceux qui ont des problèmes. Ces derniers vous choisissent pour confident, et ce, même lorsque vous-même n'êtes pas au mieux de votre forme. Quelle que soit l'heure du jour ou de la nuit, vous êtes prêt à accorder temps et énergie à ceux qui sont dans le besoin; c'est pourquoi les soins prodigués à autrui vous conviennent très bien. Vous avez une âme de missionnaire, et c'est vrai jusque dans vos relations avec les autres.

Malheureusement, votre bonté et votre altruisme sont si forts que les gens tiennent souvent votre gentillesse pour acquise et n'essaient pas de la mériter. Il n'est pas rare que vous aidiez quelqu'un à surmonter une difficulté. Après avoir porté secours à quelqu'un, vous vous retrouvez seul alors que vous auriez à votre tour besoin d'un petit coup de pouce. Vous êtes alors déçu. Pourtant, vous gardez le cœur sur la main et vous êtes prêt à aider à nouveau chaque fois que le besoin s'en fait sentir.

Pour vous, la vie matérielle est bien secondaire. Vivre dans une petite maison délabrée ne vous effraie pas, du moment qu'elle est remplie d'amour. Les disputes, les engueulades, la méchanceté ou l'indifférence vous perturbent; il est donc essentiel pour vous de rechercher un entourage de gens positifs et attentionnés.

Vous êtes si sensible, si malléable, que vous vous laissez facilement happer par les autres, manipuler même. De mauvaises influences peuvent vous causer beaucoup de tort. Vous ne vous fâchez que rarement, lorsque vous constatez à quel point on abuse de vous; vous préférez vous plaindre, vous lamenter tout en refusant de faire de la peine à ceux qui vous blessent… Vous êtes si sensible que pour oublier vos chagrins, vous pourriez avoir recours à l'alcool ou à différentes drogues. Pourtant, au fond de vous, vous savez bien que s'évader de cette façon ne règle jamais rien, au contraire.

Votre plus grand problème est que vous en faites trop pour être aimé, et vos si belles qualités deviennent alors vos pires défauts.

Vous êtes sensible, bienveillant et gentil. Vous pouvez compter sur une imagination fertile et une vie spirituelle très riche, car vous avez souvent des dons pour pressentir les choses. Vous avez des prémonitions ou du moins une intuition fantastique; vous devez veiller à mettre toutes ces qualités à votre service et pas seulement à celui des autres. Car comme vous avez tendance à laisser aller les choses, à attendre que les problèmes se règlent d'eux-mêmes, à tout remettre au lendemain, vous pâtirez souvent de ce trait de votre personnalité. Malgré tout, comment vous en vouloir, cela fait partie de votre petit côté bohême que l'on trouve si charmant.

Comment se comporter avec un Poissons?

Les Poissons accordent leur priorité aux sentiments. Alors, n'essayez pas de faire appel à la raison, à la logique pour démontrer votre point de vue si leur cœur leur en dicte d'autres; vous perdrez votre temps à essayer de le convaincre. Pour eux, la vie courante, les plans de carrière, les affaires personnelles sont avant tout une question de sixième sens; ils se fient beaucoup plus à leur intuition qu'à la réflexion pure.

Donc, pour convaincre un Poissons de se ranger à votre avis, prenez-le plutôt par les sentiments et jouez sur le plan des émotions. Dites-lui que ça vous ferait plaisir, que ses proches seraient fiers de lui, qu'il dépannerait untel, et le tour sera joué. Généreux et affable avec tous, le Poissons veut rendre le monde entier heureux et a bien du mal à dire non.

Romantique comme pas un, il a aussi une petite tendance à la nonchalance; il a besoin de moments de répit pour se ressourcer, car sa vie émotive est son carburant.

Puisqu'il n'est pas très énergique, notre ami Poissons a souvent besoin de se faire pousser dans le dos, de se faire rappeler ses obligations, si peu importantes pour lui. Par contre, vous ne trouverez sans doute jamais quelqu'un qui vous aimera plus que lui et qui sera, comme lui, toujours prêt à vous secourir, à vous consoler et à vous dorloter.

Ses goûts

L es goûts du Poissons reflètent bien sa personnalité bohême. Il accorde peu d'intérêt à son apparence et opte donc souvent pour de vieux vêtements confortables mais romantiques. Avec lui, c'est le confort qui prime, et suivre la mode n'est pas dans ses priorités. Il préfère vagabonder pieds nus et se déchausse à la première occasion, parfois même en public. Chez lui, c'est la même chose, son intérieur n'est peut-être pas impeccable, mais on s'y sent si bien!

Notre beau Poissons aime bien manger, et la gourmandise pourrait être son principal défaut. Par contre, c'est le convive idéal, car il appréciera tout ce que vous lui servirez et se resservira fort probablement. S'il suit un régime amaigrissant, permettez-lui de tricher à l'occasion; il sera ravi de succomber à la tentation.

Son potentiel

S a richesse émotive et son grand cœur lui permettent d'envisager le travail social, la médecine, les soins à autrui, que ce soit dans les domaines médicaux, paramédicaux, la police, l'armée ou la marine, à moins qu'il ne se dirige vers les milieux hospitaliers ou carcéraux; notre Poissons a besoin de se rendre utile. Les commerces de boisson ou d'alcool lui conviennent aussi tout à fait; s'il est barman, il portera toujours une oreille attentive à ses clients.

C'est également un être doté d'un talent artistique indéniable, son intuition lui permettant d'appréhender un autre monde, celui de l'imaginaire. Il se révélera aussi très à l'aise dans ce qui a trait à la religion, aux sciences occultes et au paranormal. Le Poissons possède un potentiel énorme. Malheureusement, sa nonchalance, voire sa paresse, l'empêche de se réaliser pleinement et de développer totalement ses innombrables capacités.

Ses loisirs

Il aime passer d'agréables moments en compagnie de ses amis, de sa famille, autour d'une bonne table, peut-être avec un verre ou deux d'un excellent vin.

Comme il est sensible et qu'il se montre une «bonne oreille», tout le monde lui confie ses petits malheurs. S'il peut aider quelqu'un ou faire du bien autour de lui, il en sera ravi. Sa sensibilité et son goût inné pour toutes les formes d'expression de la beauté font de lui un fervent admirateur des arts et de la musique, et il pourrait s'y adonner lui-même avec bonheur et succès.

La vie spirituelle, la parapsychologie, les sciences occultes, l'astrologie ou la métaphysique l'intéressent vivement. Il ne sera donc pas rare de le voir plonger pendant de longs moments dans un livre sur l'un de ces sujets. Il pourrait aussi passer quelques soirées à assister à des conférences traitant de ces domaines. Il a une excellente intuition et pourrait exceller dans des activités relevant de ces matières ésotériques.

Mais notre Poissons est surtout un adepte du farniente, de la douce oisiveté. Rester des heures à rêvasser sans rien faire de particulier ne le dérange nullement. À quoi peut-il donc rêver ainsi?

Sa décoration

Ni très grande ni très somptueuse, sa demeure est cependant si chaleureuse, si invitante qu'on s'y attarde souvent plus qu'on ne l'avait prévu au départ.

Le Poissons nous y accueille à bras ouverts, ravi de voir quelqu'un qu'il pourra dorloter. Et puis se vautrer dans ses fauteuils moelleux est si agréable qu'on a bien du mal à les quitter.

Le décor de notre Poissons est plutôt romantique: belles dentelles, fleurs séchées, fin cristal et photos attendrissantes. Et puis, s'il pense aux petites douceurs de l'âme, celles du palais ne sont pas en reste: vous y découvrirez une jolie boîte de biscuits, une bonbonnière remplie de gâteries… Il y a peut-être un peu de poussière çà et là, mais qu'importe, on est si bien qu'on oublie vite ce petit détail pour profiter de tout le reste. Et puis, cela ajoute au charme de notre tendre Poissons.

Son budget

Puisqu'il évolue dans la sphère élevée des sentiments, budgétiser n'est pas le souci premier de notre cher Poissons. Ses affaires sont plutôt fluctuantes, mais il ne s'en préoccupe pas trop.

Si sa vie financière prend souvent l'allure de montagnes russes, son imprévoyance n'est pas en cause, c'est plutôt son grand cœur et sa confiance démesurée qui peuvent mettre son portefeuille à rude épreuve. Il se trouve toujours quelqu'un autour de lui qui est mal pris – ou, hélas, mal intentionné – pour tirer de lui de l'argent ou une faveur. Et comme il a du mal à dire non, notre Poissons finit immanquablement par se retrouver à tirer le diable par la queue.

Il faudrait qu'il fasse quelques efforts et, surtout, qu'il apprenne à se protéger en affaires, s'il veut mieux équilibrer son budget. La première étape pour y parvenir est de refuser catégoriquement de prêter de l'argent ou d'endosser un prêt, ce qui n'est guère facile à lui faire comprendre. Il doit aussi apprendre à se méfier de sa crédulité et à demander des garanties, car il fait trop rapidement confiance au genre humain. Et le pire, c'est que ce sont souvent ceux en qui il a le plus confiance qui se défilent au moment de le rembourser. Sa générosité n'est pas toujours payée de retour et il doit apprendre à penser un peu à lui plutôt que de trop gâter les autres. Notre Poissons au grand cœur devrait apprendre à durcir un peu ses positions, mais est-ce bien envisageable dans son cas?

Quel cadeau lui offrir?

De tout le zodiaque, notre Poissons est sans doute la personne la plus facile à satisfaire: un rien le ravit. Si votre présent fait vibrer ses émotions, il le chérira longtemps. Laissez tomber les cadeaux pratiques et terre à terre, ce n'est pas la peine d'arriver avec un ouvre-boîte électrique, même s'il en a besoin. Même l'inutile le ravit. Offrez-lui des fleurs, une vieille photo agrandie, une carte, peu importe. Ce qui compte d'abord pour lui, c'est l'attention. Que vous ayez pensé à lui le mettra dans un état d'extase.

Évidemment, une boîte de bonbons, de chocolats fins, une belle bouteille de chartreuse ou de génépi l'emballeront… Mais allez-y avec modération, car notre beau Poissons succombe facilement à la tentation.

Tenez, essayez de lui proposer des confiseries santé, par exemple des pâtes de fruits; il appréciera cette attention particulière.

Puisqu'il aime la musique douce, vous pouvez aussi lui offrir des cassettes ou des disques compacts de chansons romantiques, de musique Nouvel Âge, des versions instrumentales, des musiques de films. S'il aime la lecture, les grandes histoires d'amour ou les romans policiers lui plairont. Mais n'ayez crainte, vous n'aurez pas besoin de vider votre compte en banque pour lui faire plaisir, il appréciera le moindre geste, le plus petit cadeau, car, pour lui, c'est l'intention qui compte.

Les enfants Poissons

Dodus, douillets mais tellement adorables, les bébés Poissons ont la larme à l'œil facilement. En grandissant, ils sont des enfants très gentils, qui veulent constamment plaire et faire plaisir. Ils vous feront de jolis dessins, des collages adorables, des poteries attendrissantes. Sur le chemin de l'école, ils cueilleront des fleurs des champs pour l'institutrice ou pour maman, quand ce ne sera pas pour la petite copine de classe. Et si vous leur faites un beau sourire, ils seront mille fois récompensés, car ils n'en demandent pas plus.

Imaginatifs et intelligents, ils sont aussi de doux rêveurs, souvent perdus dans leurs pensées. Timides et très sensibles, ils ont besoin de beaucoup d'affection, ce qui amènera leurs parents à trop les couver, alors qu'au contraire, ils ont besoin d'être poussés doucement hors du nid et d'être stimulés. Il faut leur donner confiance en eux, leur apprendre à se fixer des objectifs réalistes et à s'y tenir, car ils auront un peu tendance à remettre au lendemain, voire à se traîner un peu les pieds. Si vous parvenez à leur faire admettre que leurs belles qualités, rehaussées d'un brin de fermeté, peuvent faire d'eux des êtres exceptionnels, ils vous en seront éternellement reconnaissants.

L'ado Poissons

Tu as une personnalité si douce et si sensible qu'il t'arrive de passer de la joie à la tristesse la plus profonde en quelques minutes. Et tes proches ne comprennent pas pourquoi. Tu t'adaptes très facilement à toutes les situations, ce qui est ta principale force mais aussi ta grande faiblesse, car tu peux être aisément manipulé par les autres, surtout s'ils jouent avec toi la carte des sentiments. Tu aimes les gens et tu es très généreux; quand il s'agit de donner, tu ne calcules pas, et il arrive que les autres en profitent plus que nécessaire.

Tu as énormément de talents: tu as de bonnes idées et une inspiration féconde, tu peux exceller dans les arts. La logique, par contre, n'est pas ton point fort, mais elle est compensée par ton intuition. Tu sais quand cela va ou ne va pas, avant même d'avoir eu à faire marcher ton raisonnement.

Tu es si doux que tu crains de revendiquer, de parler, de poser des questions, et souvent tu laisses s'installer des situations ou des quiproquos qui te déplaisent, sans oser dire non. Il vaut mieux dire ce qui ne va pas, car souffrir en silence ne donne jamais grand-chose. Affirme-toi un peu plus, c'est ton droit.

Dans tes relations avec les autres, tu places souvent les sentiments au premier plan, et pour toi, ton bonheur ou ta tristesse en dépendent. Quand ça ne va pas, tu as un peu tendance à broyer du noir, à pleurnicher. Tu aimerais qu'on vienne te consoler, mais parfois cela fait l'effet contraire, et les gens te fuient.

Comme tu es généreux et que tu donnes beaucoup de toi-même, tu as horreur de l'injustice et de la misère humaine. Tu te consacres alors énormément à aider les autres. Tu donnes de tout ton cœur, mais n'oublie pas que tu dois aussi accepter de recevoir, car tu le mérites.

Tes études

Ton imagination est si féconde que tu as souvent de la difficulté à bien cerner tes préférences; tu ne sais pas toujours ce que tu veux. Tu as une intelligence vive qui te permet de bien comprendre, mais comme tu rêvasses souvent, certaines choses peuvent t'échapper, et tes cours et tes travaux s'en ressentent. Secoue-toi un peu, fixe mieux ton attention et tu seras étonné de tout ce que tu peux réaliser. Tu te remets souvent en question, car le moindre échec parvient à te faire douter de tes capacités, mais c'est le contraire que tu dois faire. Tu dois vivre des échecs pour savoir comment les surmonter et finalement triompher. Fais face à la réalité, ne la fuis pas en te réfugiant dans les rêves, car elle sera toujours là à ton retour.

Ton orientation

Nos goûts changent avec le temps, et c'est parfaitement normal. Mais toi, tu t'éparpilles un peu trop. Cela te fait perdre du temps et te conduit dans des impasses. Plusieurs domaines peuvent t'attirer, entre autres, tout ce qui a trait aux soins à autrui ou au monde des arts. Dans le premier cas, cela te permet de mettre en pratique ton sens inestimable du don de soi. Tu peux aider les autres, et cela te plaît. Dans la seconde sphère d'activité, cela te permet de t'exprimer. Toi qui n'oses pas toujours parler et revendiquer, tu pourrais le faire en laissant parler ton talent. Parmi les activités qui t'attirent, citons les professions médicales et paramédicales, les médecines douces, le travail social, la psychologie, l'ésotérisme, la religion, le travail dans les prisons ou les maisons d'hébergement, la toxicomanie, la décoration, la musique, la danse, l'alimentation, la littérature et la peinture. Tu vois, le choix est vaste et il te permet d'exprimer les différentes facettes de ta personnalité.

Tes rapports avec les autres

Tu as tellement bon cœur qu'il est facile de te blesser ou de te faire du mal. Tu dois donc choisir tes amis avec soin. Tu attires beaucoup de gens, car tu es généreux et sympathique, et ces personnes pourraient facilement abuser de ces belles qualités. Il faut que tu apprennes à dire non et que tu t'imposes un peu plus. Tes amis sont très importants à tes yeux; si tu les choisis bien, ils vont t'aider à t'extérioriser, à parler de tes problèmes et te soutiendront dans tes projets. Ils apprécieront le petit coup de pouce que tu peux leur donner à l'occasion.

Comme tu as une âme de missionnaire, les gens à problèmes essaieront aussi de s'insérer dans ton entourage, évite-les le plus possible, car tu es trop sensible et tu te laisserais facilement manipuler. Tu as ton mot à dire, et il est important que tu le fasses.

Patrice L'Ecuyer, Michel Forget, René Simard, Luc Plamondon, Alexandre Graham Bell, Marie-Michèle Desrosiers, Juliette Binoche, Liza Minnelli, Sonia Vachon, Serge Turgeon, Michael Caine, Jerry Lewis, Daniel Lavoie, Bruce Willis, Elizabeth Taylor, George Harrison, Richard Cocciante, Jean-Marc Parent, Drew Barrimore.

Pensée positive pour le Poissons

Mon intuition me guide vers le bonheur et l'épanouissement. Plus je l'écoute, plus j'avance en sécurité.

Pensée positive spéciale pour 2005

La force, le courage et la détermination font partie de mes belles qualités. Grâce à elles, le succès m'appartient.

Le subconscient nous dirige toujours selon nos pensées. En répétant le plus souvent possible ces pensées conçues tout spécialement pour vous, vous vous attirerez plein de belles choses.

Signe: Poissons

Élément: Eau

Catégorie: Double

Symbole: ♓

Points sensibles: Pieds (problèmes ou déformation), mélancolie, état dépressif, intestins, circulation, boulimie, parfois un penchant pour l'alcool, les pilules ou les drogues.

Planète maîtresse: Neptune, planète du mental.

Pierres précieuses: Pierre de lune, saphir, aigue-marine.

Couleurs: Blanc cassé et toutes les nuances de bleu.

Fleurs: Lys, lotus, iris.

Chiffres chanceux: 5-7-17-19-23-25-32-34-41-49.

Qualités: Compatissant, émotif, tendre généreux, intuitif, imaginatif, sentimental, esprit de groupe, doux.

Défauts: Nonchalant, manque de volonté, bonasse, crédule, désorganisé, passif, influençable.

Ce qu'il pense en lui-même: C'est drôle, les gens viennent toujours me voir quand ils ont des problèmes...

Ce que les autres disent de lui: Ça ne va pas bien... je vais aller le voir pour qu'il me remonte un peu.

Prédictions annuelles

Vous entamez une année de libération, et plus le temps avancera, plus vous gagnerez du terrain. À partir de votre anniversaire, vous entrez dans un cycle nettement plus encourageant. L'opposition de Jupiter, qui vous empêchait d'avancer ou qui vous a même fait reculer, appartient désormais au passé. Mieux encore, les bons aspects de Saturne vous permettent de regagner ce que vous aviez perdu et de bâtir sur des bases très solides. Et si vous croyez que les bonnes nouvelles s'arrêtent ici, détrompez-vous. À compter de la fin d'octobre, vous amorcez le début d'un cycle très positif; dès lors, la bonne fortune vous sourit.

SANTÉ – Le moment est venu de refaire vos forces et de vous remettre en forme. Les efforts déployés en ce sens donneront d'ailleurs des résultats spectaculaires. Même chose si vous entreprenez une thérapie ou devez subir un traitement médical. Vous coupez les ponts avec le passé; vous vous remettez parfaitement des expériences traumatisantes que vous avez connues. À compter du printemps, vous êtes animé par une telle soif de vivre que l'on vous reconnaît à peine; plus brave, plus fonceur, vous franchissez une nouvelle étape de votre existence. Bref, une année de renaissance au cours de laquelle votre entrain, votre joie de vivre et votre robustesse font plaisir à voir.

SENTIMENTS – L'époque des chagrins, des déceptions et des interminables remises en question est terminée. Vous voici dans une phase beaucoup plus réjouissante. Vous reprenez goût aux sorties, vous avez envie de nouer de nouvelles amitiés et de rafraîchir votre cercle de connaissances. Ça tombe bien, puisque vous croisez de nouvelles personnes compatibles et partagez avec elles beaucoup de choses. Cette tendance se manifeste particulièrement à partir de votre anniversaire. Les difficultés en amour s'estompent, vous vous rapprochez de votre partenaire. Si vous êtes seul, vous avez besoin d'un temps d'arrêt, alors ne bousculez rien; l'automne vous permettra de refaire votre vie.

AFFAIRES – Avec toute l'énergie qui vous anime, ça promet de bouger! Excellente année pour reprendre le contrôle de la situation, que ce soit sur le plan professionnel ou financier. Vous vous débarrassez de certaines dettes; vos placements reprennent de la valeur. L'une de vos priorités en 2005 est de stabiliser votre situation, et vous y arriverez. Fini le temps où vous deviez vivre au jour le jour sans pouvoir faire de projets d'avenir! Vous investissez beaucoup de temps et d'énergie dans vos activités mais, contrairement aux années passées, les résultats semblent très prometteurs. À compter de la fin d'octobre, Jupiter vous apporte un fort courant de chance, qui se poursuivra tout au long de 2006.

Janvier

D	L	M	M	J	V	S
						1
2	3	4	5F	6F	7D	8D
9	10●	11	12	13	14	15
16	17	18	19	20D	21D	22F
23F/30	24F/31	25○	26	27	28	29

○	Pleine lune	●	Nouvelle lune
F	Jour favorable	D	Jour difficile

SANTÉ – L'année débute avec un transit contrariant de la planète Mars, que l'on associe fréquemment aux risques d'accidents et de défaillances. C'est donc le moment ou jamais d'investir dans votre mieux-être et de redoubler de prudence. En agissant de la sorte, vous resterez à l'abri des contretemps. Vous avez les nerfs en boule jusqu'au 10, puis vous retrouvez votre bonne humeur.

SENTIMENTS – La première quinzaine vous laisse perplexe. Vous ne savez trop que penser du comportement de certains proches. On se montre agressif envers vous sans raison, on vous fait des reproches sans fondement. Ne vous en faites pas trop; bientôt, on reviendra à de meilleurs sentiments. Au fait, plusieurs bonnes surprises vous attendent entre le 16 et le 31. Ceux qui ont manqué de gentillesse trouvent des moyens astucieux pour se faire pardonner.

AFFAIRES – C'est loin d'aller à votre goût... Vous avez des idées du tonnerre que vous souhaiteriez mettre à exécution sur-le-champ, mais quelque chose freine chaque fois vos élans. Quand ce ne sont pas des retards qui vous empoisonnent l'existence, ce sont une foule de peccadilles qui vous font perdre du temps et vous empêchent d'avancer comme prévu. Le mois prochain, tout se tassera.

Février

D	L	M	M	J	V	S
		1F	2F	3F	4D	5D
6	7	8●	9	10	11	12
13	14	15	16D	17D	18D	19F
20F	21	22	23○	24	25	26
27	28					

○	Pleine lune	●	Nouvelle lune	
F	Jour favorable	D	Jour difficile	

SANTÉ – La première semaine étant encore marquée par le carré de la planète Mars, vous devez absolument demeurer sur le qui-vive. Le reste du mois s'annonce nettement plus positif et dépourvu de dangers; vous ne risquez donc pas de vous retrouver sur le carreau. Votre flair est encore plus fort qu'à l'accoutumée; vous avez des talents de devin!

SENTIMENTS – Le climat est des plus agréables. Votre entourage immédiat fait davantage attention à vous; vos amis savent se montrer compréhensifs et même généreux, sans compter que vous impressionnez au plus haut point les nouvelles personnes que vous rencontrez. Bref, tout baigne dans l'huile, et vous n'avez aucune raison de vous plaindre.

AFFAIRES – Encore un peu de patience jusqu'au 7, et votre situation se mettra à évoluer favorablement. Vous pourrez enfin donner libre cours à vos projets ou aller de l'avant sans toujours être bloqué. Au besoin, on pourrait même vous aider à atteindre vos objectifs. Bonne période pour un nouvel emploi ou pour une restructuration positive dans celui que vous occupez déjà.

Mars

D	L	M	M	J	V	S
		1F	2F	3D	4D	5
6	7	8	9	10●	11	12
13	14	15	16D	17D	18F	19F
20F	21	22	23	24	25○	26
27	28F	29F	30D	31D		

○	Pleine lune	●	Nouvelle lune
F	Jour favorable	D	Jour difficile

SANTÉ – Magnifique mois en perspective! Votre vitalité, qui ne cesse d'augmenter, fait plaisir à voir, tout comme votre mine resplendissante. Si vous souhaitez vous remettre en forme, perdre quelques kilos ou vous inscrire à un programme d'exercices, vous bénéficiez d'une excellente conjoncture – les résultats ne sauraient tarder. Bon temps pour mettre de l'ordre dans vos idées.

SENTIMENTS – Une discussion avec votre conjoint menace d'exploser si vous ne mettez pas un peu d'eau dans votre vin. Mieux vaut peser vos mots! Un ami traverse une crise, et vient puiser chez vous de l'encouragement et quelques bons conseils. L'entêtement d'un enfant ou d'un membre de la famille ira près de vous faire sortir de vos gonds.

AFFAIRES – Malgré le brouhaha qui règne autour de vous, vous tirez très bien votre épingle du jeu. Certaines personnes au travail vous adoptent comme thérapeute, ce qui risque de vous faire perdre un temps fou. C'est bien beau d'écouter les problèmes des autres, mais il ne faudrait pas que ça nuise à votre rendement; apprenez à imposer vos limites.

Avril

D	L	M	M	J	V	S
					1	2
3	4	5	6	7	8●	9
10	11	12D	13D	14F	15F	16F
17	18	19	20	21	22	23
24○F	25F	26D	27D	28	29	30

○ Pleine lune et éclipse lunaire annulaire		● Nouvelle lune et éclipse solaire annulaire totale
F Jour favorable		D Jour difficile

SANTÉ – Le seul effet que les éclipses risquent d'avoir sur vous est une baisse de votre énergie vitale. Afin de pallier cette situation, sachez ménager votre monture et alimentez-vous sainement. Il n'en faut pas plus pour que vous profitiez à plein du retour du beau temps. Moralement, aucun problème à l'horizon.

SENTIMENTS – Du 16 avril au 10 mai, vous disposez d'un transit avantageux de Vénus, qui améliore sensiblement votre destinée amoureuse. Les couples retrouvent la passion des premiers jours, alors que les solitaires peuvent avoir un sérieux coup de foudre. Par-dessus le marché, les amis et la marmaille déploient des efforts appréciables pour vous faire plaisir.

AFFAIRES – Même si ça ne va pas à toute vitesse, vous continuez de marquer des points. Votre belle personnalité pourrait vous permettre de décrocher un poste en vue ou de vous illustrer sur le plan professionnel. Un conseil: ne prêtez pas un sou et ne signez rien sur un coup de tête.

Mai

D	L	M	M	J	V	S
1	2	3	4	5	6	7
8 ●	9D	10D	11D	12F	13F	14
15	16	17	18	19	20	21F
22F	23 ○ F	24D	25D	26	27	28
29	30	31				

○	Pleine lune	●	Nouvelle lune
F	Jour favorable	D	Jour difficile

SANTÉ – L'arrivée de la planète Mars dans votre signe vous donne un véritable coup de fouet; vous vous sentez plus dynamique et, à certains moments, vous êtes même survolté. Attention cependant: cette conjoncture coïncide souvent avec un risque accru de blessures. Je compte sur vous pour faire preuve d'un peu plus de prudence.

SENTIMENTS – Je vous rappelle que d'ici le 10 vous pouvez toujours vous fier aux doux rayons de Vénus pour donner un nouveau sens à votre vie intime. Le reste du mois n'annonce rien de vilain, mais vous devez néanmoins fournir un peu plus d'efforts pour conserver le petit côté magique de votre relation. Bonnes nouvelles en provenance d'un enfant, d'un frère ou d'une sœur, entre le 12 et le 28.

AFFAIRES – Même si ça ne va pas à toute vitesse, vous continuez de marquer des points. Votre belle personnalité pourrait vous permettre de décrocher un poste important ou de vous illustrer sur le plan professionnel, alors que votre intuition vous fait saisir au vol une belle occasion. Même conseil que le mois dernier: ne prêtez pas un sou et ne signez rien sur un coup de tête.

Juin

D	L	M	M	J	V	S
			1	2	3	4
5	6●D	7D	8F	9F	10F	11
12	13	14	15	16	17	18F
19F	20D	21○D	22	23	24	25
26	27	28	29	30		

○	Pleine lune		●	Nouvelle lune	
F	Jour favorable		D	Jour difficile	

SANTÉ – Mars est encore dans le décor jusqu'au 12. Vous avez tort de croire que vous êtes Samson; ce n'est pas une bonne idée de brûler la chandelle par les deux bouts. Pas le temps non plus de jouer les casse-cou! Le reste du mois semble plus léger; vous ralentissez la cadence et n'êtes plus soumis à ce danger de vous faire mal. Intérieurement aussi, vous vous sentez plus calme.

SENTIMENTS – C'est entre le 4 et le 28 que vous vivez les plus beaux moments. L'amour n'oublie personne, toutes vos attentes sont comblées. Vous passez des moments formidables avec vos copains et pourriez même vous faire de nouveaux amis. Les invitations comme les propositions de divertissement arrivent de tous les côtés. Bref, vous avez la certitude que l'on vous adore.

AFFAIRES – Quelques accrocs sont possibles en début de mois, mais l'atmosphère devrait changer rapidement. Vos efforts en vue d'améliorer votre situation professionnelle ou financière donnent des résultats du tonnerre, tout comme vos démarches, vos recherches et vos déplacements. Faites-vous confiance; vous avez l'étoffe d'un gagnant.

Juillet

D	L	M	M	J	V	S
					1	2
3D	4D	5F	6●F	7F	8	9
10	11	12	13	14F	15F	16D
17D	18D	19	20	21○	22	23
24/31D	25	26	27	28	29	30D

○	Pleine lune	●	Nouvelle lune
F	Jour favorable	D	Jour difficile

SANTÉ – Vous êtes souvent fatigué. Rien de grave, mais vous devriez vous demander si vous n'en faites pas un peu trop. Le moment est venu de déterminer vos priorités et de mettre un peu d'ordre dans votre vie, sans quoi vous risquez d'être à plat. Apprenez à dire non à ceux qui vous volent votre énergie. Charité bien ordonnée commence par soi-même!

SENTIMENTS – Malgré toute la gentillesse de vos proches, vous vous ennuyez. Vous trouvez que votre vie manque de piquant et qu'il ne se passe pas grand-chose. Pourtant, si vous comparez votre existence à celle de plusieurs, vous serez forcé d'admettre que vous êtes plutôt bien servi. Allez! Cessez de faire le difficile, prenez quelques initiatives et savourez la quiétude de votre destinée.

AFFAIRES – Vous trimez dur, mais les résultats sont là. Excellent mois pour aller de l'avant, pour planifier à long terme, pour faire le point sur votre carrière et commencer à asseoir votre avenir. Les magasins regorgent de tentations et vous avez bien du mal à leur résister... Mieux vaut vous tenir loin des centres commerciaux!

Août

D	L	M	M	J	V	S
	1D	2F	3F	4●	5	6
7	8	9	10	11	12F	13F
14D	15D	16	17	18	19○	20
21	22	23	24	25	26D	27D
28D	29F	30F	31			

○	Pleine lune	●	Nouvelle lune
F	Jour favorable	D	Jour difficile

SANTÉ – Vous reprenez du poil de la bête. En plus de mieux canaliser votre énergie, vous vous sentez habité par un profond besoin de mordre dans la vie. Voilà une excellente attitude! Une remise en beauté ou un look plus actuel vous irait à ravir, particulièrement dans la seconde quinzaine.

SENTIMENTS – Vous n'avez pas la langue dans votre poche. Vous avez refoulé certaines émotions trop longtemps, et maintenant tout sort en même temps. Parfois, c'est même un peu trop, car certains proches sont dévastés par vos propos. Ce n'est qu'une question d'ajustement. D'ailleurs, à partir du 17, la tension tombe, et vous arrivez alors à faire passer votre message sans heurt.

AFFAIRES – Vous avez soif de changement, et ça tombe à point. En effet, vos démarches pour un nouvel emploi, pour un poste plus à la hauteur de vos attentes ou pour une promotion donnent d'heureux résultats. Certains changent même complètement d'orientation. Vous vous apprêtez à relever de nouveaux défis. Ça promet!

Septembre

D	L	M	M	J	V	S
				1	2	3●
4	5	6	7	8F	9F	10D
11D	12	13	14	15	16	17○
18	19	20	21	22	23D	24D
25F	26F	27F	28	29	30	

○	Pleine lune	●	Nouvelle lune
F	Jour favorable	D	Jour difficile

SANTÉ – Ma foi, on dirait que vous rajeunissez. Vous affichez une mine resplendissante, que tous s'empressent de remarquer. Même les quelques épisodes d'anxiété entre le 5 et le 21 n'arrivent pas à ternir votre allure. Bon mois pour travailler sur vous, pour prendre de bonnes résolutions, voire pour entreprendre ce projet de mieux-être que vous caressez depuis quelque temps sans oser y donner suite.

SENTIMENTS – Du 12 septembre au 8 octobre, votre ciel est enjolivé par le passage de Vénus. Si vous êtes seul, attendez-vous à une rencontre électrisante. Si vous êtes déjà engagé dans une relation stable, vous verrez celle-ci évoluer de façon fort satisfaisante. L'honnêteté des sentiments et la tendresse sont au rendez-vous.

AFFAIRES – Vous êtes au cœur d'un cycle de transformation. Vous en avez assez de piétiner sur place. Désormais, vous cherchez à vous dépasser, et ce ne sont pas les occasions de faire vos preuves qui manquent. Vous vous découvrez des talents insoupçonnés jusqu'alors. Des heures supplémentaires, un deuxième emploi ou un contrat qui tombe du ciel vous permettent de mettre des sous de côté.

Octobre

D	L	M	M	J	V	S
						1
2	3●	4	5F	6F	7D	8D
9D	10	11	12	13	14	15
16	17○	18	19	20D	21D	22F
23F/30	24F/31	25	26	27	28	29

○ Pleine lune et éclipse lunaire partielle	● Nouvelle lune et éclipse solaire annulaire
F Jour favorable	D Jour difficile

SANTÉ – Les éclipses de ce mois n'ont pratiquement pas d'effet sur vous. Si certains naviguent en eaux troubles, vous demeurez parfaitement centré. Vous êtes à l'écoute de vos besoins tout en respectant vos limites, ce qui vous permet de profiter à plein de vos ressources. Moralement, il y a longtemps qu'on ne vous avait vu aussi en forme. Bravo!

SENTIMENTS – Les huit premiers jours sont encore sous l'égide d'un transit bénéfique de Vénus, planète du bonheur intime; tous les espoirs sont permis. Un jeune vous confie une excellente nouvelle et sait vous témoigner sa gratitude. Avec les amis, tout marche comme sur des roulettes; vous êtes bien entouré, et le partage va bon train.

AFFAIRES – Le 25 marque une date importante, car vous commencez alors à être choyé par Jupiter, la grande bénéfique. Durant plus d'un an, vous jouissez d'un extraordinaire courant de chance, et ce, dans tous les domaines. On note même certaines possibilités au jeu. En attendant, vous ne voyez pas le temps passer; ça s'annonce fort occupé et vous continuez de vous illustrer.

Novembre

D	L	M	M	J	V	S
		1●F	2F	3F	4D	5D
6	7	8	9	10	11	12
13	14	15○	16	17D	18D	19F
20F	21	22	23	24	25	26
27	28	29F	30F			

○	Pleine lune	●	Nouvelle lune
F	Jour favorable	D	Jour difficile

SANTÉ – Vous avez toujours ce petit je-ne-sais-quoi qui fait tourner les têtes. Votre dynamisme est communicatif; on vous trouve hautement stimulant. Pourtant, d'ici le 26, vous avez des moments d'inquiétude, voire d'insécurité; vos anciens *patterns* refont surface, et vous vous en faites pour rien. Changez-vous les idées; le cafard disparaîtra rapidement.

SENTIMENTS – Un membre de la famille cherche à se mêler de vos affaires; n'hésitez pas à le remettre à sa place. Le comportement d'un marmot vous chicote; rassurez-vous, il n'y a rien de grave à l'horizon. Quant au reste, de petits nuages assombrissent les cinq premiers jours, puis tout se replace comme par enchantement. Votre partenaire se montre plus attentif, pendant que les copains vous lancent plein d'invitations alléchantes.

AFFAIRES – Le moment est venu de mettre vos projets à exécution. Des appuis inespérés pourraient vous permettre d'atteindre plus facilement vos buts. Ajoutons que certaines portes que vous aviez cru fermées à tout jamais pourraient enfin s'ouvrir. Bon mois pour vous déplacer ou voyager, ainsi que pour décrocher un petit prix dans un tirage.

Décembre

D	L	M	M	J	V	S
				1●D	2D	3
4	5	6	7	8	9	10
11	12	13	14D	15○D	16F	17F
18F	19	20	21	22	23	24
25	26F	27F	28D	29D	30●	31

○	Pleine lune	●	Nouvelle lune
F	Jour favorable	D	Jour difficile

SANTÉ – Rien de négatif à signaler, si ce n'est un léger rhume, entre le 13 et le 31, que vous pourrez éviter facilement en prenant quelques précautions. À la même époque, le stress a davantage d'emprise sur vous; vous avez donc tout intérêt à vous garder du temps pour décompresser.

SENTIMENTS – Le mois s'annonce fort bien. Vous entretenez une complicité remarquable avec votre chéri. Si vous êtes seul, une amitié amoureuse peut venir transformer votre existence. Les bonnes paroles d'un proche vous touchent au plus haut point; vous étiez loin de penser qu'il vous estimait autant. Une ancienne connaissance refait soudainement surface.

AFFAIRES – Si vous devez présenter une demande ou si vous songez à un projet d'envergure, tâchez d'agir avant le 13, car c'est à ce moment que vos chances de réussite sont les plus éclatantes. Parlant de chance, vous pourriez remporter un prix à la loterie ou dans un concours, particulièrement au courant de la première quinzaine. Les voyages et les déplacements demeurent avantageux.

Nos animaux et l'astrologie

L'astrologie nous renseigne sur notre caractère, notre personnalité et notre comportement, et elle peut également s'appliquer à nos petits compagnons à quatre pattes ou à plumes. Leur signe du zodiaque exerce une certaine influence sur eux. Qu'il s'agisse d'un vieux gros toutou ou d'un chaton, d'un canari ou d'un bel iguane, n'hésitez pas à recourir à l'astrologie pour mieux le comprendre et deviner ce qu'il ne peut vous dire en employant un langage compréhensible. En sachant lire son comportement, vous serez plus apte à répondre à ses besoins.

L'astrologie peut également vous aider à choisir le compagnon idéal qui correspondra à votre personnalité. Que vous ayez déjà un animal domestique à la maison ou que vous pensiez en adopter un, les lignes qui suivent vous éclaireront sur sa personnalité et son caractère.

Mon bestiaire astrologique

Le Bélier. Plutôt petit, qu'il soit chien, chat ou reptile, il possède tout un caractère. Il sait ce qu'il veut et n'en fait qu'à sa tête. Impulsif, vif et rapide, il n'arrête pas une seconde, et il court vite. Tant mieux, me direz-vous, mon Patou est un cheval de course. Mais si votre Médor est un bon chien de ville, il pourrait bien profiter d'une porte ouverte pour prendre la poudre d'escampette. En fait, cet animal prend beaucoup de place, mange comme un glouton et trop vite. C'est un animal qui déborde d'énergie; il faudra donc vous attendre à ce qu'il vous demande souvent de jouer… et à quelques dégâts si vous le laissez seul à la maison. Mais il est si adorable, ce gros minet… qui vient de déchirer la moquette, que finalement, vous lui pardonnez, comme toujours!

Le Taureau. Cet animal est de compagnie très agréable. Il apprécie son domicile, son petit coin bien à lui où la vie s'écoule, calme et tranquille. Félix aimera bien faire un petit tour dehors, mais pas trop loin… quant à Fido, il ne rechignera pas à rester toute la journée à vous attendre à la maison. Il la connaît bien et ne s'y ennuie pas. Certains jours pourtant, il sera un peu plus entêté qu'à l'habitude, mais une belle caresse et quelques mots gentils, et il se montrera à nouveau obéissant et docile. Par contre, il apprend lentement. Si vous tenez absolument à ce qu'il donne la «papatte» armez-vous de patience. Dès qu'il aura compris toutefois, vous réussirez à la lui faire donner rapidement. Ce sera un compagnon vraiment fidèle. Il reste tellement attaché à vous et à ses habitudes que les changements l'incommodent; mais si vous vous en occupez, s'il sent que vous l'aimez, il sera rassuré et heureux. Si votre oiseau est Taureau, écoutez son chant, c'est très joli.

Le Gémeaux. Cet animal a besoin de voir du monde et d'avoir beaucoup de vie autour de lui. Il sera très heureux dans une famille nombreuse, avec beaucoup d'enfants et même d'autres animaux dans la maison. Il adore faire son petit tour dehors, explorer, découvrir, croiser des connaissances à quatre pattes. À la maison, il trouve toujours quelque chose à faire, mais il n'aime pas être laissé seul trop longtemps. Si vous pensez le laisser seul pendant que vous êtes au travail, il serait bon de lui procurer un compagnon de jeu. Cet animal a besoin de beaucoup d'attention; il faudra donc souvent jouer avec lui. Par contre, il se montre assez indépendant lorsqu'il le décide. C'est un grand parleur qui a besoin d'un public, alors il chante, jappe ou miaule beaucoup. C'est aussi un petit coquin très intelligent et un tantinet manipulateur. Il vous fera savoir rapidement ce qu'il veut… et il finira par l'obtenir.

Le Cancer. C'est le signe le plus attachant qui soit pour un animal. Ce petit compagnon adore son maître et tous les membres de la famille. Les marques d'affection et les caresses sont ses deux moteurs, car il aime tellement faire plaisir. Son bonheur est immense lorsqu'il se sent entouré de tout son petit monde à la maison. Il fait de gros efforts pour satisfaire tout le monde, même les enfants qui lui tirent les oreilles ou la queue. Comme c'est plutôt un animal gourmand et dormeur, il faut veiller à lui faire faire suffisamment d'exercice, sinon l'obésité le guette. Docile et affectueux, il est digne de confiance; il fera de son mieux pour protéger la maison et la famille, même si c'est un minuscule chihuahua. Les femelles Cancer sont d'excellentes mères de famille.

Le **Lion.** Voilà un animal qui a du panache. De race pure ou non, on le remarque. Si votre petit Lion est un chat, il se comportera comme s'il était le roi des animaux au milieu de ses sujets; en tant que chien, museau au vent et queue relevée, il montrera qui est le maître dans la maison, tandis que l'oiseau Lion exhibera fièrement son plumage. Bref, il fera l'envie de tout le voisinage. Comme c'est une vraie star, il faudra lui prêter beaucoup d'attention, montrer que vous l'aimez. Si vous oubliez la caresse habituelle en rentrant, il va bouder. Avec les autres animaux, ça risque d'être la guerre. Il veut occuper toute l'avant-scène et n'appréciera pas qu'on le néglige ou qu'on le tienne à l'écart pour s'occuper de quelqu'un d'autre, animal ou humain d'ailleurs. De toute façon, il ne supportera pas d'être traité comme un bibelot, alors même s'il se comporte bien et se montre sage, il cherchera sûrement à faire un petit tour pour épater la galerie. Enseignez-lui quelques petits tours simples et applaudissez à tout rompre; cela fera son plus grand bonheur.

La **Vierge.** Il est tout timide, tout gentil. En fait, c'est pour cela que vous l'avez pris, même si ce n'est pas lui qui était le plus fringant de la portée. Il se montre un peu craintif avec les étrangers, mais avec vous, n'ayez crainte, ce sera un compagnon fidèle, attentif et tranquille. Il ne vous causera pas d'ennuis, car il comprend très bien les règles et les interdits et ne les transgresse pas. Par contre, il a ses petites habitudes. N'allez pas bouleverser son horaire du jour au lendemain. Si vous le sortez chaque jour vers 8 heures, il ne faudra pas être en retard, car il vous le fera savoir. Son point faible, c'est la digestion; il faut donc veiller à lui procurer une bonne nourriture et ne pas la lui changer continuellement. Qu'il soit chien, chat, cheval ou canari, il sera très attaché à son maître et doux avec les enfants. C'est le compagnon idéal des gens calmes et plutôt sédentaires.

La **Balance.** Ce petit animal est une vraie soie. Il a vraiment tout pour se faire aimer et aussi pour vous amuser; il a mille et un tours dans son sac. Comme c'est un petit être sensible, vous ne l'aimerez jamais trop et il réclamera toujours plus de caresses. Pour qu'il soit heureux, offrez-lui un foyer calme et harmonieux. Il préférera fuir les enfants criards et chamailleurs, car il ne supporte ni les bruits ni les cris. S'il fait une bêtise et que vous le grondez, il sera très honteux et affecté. En parlant assez fort, vous obtiendrez de bons résultats, sans avoir à le punir plus. Ce petit animal appréciera son douillet coussin ou votre plus beau fauteuil pour dormir en paix… et en plus, comme il déteste être seul, il pourrait même choisir vos moelleux genoux pour sa petite sieste. C'est un charmeur, et son regard fait fondre le plus récalcitrant des humains. Il est irrésistible.

L e Scorpion. Celui-là possède son petit caractère. Monsieur ou madame est bien affectueux, mais attention, il se montre souvent possessif. Il choisit son maître et ne le lâche plus. Il pourrait même venir toujours s'installer entre vous et votre conjoint, car il vous appartient en propre et non aux deux. Pire, il pourrait même carrément prendre la place du conjoint qui le dérange pour l'obliger à se mettre plus loin. Il affiche un petit air mystérieux, ce qui fait en sorte qu'on ne comprend pas toujours ce qu'il veut. Il peut être très enjoué, mais aussi parfois assez grognon et, dans ces cas-là, il vaut mieux le laisser tranquille. Par contre, il devine ce que vous ressentez et a une mémoire du tonnerre. Si quelqu'un lui a fait mal, même des mois ou des années plus tard, il s'en souviendra... Ce n'est pas un animal facile, mais il vous adore.

L e Sagittaire. Ce cher Sagittaire est un tantinet agité... pour lui, voir la vie à l'extérieur est bien plus passionnant que dormir sur un coussin moelleux. Si vous l'empêchez de sortir, il reste à la fenêtre pour observer la rue. Il adore courir, se promener, et si vous n'y faites pas attention, il peut faire des fugues de plusieurs jours. Fermez bien les portes. Laissé seul à la maison, il s'ennuie. Vous devez lui faire dépenser son trop-plein d'énergie. L'idéal est de lui offrir un grand jardin, un terrain à la campagne où il pourra se dégourdir les pattes à loisir. C'est un petit être indépendant, donc l'obéissance parfaite, ce n'est pas tellement sa tasse de thé. Il se comporte généralement bien avec les autres animaux, mais ceux de la même espèce que lui le dérangent un peu. Avec les enfants, il est très à l'aise, car ils courent et jouent avec lui, et c'est ce qu'il aime. Par contre, les enfants doivent le respecter, sinon il fera la loi lui-même à coups de dents ou de griffes. Il peut aussi se montrer glouton et prendre rapidement du poids; il faut donc bien doser sa nourriture et lui faire faire beaucoup d'exercice.

L e Capricorne. On dit que le chien est le meilleur ami de l'homme; s'il est Capricorne en plus, vous avez déniché la perle rare, le plus fidèle des fidèles. Dévoué, cherchant toujours à faire plaisir, ce petit timide restera néanmoins à l'écart des inconnus. Ce n'est pas un animal très démonstratif, mais votre petite famille et surtout vous, son maître, comptez plus que tout dans sa vie. Plutôt petit et souvent maigre, il est également frileux; donc, durant l'hiver, faites attention lorsque vous le sortez, un bon manteau serait peut-être approprié. C'est un bon compagnon, tranquille et doux. Il est très patient, et quelques heures de solitude ne lui font pas peur. Il apprend plutôt lentement, donc n'hésitez pas à répéter plusieurs fois vos consignes lorsqu'il est encore bébé, de façon à ce qu'il assimile bien les règles. Une fois qu'il les aura apprises, il ne les oubliera plus jamais. Comme il est très discret, on pourrait l'oublier facilement, mais surtout ne le négligez pas, car c'est vraiment votre meilleur ami, et il vous aime.

Le Verseau. Ce chaton, ce vieux chien, cette perruche ou ce furet sont des animaux qui vous procureront des heures de plaisir. Avec lui, pas d'ennui possible. Il bouge, va vers les gens, s'intéresse à tout ce que vous faites. Lorsque vous arrivez avec des sacs d'épicerie, il n'hésitera pas à plonger le nez dedans pour découvrir ce qu'ils contiennent. Les nouvelles odeurs, les nouveaux objets l'intriguent. Dehors, vous le verrez souvent en train de «discuter» avec ses congénères, de surveiller son territoire ou d'explorer les environs. Vifs, spirituels, remuants, ils ont une petite personnalité indépendante qui n'est pas tellement adaptée aux règles et à l'obéissance; vous devrez répéter souvent, et peut-être même les gronder plus que d'autres. Mais comme ils aiment tout le monde et que tout le monde les aime, vous leur pardonnez facilement ces incartades.

Le Poissons. Affectueux, doux et tendre, votre compagnon à plumes ou à fourrure vous rendra toujours heureux. Vos caresses et vos mots doux sont sa raison de vivre. Lorsque vous revenez du travail, c'est la fête. D'ailleurs, vous n'avez qu'à sortir cinq minutes puis revenir, et ce sera encore la fête. Pour le faire fâcher et le rendre bougon, il faut vraiment en mettre beaucoup, car il oublie très vite. C'est un animal sensible, il ne supporte pas qu'on parle fort autour de lui, il croit alors qu'il a fait quelque chose de mal et se sauve. Par contre, il devine toujours comment vous allez. Si vous vous sentez un peu triste, il se montrera encore plus câlin pour vous consoler. Par contre, si vous êtes de bonne humeur, il sera heureux pour vous. Comme il est un peu paresseux, c'est à vous de veiller à ce qu'il fasse ses exercices quotidiens. Comme les animaux Poissons adorent l'eau (même les chats), pourquoi ne pas placer un bain dans la cage de l'oiseau et une grosse piscine de plastique pour Médor dans la cour.

L'astrologie chinoise

L'étude du zodiaque remonte à la nuit des temps. On le sait aujourd'hui, même l'homme de Neandertal scrutait les astres pour y déchiffrer le sens de l'Univers.

Plus que millénaire, l'astrologie n'est pas une science propre à la civilisation occidentale; en Orient aussi les planètes, les astres et les étoiles fascinent. Cependant, l'astrologie chinoise diffère de la nôtre en ce sens que contrairement à la nôtre, qui se base sur le cycle du Soleil dans les 12 signes, elle est établie sur une période de 12 ans.

L'astrologie zodiacale comporte 12 signes qui se succèdent, et chacun dure un mois. En astrologie chinoise, chaque année correspond à un signe représenté par un animal totem.

En astrologie chinoise, les cycles lunaires permettent de déterminer le début de l'année. Cela fait donc en sorte que les signes chinois commencent à une date différente chaque année.

L'astrologie chinoise constitue un excellent moyen de se connaître et de découvrir les autres. Nous vous invitons à la découvrir plus amplement dans les pages suivantes.

Les 12 signes chinois

Repérez votre date de naissance dans ce tableau pour découvrir votre signe chinois.

1900	Rat	31 janvier 1900 au 18 février 1901
1901	Buffle	19 février 1901 au 7 février 1902
1902	Tigre	8 février 1902 au 28 janvier 1903
1903	Chat	29 janvier 1903 au 15 février 1904
1904	Dragon	16 février 1904 au 3 février 1905
1905	Serpent	4 février 1905 au 24 janvier 1906

1906	Cheval	25 janvier 1906 au 12 février 1907
1907	Chèvre	13 février 1907 au 1er février 1908
1908	Singe	2 février 1908 au 21 janvier 1909
1909	Coq	22 janvier 1909 au 9 février 1910
1910	Chien	10 février 1910 au 29 janvier 1911
1911	Cochon	30 janvier 1911 au 17 février 1912
1912	Rat	18 février 1912 au 5 février 1913
1913	Buffle	6 février 1913 au 25 janvier 1914
1914	Tigre	26 janvier 1914 au 13 février 1915
1915	Chat	14 février 1915 au 2 février 1916
1916	Dragon	3 février 1916 au 22 janvier 1917
1917	Serpent	23 janvier 1917 au 10 février 1918
1918	Cheval	11 février 1918 au 31 janvier 1919
1919	Chèvre	1er février 1919 au 19 février 1920
1920	Singe	20 février 1920 au 7 février 1921
1921	Coq	8 février 1921 au 27 janvier 1922
1922	Chien	28 janvier 1922 au 15 février 1923
1923	Cochon	16 février 1923 au 4 février 1924
1924	Rat	5 février 1924 au 23 janvier 1925
1925	Buffle	24 janvier 1925 au 12 février 1926
1926	Tigre	13 février 1926 au 1er février 1927
1927	Chat	2 février 1927 au 22 janvier 1928
1928	Dragon	23 janvier 1928 au 9 février 1929
1929	Serpent	10 février 1929 au 29 janvier 1930
1930	Cheval	30 janvier 1930 au 16 février 1931
1931	Chèvre	17 février 1931 au 5 février 1932
1932	Singe	6 février 1932 au 25 janvier 1933
1933	Coq	26 janvier 1933 au 13 février 1934
1934	Chien	14 février 1934 au 3 février 1935
1935	Cochon	4 février 1935 au 23 janvier 1936
1936	Rat	24 janvier 1936 au 10 février 1937
1937	Buffle	11 février 1937 au 30 janvier 1938
1938	Tigre	31 janvier 1938 au 18 février 1939
1939	Chat	19 février 1939 au 7 février 1940
1940	Dragon	8 février 1940 au 26 janvier 1941
1941	Serpent	27 janvier 1941 au 14 février 1942
1942	Cheval	15 février 1942 au 4 février 1943
1943	Chèvre	5 février 1943 au 24 janvier 1944
1944	Singe	25 janvier 1944 au 12 février 1945
1945	Coq	13 février 1945 au 1er février 1946

1946	Chien	2 février 1946 au 21 janvier 1947
1947	Cochon	22 janvier 1947 au 9 février 1948
1948	Rat	10 février 1948 au 28 janvier 1949
1949	Buffle	29 janvier 1949 au 16 février 1950
1950	Tigre	17 février 1950 au 5 février 1951
1951	Chat	6 février 1951 au 26 janvier 1952
1952	Dragon	27 janvier 1952 au 13 février 1953
1953	Serpent	14 février 1953 au 2 février 1954
1954	Cheval	3 février 1954 au 23 janvier 1955
1955	Chèvre	24 janvier 1955 au 11 février 1956
1956	Singe	12 février 1956 au 30 janvier 1957
1957	Coq	31 janvier 1957 au 17 février 1958
1958	Chien	18 février 1958 au 7 février 1959
1959	Cochon	8 février 1959 au 27 janvier 1960
1960	Rat	28 janvier 1960 au 14 février 1961
1961	Buffle	15 février 1961 au 4 février 1962
1962	Tigre	5 février 1962 au 24 janvier 1963
1963	Chat	25 janvier 1963 au 12 février 1964
1964	Dragon	13 février 1964 au 1er février 1965
1965	Serpent	2 février 1965 au 20 janvier 1966
1966	Cheval	21 janvier 1966 au 8 février 1967
1967	Chèvre	9 février 1967 au 29 janvier 1968
1968	Singe	30 janvier 1968 au 16 février 1969
1969	Coq	17 février 1969 au 5 février 1970
1970	Chien	6 février 1970 au 26 janvier 1971
1971	Cochon	27 janvier 1971 au 14 février 1972
1972	Rat	15 février 1972 au 2 février 1973
1973	Buffle	3 février 1973 au 22 janvier 1974
1974	Tigre	23 janvier 1974 au 10 février 1975
1975	Chat	11 février 1975 au 30 janvier 1976
1976	Dragon	31 janvier 1976 au 17 février 1977
1977	Serpent	18 février 1977 au 6 février 1978
1978	Cheval	7 février 1978 au 27 janvier 1979
1979	Chèvre	28 janvier 1979 au 15 février 1980
1980	Singe	16 février 1980 au 4 février 1981
1981	Coq	5 février 1981 au 24 janvier 1982
1982	Chien	25 janvier 1982 au 12 février 1983
1983	Cochon	13 février 1983 au 1er février 1984
1984	Rat	2 février 1984 au 19 février 1985
1985	Buffle	20 février 1985 au 8 février 1986

1986	Tigre	9 février 1986 au 28 janvier 1987
1987	Chat	29 janvier 1987 au 16 février 1988
1988	Dragon	17 février 1988 au 5 février 1989
1989	Serpent	6 février 1989 au 26 janvier 1990
1990	Cheval	27 janvier 1990 au 14 février 1991
1991	Chèvre	15 février 1991 au 3 février 1992
1992	Singe	4 février 1992 au 22 janvier 1993
1993	Coq	23 janvier 1993 au 9 février 1994
1994	Chien	10 février 1994 au 30 janvier 1995
1995	Cochon	31 janvier 1995 au 18 février 1996
1996	Rat	19 février 1996 au 6 février 1997
1997	Buffle	7 février 1997 au 27 janvier 1998
1998	Tigre	28 janvier 1998 au 15 février 1999
1999	Chat	16 février 1999 au 4 février 2000
2000	Dragon	5 février 2000 au 24 janvier 2001
2001	Serpent	25 janvier 2001 au 12 février 2002
2002	Cheval	13 février 2002 au 1er février 2003
2003	Chèvre	2 février 2003 au 21 janvier 2004
2004	Singe	22 janvier 2004 au 7 février 2005
2005	Coq	8 février 2005 au 28 janvier 2006

Le rat

S'il est un animal qui provoque des réactions mitigées, c'est bien le rat. Il provoque parfois des mouvements de répulsion, mais le plus souvent il suscite la crainte. Et faire peur, c'est justement votre cas. Les gens ne vous connaissent pas beaucoup et, pour cette raison, se méfient un peu. Vous-même, vous vous montrez plutôt craintif, soupçonneux et, pour gagner votre confiance, il faut savoir montrer patte blanche.

En société, vous évitez les bains de foule et préférez de beaucoup rester à l'écart. Pourtant, lorsqu'on vous connaît, on vous trouve sociable, rempli d'humour et enjoué. Néanmoins, vous vous confiez peu et préférez regagner votre petit nid douillet lorsque quelque chose ne tourne pas rond.

Vous avez une acuité toute particulière qui vous permet de déceler ce qu'on tente de vous cacher. Votre sens de l'observation est aiguisé; rien ne vous échappe.

Vous vous défendez avec vos dents et vos griffes lorsqu'on vous blesse ou si l'un de vos proches est attaqué. Sur le plan psychologique, vous paraissez nerveux, parfois tourmenté.

Sur le plan de la personnalité, votre émotivité vous permet d'exceller dans les domaines artistiques, notamment la musique, la littérature et les arts, qui vous fournissent la possibilité de vous exprimer et de vous libérer de votre trop-plein d'émotion.

Votre intelligence est vive et plutôt raisonnée. Vous trouvez des solutions ingénieuses aux problèmes, et votre flair en affaires est très aiguisé. Vous avez un don particulier et le doigté nécessaire pour retourner les pires situations en votre faveur. Beau parleur comme vous l'êtes, vous pouvez devenir un excellent négociateur. Votre sixième sens vous permet de trouver les mots qu'il faut pour convaincre; il vous indique quand et comment agir. Sur le plan professionnel, ces multiples talents vous poussent souvent à diriger les gens, à commander, et parfois même à manipuler vos collègues ou vos subalternes.

Puisque vous avez un bon sens pratique, que vous possédez un esprit terre à terre, vous appréciez l'argent, mais aussi les valeurs sûres, les beaux objets. Pourtant, il semble que l'argent file à une rapidité excessive entre vos doigts. Heureusement, vous parvenez à équilibrer votre budget sans avoir à trop jongler avec les rentrées et les sorties.

Votre petit côté séducteur vous ouvre de nombreuses portes. Vous savez plaire; avouez que vous savez jouer de votre charme. Vous êtes un être passionné qui est attiré par le romantisme. Cela peut vous inciter à fuir votre quotidien et votre petite routine, que vous considérez comme de vrais éteignoirs. Une telle façon d'être complique votre vie sentimentale, mais vous n'en avez cure. Vous recherchez les gens originaux, amusants, que vous pouvez admirer et, malgré votre froideur initiale, on finit par découvrir en vous un être affectueux, ardent, possessif même. Les demi-mesures ne sont pas pour vous, et vous ne supportez pas d'être brimé dans votre liberté.

Vos plus belles qualités:
Convaincant, instinctif, doté d'un sens pratique, intelligent, terre à terre, drôle, vif, habile, rusé.

Vos péchés mignons:
Angoissé, méfiant, profiteur, manipulateur.

Selon les sages orientaux

Votre domaine symbolique: Ce qu'on ne sait pas et qui est près de nous, le mystère, le monde souterrain.

Vos armes: Les dents acérées du rat, son instinct et ses paroles mordantes.

Nom chinois de votre signe: Chow.

Symbole:

Le buffle

Sérieux et travailleur, vous vous adaptez très bien au système et vous défendez les traditions auxquelles vous tenez. L'originalité et l'initiative ne font pas partie de votre vocabulaire. Par contre, votre discipline et votre sens des responsabilités sont irréprochables. Vous êtes solide comme un roc, et on peut compter sur vous sans crainte.

Au travail, vous ne calculez pas vos heures, et les tâches qu'on vous confie sont menées à terme avec opiniâtreté. Comme on dit, vous avez beaucoup de «cœur à l'ouvrage». Vous êtes organisé et déterminé, mais les autres vous reprochent votre lenteur et vous trouvent plutôt tatillon. Qu'importe, vous poursuivez votre petit bonhomme de chemin et vous savez ce que vous faites. Si vous œuvrez dans un secteur d'activité qui vous permet d'exploiter votre potentiel, votre réussite est assurée. Par exemple, vous ferez des miracles en architecture, en chirurgie, en gestion d'entreprises, en agriculture, et même si l'on vous trouve souvent lourd et dépourvu d'émotivité, vous saurez bluffer tout le monde dans le monde des arts, en peinture et en cinéma, car vous avez une inspiration hors normes. Par ailleurs, vous seriez un très bon chef d'entreprise, car vous avez les qualités nécessaires pour stimuler vos troupes.

Sur le plan financier, vous vous montrez sage et solide. Vous trimez dur et ne comptez que sur votre labeur pour vivre. Si des échecs passagers ou des revers de fortune vous tombent dessus, vous les vivez difficilement, et si en plus vous êtes victime d'une injustice, vous aurez du mal à accepter la situation et à poursuivre votre route comme si de rien n'était.

Vous n'êtes pas du genre à lancer votre argent par les fenêtres, car vous connaissez sa valeur et le travail nécessaire pour le gagner. Donc, l'épargne et le budget ne sont pas des mots vains pour vous. Avec de telles valeurs, il y a de fortes chances que vous finissiez vos jours à l'aise financièrement.

Honnête et loyal, vous appréciez une bonne poignée de main; pour vous, c'est presque de l'argent comptant. Vous êtes amèrement déçu par les promesses non tenues, les engagements non respectés, car jamais vous ne faillissez à votre parole, et que les autres puissent y déroger vous laisse complètement abasourdi.

Vous n'appréciez guère le changement, que ce soit au travail ou dans votre vie personnelle. Vous préférez la stabilité, le confort, la tranquillité. Vous vous montrez accueillant, et votre table est toujours bien garnie. Vous êtes même un tantinet gourmand.

En société, on apprécie votre bon cœur et votre simplicité. Vous faites un excellent confident, car votre bienveillance est légendaire. Quant à votre petite famille, elle compte beaucoup à vos yeux, et vous êtes toujours là pour vos proches en cas de besoin; on l'a dit, vous êtes solide comme un roc.

Dans l'intimité, vous ne brûlez pas les étapes, vous recherchez un partenaire fiable et sérieux, vous ne vous précipitez donc pas sur la première amourette venue. La stabilité affective compte tellement pour vous que vous attendez avant d'exprimer vos sentiments et de vous engager... ensuite, c'est pour la vie. La passion, le romantisme, vous êtes d'avis que tout cela s'éteint bien vite; vous comptez plutôt sur la solidité de vos sentiments dans vos relations amoureuses. Vous avez beaucoup à offrir, et le bonheur de votre conjoint devient alors l'une de vos priorités.

Vos plus belles qualités:
Sérieux, travailleur, économe, prudent, sens des responsabilités, esprit de famille.

Vos péchés mignons:
Tatillon, peureux, lent, manque d'audace, inflexible.

Selon les sages orientaux

Votre domaine symbolique: Les sillons des champs, la terre, la glaise et les chemins sinueux.

Vos armes: Les cornes du Minotaure, grâce auxquelles il est capable de défendre son labyrinthe.

Nom chinois de votre signe: Niou.

Symbole: 牛

Le tigre

À l'instar de ce félin sauvage, vous vous posez en maître sur votre entourage. Vous avez beaucoup d'emprise sur les autres, aussi bien dans votre vie privée que professionnelle. Vous êtes un chef-né, volontaire et rempli d'ambition, mais honnête, ce qui ne gâche rien. Vous pouvez être fier de vous lorsque la réussite vient couronner vos nombreux efforts, car vous ne vous ménagez pas; vif et courageux comme vous l'êtes, rien ne vous rebute. Cela peut même vous rendre plutôt téméraire et vous exposer à des revers. Heureusement, en bon félin que vous êtes, vous retombez toujours sur vos pattes. Avec un peu plus de prudence et de planification, vous pourriez éviter certains déboires et aller encore plus loin sur le chemin de la réussite.

Votre sang-froid et votre instinct sont remarquables, et vous savez jauger les situations avec un sens peu commun de l'analyse. Peu impressionné par la hiérarchie et les conventions, vous vous fiez à votre intuition et vous n'hésitez pas à faire ce que bon vous semble. Stimulé par de nouveaux défis, vous ne craignez ni les changements ni les obstacles; d'ailleurs, vous les utilisez souvent comme moteur pour aller encore plus loin, vers de nouveaux buts.

Vous usez de franchise, une de vos plus belles qualités, mais pas toujours à bon escient, car elle peut vous conduire à la brusquerie, et vous devenez alors blessant. Mais vous défendez pied à pied vos idées et vos opinions, et vous ne vous en laissez pas imposer, surtout qu'en plus vous avez souvent raison.

Si vous parvenez à dominer votre émotivité, votre promptitude, vous pourrez devenir un meilleur chef de file. D'ailleurs, vous vous exprimerez pleinement dans les secteurs d'activité qui vous permettent de diriger et d'utiliser votre potentiel et votre flair. En affaires, vous avez beaucoup de chance; vous semblez attirer l'argent et le succès. Peut-être parce que vous êtes certain de ne jamais manquer de rien, vous vous souciez peu de votre budget. Votre compte en banque reflète ce léger laisser-aller; il joue aux montagnes russes.

Comme vous êtes fier de nature, vous soignez votre apparence et lorsqu'on vous remarque, vous ronronnez de plaisir. Un peu soupe au lait avec les étrangers, vous savez vous montrer généreux avec vos amis.

En amour non plus, pas de demi-mesures; vous laissez parler votre nature ardente, passionnée et entreprenante. Vous idéalisez votre partenaire, vous le mettez sur un piédestal et puis, un beau jour, vous découvrez sa personnalité et vous déchantez. Vous avez donc besoin d'un conjoint qui saura vous faire vibrer, vous amuser, vous surprendre, et surtout qui saura conserver tout son mystère après plusieurs années de vie commune.

Vos plus belles qualités:
Courageux, fonceur, déterminé, ambitieux, leader, ardent, franc, adaptable.

Vos péchés mignons:
Impulsif, téméraire, peu soucieux des détails, soupe au lait, émotif.

Selon les sages orientaux

Votre domaine symbolique: Les cimes et la puissance terrestre où conduit la chance.

Votre arme: La fourrure protectrice du tigre.

Nom chinois de votre signe: Hu.

Symbole:

Le chat

Q uel charmant petit animal que ce gros minet, quel séducteur en plus! Votre lucidité exceptionnelle vous permet de ne pas vous laisser prendre au dépourvu. En plus, vous êtes un enjôleur et un habile diplomate, des qualités qui vous permettent de ne pas vous laisser surprendre. Votre goût est sûr et délicat: vous aimez les belles choses, les objets d'art. Votre élégance se reflète sur vous, de la tête aux pieds, dans vos vêtements et dans votre allure générale. Vous affectionnez les endroits à la mode, et vous êtes très mondain. Les querelles et les disputes vous agacent, car vous avez besoin de tranquillité. La recherche de l'harmonie en toutes choses est le trait marquant de votre caractère.

Vous avez le don de plaire, que ce soit à vos amis ou même à de purs étrangers, car votre gentillesse, vos bons mots, votre comportement enjôleur sont grandement appréciés. Vous brillez en société et vous n'hésitez pas à courir les fêtes et les réceptions; ces réunions mondaines sont d'ailleurs vos endroits de prédilection pour élargir votre cercle de relations, pour provoquer de nouvelles rencontres et pour vous cultiver. Votre conversation est brillante, enjouée, et vous vous retrouvez rapidement entouré.

Plutôt respectueux des traditions, vous vous refusez à sortir des sentiers battus; peut-être est-ce dû au sentiment d'insécurité qui vous habite. Vous êtes craintif, et les nouveaux projets ne vous emballent guère; vous êtes plutôt rébarbatif à ce que vous ne connaissez pas. Votre discrétion au travail est légendaire, mais vous êtes d'une féroce efficacité. On ne peut rien vous reprocher. Vous travaillez avec soin, sans oublier un seul détail et sans faire de faux pas. On peut vous confier un travail les yeux fermés, car en plus d'un sens particulier de la minutie, vous possédez une mémoire sans faille, des atouts majeurs pour mener vos tâches à bien.

Comme vous détestez être pris de court ou avoir à vous décider à la dernière minute, il vous faut peser le pour et le contre, ce qui peut se révéler un solide avantage sur le plan des affaires. Vous appréciez le luxe et le confort, et vous êtes conscient des efforts que vous devez faire pour vous les offrir.

Donc vous gérez votre portefeuille avec beaucoup de circonspection et de discernement: les placements hasardeux, très peu pour vous. Et cette façon d'agir vous garantit une certaine sécurité matérielle durant vos vieux jours.

Vous êtes quelqu'un de généralement optimiste. Même dans les pires situations, vous essayez de toujours trouver le bon côté des choses et vous savez vous entourer. D'ailleurs, cette qualité particulière est appréciée de vos amis, car en plus vous savez vous montrer compréhensif envers eux. Vous êtes disposé à les écouter et à leur donner un coup de pouce, quoi qu'il arrive. Vous n'appréciez pas du tout les affrontements, les chicanes et les critiques, ce qui fait de vous un expert dans l'art du compromis. Vous savez mettre de l'eau dans votre vin lorsque cela se révèle nécessaire. Une telle façon d'être vous permet de mener des négociations et des transactions avec une redoutable efficacité. Vous ferez donc une brillante carrière dans les relations publiques, la politique, la justice, l'enseignement ainsi que le domaine artistique, notamment la musique et la danse qui conviennent tout à fait à votre grâce féline.

Dans votre vie personnelle, vous accordez beaucoup d'importance à l'amour. Les dîners en tête à tête, le jeu de la séduction et le flirt vous enchantent. Vous aimez faire les yeux doux. Bref, vous êtes un incorrigible romantique. Vous aimez aussi qu'on s'occupe de vous. Vous voyez la vie de couple comme une relation douce et tendre. Pourtant, vous ne vous laissez pas facilement apprivoiser, car vous avez peur d'être déçu. Vous affichez souvent un petit air indépendant qui peut refroidir les mieux intentionnés à votre égard. Pour trouver le partenaire de vos rêves, vous faites du temps votre meilleur allié. Une fois que vous l'avez déniché, vous le traitez avec respect, amour et sincérité, et vous déployez des efforts considérables pour que votre vie de couple soit toujours agréable et harmonieuse.

Vos plus belles qualités:
Sociable, charmant, souple, diplomate, romanesque, élégant, doux, positif, prévoyant, enthousiaste.

Vos péchés mignons:
Timoré, peur de déplaire, matérialiste, indécis, changeant, frivole, crainte des affrontements.

Selon les sages orientaux

Votre domaine symbolique: La pleine lune et le monde mystérieux de la nuit, où seuls les chats peuvent voir.

Vos armes: Les griffes du chat, qu'on ne voit pas... mais qui peuvent déchirer.

Nom chinois de votre signe: Thou.

Symbole:

Le dragon

Voilà un signe peu banal, qui frappe l'imagination. Les empereurs chinois l'ont choisi comme emblème pour sa fougue et sa vitalité. Votre personnalité est fortement teintée de ces deux qualités, qui vous permettent d'atteindre des sommets sur tous les plans.

Votre talent, votre intelligence, votre fierté, votre intrépidité, votre ténacité, tout en vous est décuplé. Par contre, la patience n'est pas votre fort, et vous ne supportez ni la critique, ni la contrariété, ni qu'on vous ignore. Vous devez laisser votre empreinte dans les esprits partout où vous passez.

Vous savez ce que vous voulez et vous ne démordez pas aisément de vos idées; vous êtes terriblement obstiné, mais heureusement, comme vous avez un solide esprit d'analyse et une bonne perspicacité, vous pouvez maîtriser toute situation qui pourrait vous nuire autrement.

Les efforts et l'énergie que vous déployez sont aussi remarquables, et les pires obstacles ne vous résistent jamais bien longtemps. Tout tremble sur votre passage.

Vous avez une telle confiance en vous, vous croyez tellement en votre potentiel, votre personnalité est si affirmée et votre nature, si indépendante, que vous faites l'envie de bien du monde. Par contre, toutes ces belles qualités deviennent rapidement de beaux défauts, car vous n'écoutez pas les autres, vous fiant à votre seul jugement. Évidemment, cela vous entraîne à commettre des erreurs qu'il sera difficile de vous faire admettre, entêté comme vous l'êtes.

Et comme vous ne supportez pas la contradiction, vous aurez aussi tendance à vous emporter rapidement, à manquer de tact dans vos relations avec les autres.

Vous êtes flamboyant; il est pratiquement impossible de ne pas vous remarquer. Comme vous montrez en plus beaucoup de charisme, y compris avec les foules, on parle de vous, et cela vous plaît énormément. Rien ne vous fait autant plaisir que d'être le pôle d'attraction.

De telles prédispositions vous permettent d'envisager une carrière fructueuse dans le monde du spectacle, bien sûr, mais aussi dans les arts graphiques, la peinture, la littérature, les médias, la politique ou les affaires… y compris les affaires louches!

L'argent vous file entre les mains, mais heureusement, vous savez amener toujours de l'eau au moulin. Votre signe est celui de la richesse, mais aussi de l'illusion. Pour vous, l'argent n'est qu'un moyen comme un autre de vous mettre en valeur, et non une fin en soi. Vous en avez beaucoup et tout semble vous réussir. On remarque moins les efforts que vous déployez pour atteindre vos objectifs. On pourrait croire que la chance vous sourit tout simplement, alors que vous créez vous-même cette réussite insolente.

En amour, c'est tout ou rien. Votre idéalisme vous pousse à rechercher un conjoint parfait… et, bien entendu, vous ne le trouvez pas, vous courez d'un amour à l'autre, sans vous fixer définitivement. Vous aimez briller et si vous trouvez un partenaire qui n'a d'yeux que pour vous, qui vous admire, qui vous idolâtre, peut-être finirez-vous par craquer. Cependant, beaucoup de natifs du Dragon vivent très bien leur célibat, en papillonnant à droite et à gauche.

Vos plus belles qualités:
Flamboyant, fort, confiant, brillant, intelligent, intrépide, fier, acharné, franc, magnétique.

Vos péchés mignons:
Obstiné, égocentrique, orgueilleux, colérique, insatisfait, irritable, folie des grandeurs.

Selon les sages orientaux

Votre domaine symbolique: Les fonctions royales, la hiérarchie, la prospérité et les cycles de la vie.

Votre arme: Le feu que crache le dragon, qui brûle mais purifie.

Nom chinois de votre signe: Long.

Symbole: 龍

Le serpent

Le serpent provoque plutôt la répulsion et la crainte dans notre monde occidental. Pourtant, dans le symbolisme oriental, on lui associe la prudence, la sagesse, la science, les connaissances secrètes et le souffle vital. En Chine, avoir un enfant Serpent est un grand honneur.

Votre sagesse, votre modération, votre équilibre, votre habileté à faire la part des choses, votre pouvoir de peser le pour et le contre font de vous un philosophe extrêmement respecté par votre entourage et vos proches.

Vous avez le rare pouvoir de prendre du recul, d'évaluer la situation, de jauger les événements, sans vous laisser emporter par le courant. Une telle façon d'appréhender la vie fait en sorte que vous vous trompez rarement, ce qui étonne tout le monde.

Vous êtes secret, renfermé même, et il est bien difficile de deviner ce qui vous anime. Votre sens de la réflexion est si puissant, votre vie psychique, si riche, que vous pouvez vous permettre de vivre comme un contemplatif. Votre intuition est phénoménale, et votre raisonnement, profond. Pourtant, vous vous fiez plus à votre instinct qu'à la logique; mais en fait, peut-être que chez vous l'un ne va pas sans l'autre et que ces deux qualités se complètent à merveille.

En affaires, votre flair est presque infaillible, et vous pouvez devenir un excellent conseiller financier. Comme nous tous, vous craignez un peu l'échec, mais chez vous, cette crainte devient une motivation supplémentaire pour faire mieux. En plus, vous savez éviter les risques inutiles, ce qui vous permettra de vivre relativement à l'aise jusqu'à la fin de vos jours. D'ailleurs, vous êtes trop économe pour jeter l'argent par les fenêtres et vous n'êtes pas non plus prêteur. Par contre, vous êtes généreux de votre temps comme de vos conseils.

L'inconnu et le mystère vous attirent. Les connaissances millénaires, les savoirs secrets vous intriguent, et vous vous y intéressez avec délectation.

Pacifique, conciliant, mais doté d'une volonté inébranlable, vous êtes aussi un habile diplomate. Vous n'affrontez pas vos adversaires de front; vous choisissez plutôt la subtilité pour les vaincre. Comme rien ne vous échappe, vous savez profiter de la moindre erreur de vos ennemis pour retourner la situation en votre faveur.

Vous pourriez faire votre marque dans des domaines tels que la politique, la psychologie, la philosophie, l'enseignement, la loi, la recherche, l'investigation et, grâce à votre sixième sens si remarquable, la voyance ou l'astrologie… Comme vous recherchez toujours la perfection, vous excellerez!

Sur le plan sentimental, votre charme est fascinant, presque hypnotique. Ce n'est pas pour rien que votre signe est représenté par un Serpent. Par contre, vous n'êtes pas particulièrement tendre; vous vous montrez possessif et jaloux, alors que la fidélité ne vous étouffe pas. Si, par contre, vous rencontrez un conjoint stimulant tant physiquement qu'intellectuellement, vous devenez plus stable, loyal et affectueux, et vous l'aimez de tout votre cœur.

Vos plus belles qualités:
Philosophe, pacifique, sage, modéré, intuitif, déterminé, économe, sensé, magnétique.

Vos péchés mignons:
Renfermé, avaricieux, sournois, mystérieux, peureux.

Selon les sages orientaux

Votre domaine symbolique: Le serpent qui se mange la queue, symbole de la vie et de l'éternel recommencement.

Votre arme: Le regard du serpent qui hypnotise ses proies.

Nom chinois de votre signe: Che.

Symbole:

Le cheval

Comme le fier étalon qui file comme l'éclair dans les vastes plaines, crinière au vent, on remarque en vous votre vivacité, votre fougue, votre entrain et votre énergie.

Ambitieux, vous savez établir de bons plans d'action et des méthodes de travail infaillibles pour atteindre vos objectifs plus rapidement et plus efficacement.

Votre signe est marqué par la vitesse. La patience n'est donc pas votre principale qualité; perdre du temps, attendre vous met en rogne. Les projets à long terme viennent souvent à bout de votre motivation. Vous avez besoin d'agir dans l'instant présent, d'être dans l'action, de faire bouger les choses rapidement. Pour cette raison, vous préférez agir de vous-même. Le dicton «on n'est jamais mieux servi que par soi-même» pourrait d'ailleurs devenir votre leitmotiv. Fier et indépendant comme vous l'êtes, vous ne voulez pas compter sur les autres pour que les choses progressent. Et en plus, vous vous passez très bien des conseils d'autrui.

En tant que brillant parleur, votre éloquence joue en votre faveur lorsqu'il s'agit de négocier ou même pour converser à bâtons rompus entre amis. Votre vocabulaire et votre sens de la répartie sont étonnants, ce qui ne cesse de surprendre et même de désarmer vos interlocuteurs. Comme en plus votre pouvoir de persuasion est très fort, vous remportez tous les succès dans les joutes oratoires. En tant qu'avocat, représentant de commerce ou diplomate, rien ne saurait vous résister. Si vous préférez un domaine plus artistique, la poésie, la peinture, l'architecture sont à votre portée. Les domaines de l'import-export, du commerce et tout ce qui touche aux voyages vous conviendraient également et sauraient très bien répondre à votre soif de liberté.

Comme vous êtes loyal et honnête, ces deux qualités priment pour vous. L'argent, la richesse, l'aisance financière ne sont rien à comparer avec les contacts humains et avec tout ce que pouvez apprendre ou découvrir. Quant à votre liberté, elle n'a pas de prix.

Une telle indépendance vous permet d'être audacieux au travail, et d'en changer lorsque vous sentez la monotonie et la routine s'installer. Vous avez continuellement besoin de relever de nouveaux défis et d'élargir vos horizons. Vous êtes polyvalent et savez vous adapter à de nombreuses situations. Par contre, cela peut devenir rapidement un défaut, car vous changez constamment de direction, et il devient très difficile de bien réussir dans de telles conditions.

Vous avez besoin de contacts humains, vous êtes sociable et vous aimez échanger des idées, rencontrer du monde, briller; vous avez de l'esprit, de l'humour à revendre, et on apprécie votre présence. Votre assurance pourrait toutefois cacher une certaine insécurité. Les autres vous font plus confiance que vous ne le faites vous-même. Étonnant, n'est-ce pas?

Sur le plan sentimental, votre pouvoir de séduction est indéniable, mais votre fougue vous emporte facilement. Vous vous montrez alors passionné, presque exalté, capable de toutes les folies pour attirer l'attention de l'objet de votre désir. En amour, vous iriez jusqu'à donner votre chemise; vous êtes d'une telle générosité! Par contre, si la routine s'installe, si vous perdez un peu d'intérêt pour votre partenaire, l'envie d'aller voir ailleurs ne tarde pas à vous prendre. Pour vous, le conjoint idéal est une personne qui sait vous amuser et continuellement vous surprendre tout en vous laissant votre liberté. Vous vous montrez alors constant et protecteur envers elle.

Vos plus belles qualités:
Ambitieux, vif, drôle, ardent, désintéressé, éloquent, séducteur, persuasif, loyal, brillant.

Vos péchés mignons:
Frivole, changeant, perd vite sa motivation, peur de la routine, instable.

Selon les sages orientaux

Votre domaine symbolique: Les grands espaces et les eaux que caresse Vahu, le dieu du Vent.

Vos armes: La vitesse et l'insaisissabilité de l'étalon qui pourfend les vents.

Nom chinois de votre signe: Mha.

Symbole:

La chèvre

Vous êtes le seul animal «féminin» de l'astrologie chinoise. Calme, paisible, doux, facile à vivre et sensible, vous possédez le charme bucolique de votre homonyme de la campagne. Votre vie évolue dans la beauté et la paix, qui vous sont essentielles pour vous sentir bien dans votre peau.

Vos goûts raffinés, artistiques même, reflètent votre importante créativité. Vous n'avez pas un sens pratique à toute épreuve, mais votre perfectionnisme ressort lorsque vous tenez à quelque chose. Une telle recherche de la perfection dans les moindres détails vous rend parfois incapable de prendre une décision ou, tout au moins, vous laisse hésitant sur celle à prendre. Devant un dilemme insoluble selon vous, vous préférez laisser les autres décider à votre place. Par contre, si vous avez finalement réussi à déterminer ce que vous voulez, vous aurez le courage de vos opinions et saurez les défendre avec justesse et opiniâtreté.

Discrète, réservée, gentille aussi, votre nature sociable vous attire de nombreux amis; les gens s'intéressent à vous, et vous bénéficiez de nombreux appuis lorsque le moment s'en fait sentir. Comme votre sens des responsabilités est plutôt mince, que vous agissez plus en «suiveur» qu'en chef de file, vous avez besoin des autres pour avancer. Heureusement, votre flair vous guide bien, et vous vous retrouvez rarement dans une mauvaise posture.

Vous êtes un peu rêveur, mais ce trait de caractère vous a permis de développer une inspiration étonnante. Le domaine artistique rend justice à votre créativité; vous excellez dans l'artisanat, la comédie, mais aussi le commerce, les relations publiques, le jardinage et les soins aux animaux. Cependant, vous hésitez à faire cavalier seul: vous avez besoin d'un partenaire pour vous stimuler, pour vous donner ce petit coup de pouce qui mène à la réussite, et cela aussi bien d'un point de vue professionnel que financier.

Vous préférez vivre dans une atmosphère empreinte d'harmonie, loin du brouhaha et des affrontements du monde, et vous vous retranchez alors dans votre nid, généralement douillet, pour vous ressourcer et y refaire vos forces vitales. Hôte remarquable, vous accueillez ceux que vous aimez avec chaleur et, dès lors, vous devenez, à leurs yeux, un centre d'attraction remarquable, ce qui fait parfaitement votre affaire.

Vous recherchez la sécurité affective auprès d'un partenaire qui vous apportera tout le soutien et la confiance qui vous manquent; vous attachez une importance capitale à votre vie émotive et vous tenez à la réussir.

Sur le plan financier, vous n'hésitez pas à dépenser pour vous procurer le confort matériel nécessaire à votre plein épanouissement. Les attentions et les marques de gentillesse vous enchantent. De même, vous êtes très amoureux, très généreux et vous donnez aux autres sans compter.

Vos plus belles qualités:
Sensible, doux, intuitif, inspiré, affectueux, conciliant, sociable, esthète.

Vos péchés mignons:
Capricieux, indécis, profiteur, irresponsable, rêveur, manque de sens pratique, dépendant.

Selon les sages orientaux

Votre domaine symbolique: Les nuages, qui indiquent la possibilité de s'élever et de s'améliorer.

Votre arme: La douceur attachante de la chèvre se fiant au berger qui la nourrit.

Nom chinois de votre signe: Zhu.

Symbole:

Le singe

Tout comme l'animal qui vous représente, vous êtes facétieux, «drôle comme un singe», rempli d'humour. Vous ne reculez devant rien pour faire rire et attirer l'attention. Votre esprit est vif; votre intelligence, éveillée et curieuse. Tout vous intéresse, surtout la nouveauté. Vous êtes un être fantaisiste, bourré d'imagination et de créativité, et les astres vous ont aussi doté d'une mémoire d'éléphant.

Votre originalité et votre humour vous permettent d'occuper l'avant-scène, quoi que vous fassiez. Vous êtes un véritable boute-en-train, et votre bonne humeur rayonnante est très appréciée, tellement que vous avez toujours une petite cour d'inconditionnels qui vous suit partout. Votre affabilité vous gagne amitiés et appuis, et comme vous n'hésitez pas à donner vous-même un coup de pouce à une personne dans le besoin, on sait qu'on peut compter sur vous en tout temps. Par contre, vos inimitiés sont aussi exacerbées que vos marques d'amour, et il vaut mieux ne pas se faire un ennemi d'un natif du Singe, car il peut se montrer assez mesquin.

Votre entregent est remarquable, mais il ne vous aveugle pas, et vous ne perdez jamais de vue vos intérêts. En fait, vous n'avez confiance qu'en vous-même. Observateur et perspicace comme personne, vous repérez les points faibles de vos interlocuteurs au premier coup d'œil et vous en profitez sans vergogne. Tout comme vous savez sauter rapidement sur les occasions, vous n'êtes pas du genre à attendre que le train repasse pour le prendre. Discipliné et méticuleux, vous trouvez des solutions pour répondre aux problèmes les plus complexes, et évidemment les plus ingénieuses sont souvent de votre cru. La concurrence ne vous gêne absolument pas, car vous connaissez votre valeur et êtes apte à vous défendre seul. Les défis vous stimulent, car vous êtes doté d'une promptitude et d'une belle vivacité d'esprit qui vous évitent d'être pris au dépourvu.

Sur le plan de vos amitiés et de vos amours, vous vous montrez charmant, amusant, jovial, mais cela cache une légère tendance à batifoler à droite et à gauche, la fidélité étant toute relative pour vous. Vous êtes une personne adroite, rusée même, qui sait comment faire travailler les autres à sa place et à son profit. Vous sous-estimez souvent autrui et adorez impressionner, briller et être le pôle d'attraction. L'humilité ne vous étouffe pas.

Capable de mener de multiples activités de front et doté de nombreux talents, vous gagnez facilement de l'argent, que vous dépensez tout aussi facilement, car vous n'aimez guère les restrictions et les contraintes. Vous faites confiance à votre bonne étoile pour remplir votre compte en banque au fur et à mesure de vos coups de folie. Les carrières qui vous conviennent sont évidemment celles d'amuseur public, de comédien, d'acrobate, mais aussi de diplomate ou de politicien. Les sciences, le commerce, la littérature et les affaires sont aussi des centres d'intérêt qui pourraient vous attirer.

Vous batifolez, donc vous pouvez devenir une véritable girouette, en amitié et plus encore en amour. Vos relations sont enflammées au début, puis, rapidement, vous vous ennuyez et vous vous demandez comment cette personne a pu vous plaire. Sous des apparences très émotives et parfois éclatées, vous cachez une personnalité lucide et vous gardez la tête froide. Pour vous garder, votre partenaire devra déployer un talent d'amuseur, vous surprendre, vous divertir, bref, vous copier.

Vos plus belles qualités:
Amusant, drôle, boute-en-train, convaincant, érudit, éveillé, esprit vif, lucide, perspicace.

Vos péchés mignons:
Mesquin, rusé, profiteur, opportuniste, dépensier.

Selon les sages orientaux

Votre domaine symbolique: L'illusion que crée le bateleur du jeu de tarot.

Vos armes: Les facéties du singe qui distraient... le laissant libre d'agir à sa guise.

Nom chinois de votre signe: Hoo.

Symbole: 猴

Le coq

En bon roi de la basse-cour, vous faire remarquer, briller, déployer votre talent pour plaire, voilà ce qui vous motive. Et en plus, ce qui ne gâche rien, vous avez un tel magnétisme que vous attirez irrésistiblement tous les yeux vers vous. Une telle popularité vous pousse forcément à la vantardise et à la fanfaronnade, car vous êtes «fier comme un coq».

Votre imagination fertile et votre rêverie vous entraînent dans des conversations intéressantes, mais comme vos idées sont plutôt conservatrices, et que vous y tenez mordicus, votre entourage vous trouve un peu trop rigide, voire inflexible. En plus, comme vous êtes franc, que vous ne mâchez pas vos mots et que ce n'est pas la diplomatie qui vous étouffe, on vous reproche souvent vos opinions trop tranchées. Votre franchise peut blesser, mais même vos adversaires doivent en convenir, vous êtes l'honnêteté et la sincérité incarnées.

Sous vos plumes multicolores et éclatantes, vous conservez votre jardin secret et vous êtes somme toute plutôt renfermé. Vous vous montrez également sélectif en amitié comme en affaires, mais vous avez un grand besoin d'être aimé. Vous souffrez parfois d'un sentiment d'insécurité qui vous pousse à désirer la perfection en toutes choses. Vous risquez de vous perdre dans des détails sans importance ou d'avoir une petite tendance à l'obsession. Pourtant, pour planifier, il y en a peu de votre trempe. Vous n'avez pas peur de vous investir corps et âme pour atteindre vos objectifs. Pour vous, le temps et l'énergie consacrés à votre réussite sont autant d'investissements.

Vous cherchez à vous surpasser, et en tant que travailleur acharné, vous êtes prêt à tout pour défendre vos acquis. Si vous constatez que rien n'avance comme vous le voulez, vous pouvez monter sur vos ergots et vous emporter. Pour vous, la chance n'a aucune part dans votre vie; l'argent est trop difficile à gagner pour vous fier au hasard. Vous voulez donc profiter au maximum du fruit de vos efforts. Votre acharnement vous permettra très probablement de couler des jours paisibles à l'abri du besoin, une fois l'heure de la retraite sonnée.

Votre sociabilité et votre sens de l'organisation sont de précieux atouts, particulièrement dans des domaines tels que le théâtre, la peinture, la danse, les relations publiques, la vente, la promotion, la publicité, l'hôtellerie, la restauration, la chirurgie, les soins dentaires, ou même l'investigation et la sécurité.

D'apparence soignée, vous cultivez ce trait de votre personnalité qui vous permet de plaire et de vous pavaner. Par contre, comme vous craignez le ridicule, vous pouvez devenir craintif et même jaloux. Vous recherchez l'âme sœur, celle qui vous admirera, qui sera à la hauteur de vos désirs et que vous serez fier d'exhiber en société.

Vos plus belles qualités:
Beau parleur, brillant, sociable, planificateur hors pair, déterminé, économe, franc, conservateur.

Vos péchés mignons:
Vantard, jaloux, renfermé, craintif, coléreux, inflexible, rigide, manque de tact.

Selon les sages orientaux

Votre domaine symbolique: Le soleil éclatant, dont le chant du coq annonce le lever.

Votre arme: Le tempérament combatif du coq.

Nom chinois de votre signe: Ji.

Symbole:

Le chien

On a toujours dit que le chien était le meilleur ami de l'homme, et vous faites honneur à l'animal qui symbolise votre signe, car, comme lui, vous êtes fidèle, loyal et vigilant. Par contre, vous demeurez constamment sur vos gardes, car vous êtes craintif. Même votre proche entourage avoue ne pas vous connaître à fond; vous restez souvent sur votre quant-à-soi, et il devient difficile de vous percer à jour.

Votre bon cœur vous incite à vouloir améliorer les conditions de vie de vos congénères. L'injustice et la souffrance humaine font vibrer vos cordes sensibles. Vous n'hésitez pas une seconde à déployer beaucoup d'énergie pour défendre une cause humanitaire. Puisque vous êtes un idéaliste dans l'âme, vous consacrez plus de temps à réaliser vos objectifs de don de soi qu'à songer à votre confort ou à vos intérêts personnels. Cette faculté d'accorder aux autres votre priorité vous permet de devenir un chef de meute apprécié et capable de sortir des sentiers battus.

Votre générosité, votre sens du devoir et votre intégrité sont appréciés, même plus que vous ne l'espériez. Par contre, comme vous ne mâchez pas vos mots et vous ne vous gênez pas pour dire ce que vous pensez, vous pourriez choquer certains de vos interlocuteurs. Vous avez un esprit particulièrement critique, vous pouvez être bougon, parfois même agressif; pourtant, ce n'est qu'un loup de carnaval qui masque votre grande sensibilité et votre bonté.

Vous avez l'impression que le monde va de plus en plus mal, que les gens ne cherchent qu'à profiter les uns des autres, et de vous par la même occasion. Cela vous prédispose à l'angoisse; vous avez des idées noires, vous êtes même pessimiste, surtout quant à l'avenir de l'humanité. En bon chien de garde, vous êtes aux aguets, prêt à intervenir.

Vous êtes désintéressé. Donc, pour vous, vos finances et vos affaires sont secondaires, du moment que vos revenus vous permettent de faire vivre votre petite famille, vous êtes satisfait. L'excédent est aussitôt dépensé. Vous ne prêtez guère d'intérêt à la vie matérielle et vous ne recherchez pas la gloire, ce qui fait de vous l'associé idéal ou l'employé modèle.

Vos pleines capacités s'exprimeront à travers les soins à autrui, la religion, le monde syndical, la loi, la philosophie, le journalisme, la politique, l'enseignement. Votre but principal est de faire le bien autour de vous et de veiller à être utile à ceux qui vous entourent.

Sur le plan interpersonnel, vous n'êtes pas très sociable: les réunions mondaines et les bandes d'amis ne sont pas votre fort. De nature plutôt solitaire, vous parlez peu de vous, mais votre altruisme vous rend attachant. En amour, vous êtes comme un bon chien fidèle, dévoué et honnête, mais un peu craintif et tourmenté. Perdre l'être aimé demeure votre principale crainte, comme le chien qui a peur de perdre son maître. Pour vous sentir bien dans votre peau, vous devez avoir un compagnon de vie doté d'une forte personnalité, qui partage vos idéaux et dissipe vos inquiétudes en se montrant à la hauteur de la confiance que vous lui accordez.

Vos plus belles qualités:
Loyal, généreux, vigilant, toujours prêt à aider ceux qui sont dans le besoin, compatissant, désintéressé, sensible.

Vos péchés mignons:
Renfermé, anxieux, craintif, critique, pessimiste, peu rassuré, manque de tact.

Selon les sages orientaux

Votre domaine symbolique: La complémentarité du chien-loup qui mène à la purification et à la poursuite d'un idéal.

Votre arme: La vaillance du chien qui n'hésite pas à se sacrifier pour son maître.

Nom chinois de votre signe: Goo.

Symbole: 狗

Le cochon

Contrairement à la croyance populaire, le cochon est un animal très propre; le natif de ce signe ne supporte guère la saleté et le désordre. Chez lui tout brille de propreté. À l'intérieur de vous aussi, vous savez faire le ménage lorsque nécessaire, mais vous avez gardé votre cœur d'enfant, et vous le conserverez toute votre vie; c'est ce qui fait votre charme.

Gentil, tolérant, compréhensif et pacifique, le natif du Cochon déteste les complications et les disputes; tant et si bien qu'il se range à l'avis de ses interlocuteurs, tout en sachant qu'il a raison, simplement pour ne pas les contredire et créer de la bisbille. Le Cochon sait se taire lorsqu'il sent que la discussion pourrait l'entraîner trop loin.

Dominé par la sincérité, vous accordez facilement votre confiance, au risque de voir cette marque d'estime se retourner contre vous, surtout en affaires. Comme vous n'êtes pas rancunier et que votre douceur masque votre tempérament, on pourrait croire que vous êtes faible de caractère… eh bien, pas du tout! Vous pouvez même être têtu comme un cochon. Cette détermination vous permet d'ailleurs de mener à bien vos projets, car vous ne baissez jamais les bras. Votre entourage sait très bien qu'il peut compter sur votre loyauté et que la parole d'un Cochon vaut de l'or.

Travailleur assidu, vous accordez une énorme importance à la réussite professionnelle. Les affaires, la Bourse, les professions libérales, les arts, la littérature, les soins à autrui, l'architecture, la décoration et la restauration (vous êtes si gourmand) sont des domaines qui pourraient vous mener à réaliser de grandes choses.

Comme vous avez beaucoup de facilité à gagner de l'argent, en dépenser beaucoup ne vous pose aucun problème; vous vous permettez de gâter ceux que vous aimez et vous avez autant de plaisir à donner qu'eux à recevoir. Par contre, notre gentil Cochon est comme la fourmi de la fable de La Fontaine: il n'est pas prêteur. De mauvaises expériences vous auraient-elles échaudé?

Puisque votre parole est d'or, vous respectez scrupuleusement vos promesses. Bien sûr, cette qualité vous incite à la prudence, et vous ne vous engagez pas à la légère; vous pesez et soupesez le pour et le contre pendant des jours avant de vous décider. Mais ce n'est pas plus mal, parce qu'une fois que vous avez dit oui, on sait qu'on peut compter sur vous. Vous préférez agir seul, sans demander l'avis de ceux qui vous entourent. Et si vous avez quelque chose en tête, il est impossible de vous en faire démordre, on l'a dit: «Vous avez une tête de cochon!»

Au milieu d'inconnus, vous êtes si discret qu'on se demande si vous êtes là. Mais avec vos proches, vous savez vous montrer drôle, faire rire et vous mettre au premier plan lorsque cela vous convient. Vos amis se comptent sur les doigts d'une seule main, mais vous pouvez leur faire confiance, car leur fidélité vous est acquise. Votre vie familiale est aussi très importante, et vous ne ménagez ni votre temps ni vos efforts pour assurer le bonheur de votre progéniture. Votre domicile est votre refuge. Il est confortable et accueillant. On se sent bien chez vous!

Sur le plan amoureux, on ne reste pas insensible à vos beaux yeux. Mais vous avez d'autres qualités qui attirent le sexe opposé: votre charme, votre humour, le plaisir que vous prenez aux bonnes choses de la vie, votre sensualité et votre raffinement. Vous êtes quelqu'un de généralement tolérant. Pourtant, en amour, votre possessivité est exacerbée, et comme la vie de couple est, rappelons-le, très importante pour vous, vous ne supportez pas qu'on vous mente ou qu'on vous trompe.

Vos plus belles qualités:
Cœur d'enfant, pacifique, généreux, amusant, tolérant, déterminé, honnête, sens de la famille, propre.

Vos péchés mignons:
Crédule, indécis, obstiné, sensuel, peur de la chicane et des affrontements.

Selon les sages orientaux

Votre domaine symbolique: Le chêne qui symbolise la solidité, la longévité et l'hospitalité.

Vos armes: Le calme et la douceur qui cachent la détermination du cochon.

Nom chinois de votre signe: Zhu.

Symbole: 豬

L'ascendant chinois sans calcul

Pour déterminer votre ascendant chinois, nul besoin de vous lancer dans de savants calculs, il suffit de connaître votre heure de naissance. Consultez le tableau présenté ici pour connaître votre ascendant chinois.

N'oubliez pas de vous en tenir à l'heure réelle. Vous pouvez vous référer au chapitre «Trouver son ascendant, c'est facile!», à la page 37 au début de ce livre, pour savoir si, le jour de votre naissance, l'heure était avancée ou non. Si elle l'était, enlevez une heure et continuez.

Si vous êtes né:	Votre ascendant chinois est:
entre minuit et 1 h	Rat
entre 1 h et 3 h	Buffle
entre 3 h et 5 h	Tigre
entre 5 h et 7 h	Chat
entre 7 h et 9 h	Dragon
entre 9 h et 11 h	Serpent
entre 11 h et 13 h	Cheval
entre 13 h et 15 h	Chèvre
entre 15 h et 17 h	Singe
entre 17 h et 19 h	Coq
entre 19 h et 21 h	Chien
entre 21 h et 23 h	Cochon
entre 23 h et minuit	Rat

Une fois que vous avez trouvé votre ascendant, il ne vous reste plus qu'à consulter les pages qui suivent.

Ascendant Rat

Votre ascendant Rat vous rend certainement un peu craintif, et votre entourage doit trimer dur pour gagner votre confiance. Plusieurs personnes vous trouvent distant et froid, mais une fois que la glace est rompue entre vous, ce sont surtout vos belles qualités qui ressortent.

Votre esprit pratique vous permet de trouver des solutions ingénieuses aux problèmes qui semblent insolubles à d'autres. Vous ne manquez jamais une bonne occasion lorsqu'elle croise votre route, et dans les discussions, vos arguments sont si convaincants que c'est avec une grande facilité que vous ralliez tout le monde autour de votre point de vue. En fait, vous êtes dangereusement convaincant. Vous réussissez souvent le tour de force de faire agir votre entourage, et même des inconnus, de la façon dont vous le voulez, et, en plus, à leur insu. C'est tout un talent que de savoir convaincre de cette manière. En amour, la passion est un très bon moteur, mais l'admiration que vous avez envers votre partenaire en est un encore plus fort.

Ascendant Buffle

Même si vous êtes plutôt réservé et conservateur, on peut vous faire confiance, car vous agissez avec sérieux, franchise et honnêteté. En affaires ou en amitié, vous gagnez à être connu. Vous êtes un bon travailleur; votre détermination et les nombreux efforts que vous déployez vous conduiront sans aucun doute vers la réussite, et, ce qui ne gâche rien, vous avez un très bon sens de l'organisation. Sur le plan financier, vous vous montrez plutôt économe et prévoyant; vous ne vous mettrez jamais dans le pétrin, et vos vieux jours sont assurés.

En amour, pour vous, c'est la loyauté et la stabilité qui priment. Vous prenez donc tout votre temps pour vous décider, mais lorsque vous vous engagez, c'est pour la vie. Votre famille est pour vous le cocon où vous vous sentez le mieux, et vous savez la préserver.

Ascendant Tigre

Téméraire comme le gros félin qui vous représente, vous n'avez peur de rien. Votre persévérance, votre intelligence, votre ambition et votre sens de la gestion des ressources humaines font de vous un être que rien n'arrête; au contraire, plus les obstacles s'accumulent, plus il y a de défis à relever, plus vous êtes heureux.

En affaires, les conventions ne vous embarrassent pas; vous êtes autonome et vous agissez à votre guise. Vous avez le don des affaires, de gagner de l'argent, car votre vision d'ensemble de la situation est optimale. Par contre, l'argent file aussi vite de votre porte-monnaie qu'il y rentre.

En amitié comme en amour, avec vous, c'est tout ou rien. Vous recherchez un partenaire que vous pouvez idéaliser, car vous vous enflammez aussi rapidement que vous pouvez vous éteindre. Pour vous apprivoiser, votre conjoint devra déployer tous ses atouts: être brillant, vous surprendre, vous stimuler et même vous suivre dans vos nombreuses aventures.

Ascendant Chat

Courir les réceptions, les mondanités, les cocktails, c'est vraiment ce que vous aimez le plus. Vous êtes une personne sociable qui adore voir des gens, toutes sortes de gens. Bien sûr, dans de tels événements, vous pouvez déployer votre charme et briller, ce que vous adorez. Votre pouvoir de séduction est tout simplement phénoménal. On remarque votre élégance naturelle et toutes ces belles choses que vous portez si bien. Vous avez aussi le don de la parole, vous savez comment parler aux gens, comment les convaincre, et vous êtes un habile négociateur et surtout un fin diplomate. Néanmoins, les affrontements directs ne vous plaisent pas du tout et vous font même fuir. Malgré votre envie de plaire, vous conservez un certain côté conservateur qu'on perçoit tant dans votre façon d'agir que dans celle de mener vos affaires.

Sur le plan affectif, c'est le romantisme qui marque vos relations. Vous aimez plaire, charmer et ronronner. Vous déployez toute votre séduction, tout en demeurant sur vos gardes; vous craignez beaucoup qu'on vous fasse du mal, car les critiques et les éclats de voix vous traumatisent.

Ascendant Dragon

Flamboyantes, les personnes ayant un ascendant Dragon possèdent un magnétisme indéniable; elles ne passent jamais inaperçues. Vous n'êtes pas très patient et aimez que les choses se déroulent rondement, sans perte de temps. Par contre, vous donnez l'exemple en étant un travailleur acharné, aux grandes ambitions, et vous réussissez souvent à atteindre vos buts grâce aux nombreux efforts que vous déployez. Vous avez du talent et de la détermination, ce qui vous donne une grande confiance en vous et en vos capacités. En affaires, aucun obstacle ne vous rebute, vous les surmontez haut la main; l'argent et la réussite sont au rendez-vous. Mais comme les richesses sont faites pour circuler, elles ne restent jamais bien longtemps à dormir dans votre coffre-fort.

En amour, vous êtes également très exigeant envers vous et votre partenaire, par le fait même. Vous demandez la perfection, rien de moins, et c'est la raison pour laquelle vous ne vous précipitez pas sur la première personne venue. Avant de rencontrer la personne parfaite que vous avez en tête, vous briserez bien des cœurs, car votre magnétisme est puissant. On vous aime plus que vous, vous n'aimez.

Ascendant Serpent

Clairvoyance, sagesse, perfectionnisme, esprit de décision, prudence et intuition phénoménale sont vos principaux atouts, et vous n'hésitez jamais à vous en servir. Pour vous, tout doit être clair et net; vous cherchez à atteindre la perfection. Dans vos loisirs comme en affaires, vous réfléchissez abondamment, vous êtes très avisé, et on ne vous surprend pas facilement, car vous ne prenez aucune décision à la légère. Bien sûr, vous vous fiez à votre raisonnement, mais votre instinct occupe une grande place quand vient le moment de faire les bons choix. Vous êtes déterminé à atteindre l'aisance et vous y arriverez; comme, en plus, vous êtes économe, parcimonieux même, vous vous mettez largement à l'abri du besoin.

Votre charme est puissant; néanmoins, vous n'êtes ni tendre ni romantique; en amour, vous vous montrez même possessif avec votre partenaire. Par contre, lorsqu'il est question de vous, vous vous permettez de batifoler à droite et à gauche et vous devenez volage. Néanmoins, une fois le conjoint idéal trouvé, vous devenez loyal, et on peut compter sur vous.

Ascendant Cheval

Vif comme l'éclair, rapide comme le vent: ces qualités se retrouvent tant dans votre état d'esprit et votre caractère que dans vos agissements. Avec vous, pas de temps pour le surplace; il faut que ça bouge, et vite! Brillant causeur, vous avez des reparties rapides et percutantes, ce qui vous permet de faire bonne impression en public et vous rend de bons services en affaires.

La routine n'est décidément pas pour vous. De toute façon, lorsqu'elle semble s'installer, vous vous étiolez. De nouveaux défis, de nouveaux visages à rencontrer, de nouvelles cultures à explorer, tout suscite en vous le dynamisme. Populaire et sympatique comme vous l'êtes, vous attirez de nombreuses personnes autour de vous. Mais rien n'a plus d'attraits que la liberté à vos yeux.

Puisque vous êtes quelqu'un de rapide, vous tombez très vite amoureux, car en plus vous possédez un pouvoir de séduction et un charisme enjôleurs. Mais vos amours ne sont bien souvent que des feux de paille. Lorsque vous vous sentez coincé, bridé dans vos aspirations, vous n'avez de cesse de briser vos liens pour courir crinière au vent. Votre conjoint devra respecter ce trait de votre personnalité pour vous rendre heureux. Dès lors, vous serez attentif et généreux.

Ascendant Chèvre

Doux, raffiné et conciliant, vous attachez aussi beaucoup d'importance à la beauté. On pourrait toutefois vous reprocher votre légère indécision qui vous empêche souvent d'agir. Vous n'êtes parfaitement à l'aise qu'au sein du noyau familial. Votre vie intérieure est probablement plus riche que votre vie au quotidien et en société. En fait, vous êtes un être inspiré, mais vous avez peu confiance en vous. Vous rêvassez, au détriment de l'action.

Sur le plan des finances ou du travail, vous trouvez toujours un collègue, un associé ou un subalterne qui saura vous aider et vous stimuler, car vous avez besoin qu'on vous pousse un peu dans le dos.

Sur le plan sentimental, votre émotivité est très forte, et vous êtes également rêveur. Vous cherchez un partenaire compréhensif, qui saura vous épauler en tout temps et, en plus, qui vous gâtera. En effet, les cadeaux et les petites attentions vous font fondre, et vous aimez autant en donner qu'en recevoir. Comme vous avez beaucoup de charme, vous trouverez certainement cette perle rare.

Ascendant Singe

Avec vous, c'est presque tous les jours la fête. Vous êtes fantaisiste, rempli d'originalité et débordant d'humour. En plus, vous êtes curieux et vous vous intéressez à tout. Grâce à votre mémoire d'éléphant, vous parvenez même à épater de purs étrangers. Bref, vous êtes très sociable et vous recherchez sans cesse les contacts humains, probablement dans le but inavoué d'épater la galerie.

Votre capacité de travail est étonnante, et vous pouvez mener plusieurs projets en même temps, grâce surtout à votre solide discipline et à l'énorme potentiel qui vous anime.

Vous êtes aussi très convaincant. Sous vos dehors clownesques sommeille un négociateur redoutable qui ne perd pas de vue ses propres intérêts. Vous savez même embobiner les autres tout en n'en laissant rien paraître.

Sur le plan sentimental, votre nature enjouée et curieuse fait en sorte que vous vous emballez vite et que vous vous lassez tout aussi vite. Possédant un caractère plutôt versatile, vous êtes conscient de votre nature fuyante, et il est assez rare que vous vous engagiez à fond. Il vous faut un partenaire qui sera aussi votre complice, qui saura vous amuser, vous surprendre, vous faire rire et qui, en même temps, renouvellera votre quotidien.

Ascendant Coq

Vous avez de l'entregent, vous êtes un bon communicateur, vous aimez briller en société, et en plus vous avez un certain charisme. Donc toutes les qualités qu'il faut pour vous faire de nombreux amis. Mais, même si vous êtes un beau parleur, vous ne vous ouvrez jamais totalement; vous gardez votre part de mystère et vous restez un tantinet sur la défensive.

Votre principal objectif étant de toujours faire mieux, votre perfectionnisme en devient tatillon. Vous vous perdez dans les détails sans importance. Heureusement, votre détermination, vos dons de planificateur hors pair et votre agressivité constructive compensent ce petit côté un peu trop minitieux. Côté argent, vous êtes prévoyant et sage.

Comme vous attachez une grande importance à votre apparence générale, vous plaisez beaucoup, mais vous êtes si exigeant avec vousmême et avec les autres qu'il est bien difficile de vous plaire. Vous cherchez un conjoint loyal qui vous admire et que vous serez fier de présenter à vos amis. Par nature, vous vous montrez un peu jaloux.

Ascendant Chien

Voici l'idéaliste généreux et intègre type. Votre nature est foncièrement loyale. Votre principal point faible est votre tendance à demeurer constamment sur le qui-vive, à être sur la défensive, à toujours voir le côté noir des choses et des gens. Bref, vous souffrez parfois d'anxiété et vous vous inquiétez souvent inutilement.

Vous êtes énormément touché par la souffrance humaine, et cela vous pousse à consacrer de nombreux efforts au service d'une cause humanitaire au détriment de vos propres intérêts. Honnête et franc, vous préférez toutefois garder vos pensées pour vous, car vous savez que vous avez la critique très facile.

On vous trouve attachant. Pourtant, on arrive difficilement à bien cerner votre caractère, car vous êtes plutôt renfermé. Sous cette carapace se cache cependant un grand sentimental qui a toujours peur d'être blessé. C'est d'ailleurs cette grande insécurité et votre manque de confiance en vous qui risquent de peser sur votre vie de couple. Votre conjoint devra vous sécuriser.

Ascendant Cochon

Vous avez gardé votre âme d'enfant; vous êtes sans malice et vous accordez facilement votre confiance, trop peut-être. On apprécie votre grande générosité et votre tolérance proverbiale. Vous n'êtes cependant pas très à l'aise avec des inconnus et préférez rester entouré de vos meilleurs amis. Vous êtes rempli de gentillesse et de gaieté, mais ce n'est pas chez vous une faiblesse de caractère. Au contraire, vous savez ce que vous voulez et vous faire changer d'idée relève parfois de l'exploit. Par contre, si vous sentez venir le vent de la discorde, vous n'hésitez pas une seconde à vous ranger à l'avis de votre interlocuteur, même si vous n'en pensez pas moins et que, de toute façon, vous n'en ferez qu'à votre tête.

Vous êtes plutôt naïf et crédule, mais, en affaires, on ne vous roule pas facilement dans la farine. Vous savez comment gagner de l'argent. D'ailleurs, une partie de tous ces sous servira à choyer votre petite famille et ceux que vous aimez. Tandis que l'autre partie sera investie pour avoir un certain confort qui vous rendra la vie bien plus agréable. Vous aimez les bonnes choses de la vie et vous êtes un excellent amoureux. Votre conjoint doit cependant démontrer que vous pouvez lui faire confiance, car vous êtes un tantinet possessif et jaloux.

Ils ont le même signe chinois que vous

Rat
Doris Day, Linda de Suza, Marie Denise Pelletier, Wayne Gretzsky, Clark Gable, Carol Burnett, Nana Mouskouri, Pierre Bertrand, Nancy Martinez, André Philippe Gagnon.

Buffle
René Simard, Daniel Lavoie, Jean Coutu, Charles Trenet, Walt Disney, Michel Louvain, Carole Laure, Jean-Pierre Coallier, Peter Gabriel, Corey Hart, André Gagnon, Bruce Springsteen.

Tigre
Marie-Michèle Desrosiers, Jerry Lewis, Louise Portal, Martine St. Clair, Olivier Guimond, Félix Leclerc, Charles Dutoit, Claude Poirier, Marilyn Monroe, Andrée Boucher, Tina Turner.

Chat
Brian Mulroney, Billie Holiday, Sylvie Bernier, Bob Hope, Guy Lafleur, Renée Claude, Michel Rivard, Sting, Roger Moore, Sandra Dorion, Frank Sinatra, George Michael.

Dragon
Richard et Marie-Claire Séguin, Jean Drapeau, Marie Philippe, Serge Laprade, Pierre Lalonde, Bing Crosby, Christian Dior, Faye Dunaway, John Lennon, Gino Vanelli.

Serpent
Jacques Brel, Sylvie Tremblay, Claude Barzotti, Marjo, Nicole Leblanc, Greta Garbo, Marc Favreau, Grace de Monaco, Martin Luther King, Francis Cabrel, Pierre Labelle.

Cheval
Barbra Streisand, Michel Fugain, Janet Jackson, Jean-Paul II, Paul McCartney, Geneviève Bujold, Edith Butler, Lise Watier, Janis Joplin, Martine Chevrier, Aretha Franklin, Samantha Fox.

Chèvre
Suzanne Lévesque, Tino Rossi, Denise Filiatrault, Michel Tremblay, Louise Forestier, Lise Payette, Alys Robi, Andrée Lachapelle, Daniel Lemire, Mick Jagger, Angèle Arsenault.

Singe
Elizabeth Taylor, Diana Ross, Céline Dion, Joan Crawford, Claude Blanchard, Yves Corbeil, Claude Léveillée, Julio Iglesias, Mike Bossy, Dalida, Mario Tremblay.

Coq
Simone Signoret, Janine Sutto, Joan Collins, Jean-Paul Belmondo, Michel Jasmin, Bette Midler, Clémence DesRochers, Joe Bocan, Dolly Parton, Robert Bourassa.

Chien
Liza Minnelli, Patrick Norman, Brigitte Bardot, Madonna, Michael Jackson, René Lévesque, Prince, Michèle Richard, mère Teresa, Jean-Pierre Ferland, Elvis Presley.

Cochon
Claude Dubois, Danielle Ouimet, Jean Lapointe, Jean Duceppe, Luciano Pavarotti, Ronald Reagan, Fred Astaire, Dudley Moore, Elton John, Irene Cara, Lucille Ball, Arnold Schwarzenegger.

Bibliographie

LUKAS, E., *L'extraordinaire pouvoir de la Lune,* Paris, Éditions de Vecchi, 1989, 192 p.

CHALIFOUX, Anne-Marie, D.N., *Mon cours d'astrologie,* Montréal, Communication Véga, 1991, 452 p.

L'illustration de la carte du ciel de 2005 a été réalisée à l'aide du programme *Win*Vega3,* en vente au Pentogramme.

L'astrologie vous intéresse?

Nos cours sont faciles, amusants et abondamment illustrés. Ils ont été conçus pour ceux qui n'ont jamais fait d'astrologie, et vous pouvez les suivre à votre rythme, chez vous.

Pour obtenir des renseignements sur nos services
entre autres sur nos *Cours d'astrologie par correspondance,*
il suffit de nous faire parvenir une enveloppe
préaffranchie, sur laquelle vous aurez indiqué
votre nom et votre adresse.

Postez le tout par courrier régulier à :

**Bureau d'Anne-Marie Chalifoux
738, avenue Bloomfield, bureau 8
Outremont (Québec) H2V 3S3**

HOROSCOPE
2005

Distribution pour le Canada:

2185, autoroute des Laurentides
Laval (Québec) H7S 1Z6
Téléphone: (450) 687-1210
Télécopieur: (450) 687-1331